JACK

Du même auteur

Malefica, tome 2, *La voie royale*, Éditions Libre Expression, 2014 ; Hugo Roman, 2014 ; France Loisirs, 2015.

Malefica, tome 1, *La voie du Livre*, Éditions Libre Expression, 2013 ; Hugo Roman, 2014 ; France Loisirs, 2014.

Vengeance, tome 2, *Le Grand Œuvre*, Hurtubise, 2013 ; Québec Loisirs, 2013 ; France Loisirs, 2013.

Vengeance, tome 1, *Le Glaive de Dieu*, Hurtubise, 2013 ; Québec Loisirs, 2013 ; France Loisirs, 2013.

Damné, tome 4, *Le baptême de Judas*, Hurtubise, 2011 ; France Loisirs, 2012 ; Hugo Roman, 2013 ; Pocket, 2014.

Damné, tome 3, *L'étoffe du Juste*, Hurtubise, 2011 ; France Loisirs, 2012 ; Hugo Roman, 2013 ; Pocket, 2014.

Damné, tome 2, *Le fardeau de Lucifer*, Hurtubise, 2010 ; France Loisirs, 2012 ; Hugo Roman, 2013 ; Pocket, 2013.

Damné, tome 1, *L'héritage des cathares*, Hurtubise, 2010 ; France Loisirs, 2012 ; Hugo Roman, 2012 ; Pocket, 2013.

Le Talisman de Nergal, tome 6, *Le secret du Centre*, Hurtubise, 2009 ; France Loisirs, 2014.

Le Talisman de Nergal, tome 5, *La Cité d'Ishtar*, Hurtubise, 2009 ; France Loisirs, 2014.

Le Talisman de Nergal, tome 4, *La clé de Satan*, Hurtubise, 2009 ; Michel Lafon, 2011 ; France Loisirs, 2014.

Le Talisman de Nergal, tome 3, *Le secret de la Vierge*, Hurtubise, 2008 ; Michel Lafon, 2010 ; France Loisirs, 2014.

Le Talisman de Nergal, tome 2, *Le trésor de Salomon*, Hurtubise, 2008 ; Michel Lafon, 2009 ; Mosaïka, 2011 ; France Loisirs, 2014.

Le Talisman de Nergal, tome 1, *L'Élu de Babylone*, Hurtubise, 2008 ; Michel Lafon, 2009 ; Mosaïka, 2010 ; France Loisirs, 2014.

HERVÉ
GAGNON

JACK

Une société de Québecor Média

Catalogage avant publication de Bibliothèque et Archives nationales du Québec et Bibliothèque et Archives Canada

Gagnon, Hervé, 1963-
Jack : une enquête de Joseph Laflamme
(Expression noire)
ISBN 978-2-7648-0977-8
I. Titre. II. Collection : Expression noire.
PS8563.A327J32 2014 C843'.6 C2014-940018-7
PS9563.A327J32 2014

Édition : Marie-Eve Gélinas
Correction d'épreuves : Sabine Cerboni
Couverture : Axel Pérez de León
Grille graphique intérieure : Chantal Boyer
Mise en pages : Axel Pérez de León
Photo de l'auteur : Sarah Scott

Remerciements
Nous reconnaissons l'aide financière du gouvernement du Canada par l'entremise du Fonds du livre du Canada pour nos activités d'édition.
Nous remercions le Conseil des Arts du Canada et la Société de développement des entreprises culturelles du Québec (SODEC) du soutien accordé à notre programme de publication.
Gouvernement du Québec – Programme de crédit d'impôt pour l'édition de livres – gestion SODEC.

Les Éditions Libre Expression
Groupe Librex inc.
Une société de Québecor Média
La Tourelle
1055, boul. René-Lévesque Est
Bureau 300
Montréal (Québec) H2L 4S5
Tél. : 514 849-5259
Téléc. : 514 849-1388
www.edlibreexpression.com

Dépôt légal – Bibliothèque et Archives nationales du Québec et Bibliothèque et Archives Canada, 2014

ISBN : 978-2-7648-0977-8

Distribution au Canada
Messageries ADP
2315, rue de la Province
Longueuil (Québec) J4G 1G4
Tél. : 450 640-1234
Sans frais : 1 800 771-3022
www.messageries-adp.com

Diffusion hors Canada
Interforum
Immeuble Paryseine
3, allée de la Seine
F-94854 Ivry-sur-Seine Cedex
Tél. : 33 (0) 1 49 59 10 10
www.interforum.fr

Prologue

Dorset Street, Londres, 9 novembre 1888

Essoufflé, les cheveux collés au front par la sueur, les vêtements maculés, les bras couverts de sang jusqu'aux coudes, un couteau de chirurgie à la main, l'homme se tenait debout près de la porte. L'odeur cuivrée du sang, forte et pénétrante, lui faisait un peu tourner la tête tant il était fébrile. Il avait déjà tué auparavant, mais jamais la mort n'avait eu le même goût, les mêmes raffinements. Son art éclatait au grand jour. Ils étaient loin, les petits meurtres médiocres perpétrés à la sauvette de quelques coups de couteau maladroits. Maintenant, il tuait de façon suave, avec précision. Son œuvre avait enfin un sens. Il faisait le bien.

Il avait l'impression que ses pensées même étaient essoufflées tant elles tournaient vite dans sa cervelle. Il se sentait comblé et heureux, mais en même temps nostalgique. Ce meurtre était le dernier. Il avisa la fille sur le lit – ou plutôt, ce qu'il en restait. Pour Mary Jane Kelly, il s'était surpassé en sauvagerie. Les autres avaient été passablement décrépites et marquées par la maladie et l'alcool. Celle-là avait été la plus difficile à tuer, car elle était très jolie. Il avait été surpris par son petit minois séduisant à la peau de pêche et par son sourire étincelant auquel il ne manquait aucune dent. Il en avait presque perdu ses moyens. Certes, ce n'était pas une courtisane haut de gamme, ni même une putain de luxe, mais un beau brin de fille, propre et bien mise, qui ne faisait pas honte à ses clients en public et qui pouvait imposer ses tarifs. Assurément, il ne se trouvait point de pauvres parmi les clients de miss Kelly. Lui-même avait dû débourser une somme rondelette pour avoir droit à des faveurs dont il n'avait pas souhaité se prévaloir.

Il l'avait suivie jusqu'à cette chambrette miteuse dont le délabrement tranchait avec la beauté de son occupante, et qu'elle louait pour recevoir ses clients et y dormir. Il s'était permis de l'admirer à loisir tandis qu'elle déboutonnait lascivement un corsage un peu usé pour dévoiler de magnifiques petits seins blancs. Surprenant son regard, elle en avait titillé les pointes roses et arrogantes avec un air délicieusement coquin jusqu'à ce qu'elles deviennent bien dures. Lorsqu'il s'était approché, elle avait retroussé sa robe, révélant un sexe à la toison sombre et épaisse, puis avait docilement ouvert les cuisses, habituée à être prise à la hâte, debout contre un mur. À la vue de la chair rose et moite, il avait un instant songé à profiter des services qu'il avait payés d'avance avant de faire son travail, mais sa nature profonde s'était aussitôt réaffirmée. Il les préférait plus jeunes. Beaucoup plus jeunes.

Il s'était retourné pour retirer son gibus, ses gants et son pardessus, puis avait saisi le manche à pommeau d'argent de sa canne-épée et discrètement sorti la menaçante lame de douze pouces. Avant qu'elle comprenne ce qui était en train d'arriver, Jack était passé derrière elle et lui avait ouvert la gorge de gauche à droite, si profondément que sa tête ne tenait plus que par un filet de peau. Puis il l'avait jetée sur le lit. Ses grands yeux éperdus trahissaient la peur et la conscience de sa mort imminente.

Son sang avait jailli de la blessure béante en pulsations dont les jets avaient maculé la peinture pelée des murs et le plancher de bois au vernis usé. Le flot avait faibli tandis que le matelas s'en imbibait.

Jack s'était alors mis au travail, rentrant en lui-même et perdant peu à peu contact avec la réalité. Il avait découpé sa robe, son corsage et sa chemise de corps avant de lui trancher en partie le nez, les joues, les sourcils et les oreilles, puis de tracer de profondes coupures sur ses lèvres. Lorsqu'il en eut terminé, elle était mutilée au point que sa propre mère n'aurait pu la reconnaître. Il s'était ensuite attaqué au reste. Il lui avait pelé le sexe et la fesse droite, lui avait écorché les cuisses jusqu'aux genoux avant de lui découper le ventre, du sexe au sternum, et d'en replier les rabats de peau pour trancher les muscles.

Cela fait, il avait plongé les mains jusqu'au poignet dans la cavité abdominale chaude pour en arracher les organes. Il avait ensuite tranché les seins qu'il avait admirés quelques instants auparavant et en avait disposé un, mamelon vers le haut, près de la tête de la malheureuse, avec l'utérus et les reins. L'autre s'était retrouvé près du pied droit. Il avait déposé le foie entre les pieds et les intestins, à la droite du cadavre, et la rate à sa gauche. Une fois sa besogne achevée, il avait brûlé dans la cheminée les vêtements de la morte, ainsi que son cœur, des lambeaux d'entrailles et quelques morceaux de peau, et avait répandu un peu de cendres aux quatre coins de la pièce.

Mary Jane Kelly n'avait plus grand-chose d'humain, mais elle n'avait qu'elle-même à blâmer. Ceux qui trouveraient son cadavre dans les prochaines heures sauraient immédiatement que le meurtre était l'œuvre de Jack. Ils constateraient aussitôt qu'il avait atteint un nouveau sommet de violence. D'autres noteraient la façon dont elle avait été assassinée et mutilée. Ils comprendraient que la menace ne s'arrêtait pas à ce meurtre.

Il saisit un torchon posé sur le dossier de l'unique chaise et s'essuya les mains et les avant-bras du mieux qu'il le put. Puis il nettoya la lame de sa canne-épée et la remit dans le manche creux. Après avoir frotté ses chaussures pour en ôter les gouttes de sang, il passa son pardessus et remit ses gants. Personne ne verrait ses vêtements maculés de sang. On le croiserait dans la rue sans soupçonner qu'il venait de dépecer une putain. La cinquième, songea-t-il avec un frisson sensuel.

Il jeta sur la scène un dernier regard critique. Il y avait du sang sur le plancher, sur les rares meubles, sur les murs, et même quelques gouttes au plafond. Déjà, des mouches s'affairaient sur la chair encore tiède et gluante de sa victime. *La gorge tranchée de l'oreille à l'oreille ; le cœur arraché de la poitrine ; le corps coupé en deux, les entrailles retirées et jetées par-dessus l'épaule pour y pourrir et être dévorées par les oiseaux de l'air et les bêtes de la terre ; les restes brûlés en cendres, et ces cendres répandues aux quatre vents.* Le protocole était respecté. Le message était envoyé, plus clair que jamais auparavant. Ceux auxquels il était destiné le comprendraient.

Il posa l'oreille contre la porte et écouta longuement en retenant son souffle. Rien. Soit les autres chambreuses étaient en train de se livrer à leur négoce avec un client, soit elles se saoulaient dans un des tripots qui pullulaient dans le quartier, soit encore elles cuvaient leur vin ou reposaient leur corps malmené. Il tourna doucement la poignée et entrouvrit, les sens aux aguets. Toujours rien. Il coiffa son gibus, se glissa dehors et referma la porte sans bruit en prenant soin de ne pas la verrouiller. Le cadavre de miss Kelly devait être retrouvé ; on devait pouvoir entrer librement.

D'un pas mesuré, il traversa le couloir sombre en silence, descendit jusqu'au rez-de-chaussée et sortit sans avoir croisé âme qui vive. Dehors, il faisait frisquet et un épais brouillard s'était formé, comme chaque nuit ou presque à cette époque de l'année. Il resta devant l'édifice un instant, laissant l'air frais caresser son visage en sueur. Puis, s'appuyant élégamment sur sa canne, avec des airs de simple promeneur, celui que les journaux avaient surnommé Jack l'Éventreur se mit en route rue Dorset où, non loin de là, la voiture l'attendait.

Tandis que la brume de Londres l'enveloppait, un sourire de satisfaction se forma sur ses lèvres.

1

Ottawa, Ontario, 9 février 1891

Sir John Alexander Macdonald était horriblement las. Il avait été premier ministre du Dominion du Canada pendant dix-neuf ans – ses ennemis politiques disaient qu'il le contrôlait depuis sa création en 1867. Ce pays, il en avait lui-même négocié la constitution avec Londres. Il n'avait quitté le pouvoir qu'entre 1873 et 1878, alors que les financiers du chemin de fer transcontinental avaient poussé un peu trop loin le financement du parti Tory en échange de contrats de construction et que la chose avait été éventée. Une maladroite erreur de parcours, rien de plus. Hormis cela, le bureau dans lequel il se trouvait lui appartenait pratiquement en propre.

La nuit était tombée depuis longtemps et, comme à l'habitude, Ottawa dormait à poings fermés. La capitale du Canada était tout sauf animée. Mais Macdonald ne s'en plaignait pas. Il n'avait pas besoin de pubs et de clubs privés pour boire plus que son saoul. Et puis, à soixante-seize ans bien sonnés, il sentait bien qu'il ne pourrait plus se permettre de brûler la chandelle par les deux bouts encore très longtemps. L'élection de mars approchait et la campagne électorale allait sans doute le laisser plus épuisé que jamais. Mais au moins, il gagnerait, même si ce serait assurément le dernier tour de piste du politicien âgé qu'il était devenu.

Ce soir-là, il avait prévu de se reposer. Au lieu de cela, il en était à son troisième whisky. Il avait toujours trop bu. Il lui était arrivé de vomir en plein discours électoral tant il était saoul sur l'estrade. Il avait même négocié l'Acte de l'Amérique du Nord britannique ivre la moitié du temps et avait trouvé le moyen de mettre le feu à sa chambre d'hôtel. Mais il avait d'excellentes raisons de chercher un peu de calme dans une bouteille, même si celui-ci se faisait de plus en plus rare. La lettre posée devant lui sur sa table de travail, et dont il était incapable de détacher le regard, en était un exemple probant.

— Je suis vraiment trop vieux pour ce genre de choses, murmura-t-il avec lassitude en secouant la tête, avant d'avaler une gorgée.

La missive confidentielle lui était parvenue par les canaux diplomatiques. Il aurait voulu pouvoir l'ignorer, mais il n'en avait pas le droit. Pour son plus grand malheur, il avait juré voilà très longtemps, quand il était encore un jeune idéaliste fringant, qu'il obéirait à tout appel venu d'en haut. Le temps n'altérait pas la portée de ce genre de serment. Et nul appel ne pouvait émaner de plus haut que celui qui était là, rédigé dans un langage en apparence anodin que seuls pouvaient décoder les membres de l'Ordre.

Trois petits coups discrets à la porte de son bureau le firent sursauter.

— *Sir, will there be anything else** *?* fit la voix discrète de son secrétaire particulier, qu'il croyait déjà parti.

---

* Sir, y aura-t-il autre chose ?

— *Thank you, Wilson*, répondit-il distraitement. *That'll be all. You may go*[*].

— *Good night, sir.*

— *Good night, Wilson.*

L'homme politique se faisait peut-être vieux, mais il n'avait rien perdu de son sens de la décision. Il serra les mâchoires avec une impatience et une frustration qu'il n'avait pas ressenties depuis des lustres, puis vida son verre d'un trait et savoura brièvement la brûlure du vieux single malt dans son estomac. Il chiffonna rageusement la lettre, se leva et gagna la cheminée où un feu achevait de s'éteindre. Il la jeta sur les braises et regarda le papier se consumer.

— J'espère que c'est la dernière fois que j'entends parler de vous, murmura-t-il.

Il resta un moment le regard perdu dans l'âtre qui rougeoyait à nouveau. Puis il alla vers la desserte près de la fenêtre, se versa un autre whisky et revint prendre place à sa table. La lettre qui venait de disparaître en appelait une autre, et il lui revenait de l'écrire. Elle serait brève, et seul son destinataire en comprendrait le vrai sens. Ensuite, il pourrait enfin se reposer.

— *God save the Queen, Great Britain and Ireland, and our Order*[**], soupira-t-il avec un haussement d'épaules résigné.

Il trempa sa plume dans l'encrier, hésita un peu et se mit à écrire des mots qui pesaient lourd sur sa conscience. Décidément, il était trop vieux.

---

* Merci, Wilson. Ce sera tout. Vous pouvez disposer.

** Que Dieu protège la Reine, la Grande-Bretagne et l'Irlande, et notre Ordre.

2

Toronto, Ontario, 14 février 1891

La pièce était plongée dans la pénombre. La rencontre était plus qu'informelle; elle était ultra-secrète. Pour cette raison, elle ne se déroulait pas dans le temple de la loge, comme à l'accoutumée, et n'avait pas été ouverte selon le rituel presque centenaire de l'Ordre. Les hommes présents n'avaient pas revêtu les sautoirs et les gants blancs qu'ils portaient toujours lorsqu'ils se rencontraient, mais seulement des costumes qui n'avaient rien de remarquable.

Ce dont les six hommes avaient à discuter ne devait sous aucun prétexte franchir les murs de cette pièce. Bien entendu, les hautes instances de l'Ordre n'ignoraient rien de ce qui allait s'enclencher dans quelques minutes. La directive venue d'outre-mer, par l'entremise du bureau du premier ministre en personne, était on ne peut plus grave. Néanmoins, il était capital que, le cas échéant, les dirigeants puissent prétendre ne rien savoir de ce qui se tramait; il devait donc y avoir une séparation parfaitement étanche entre eux et le petit groupe aujourd'hui assemblé et délégué pour exécuter les ordres. Au pire, si la situation se détériorait, on pourrait blâmer des dissidents incontrôlables. Quoi qu'il arrive, il importait que le plus vénérable grand maître et ses grands officiers ne soient en aucun cas éclaboussés. C'étaient là les directives reçues par l'homme maintenant assis à l'Orient du temple, et qu'il avait discrètement transmises aux cinq autres.

Ému par leur solidarité, le vénérable maître laissa son regard errer sur ses compagnons. Le maître adjoint, le chapelain, le secrétaire, le trésorier et le tuileur de la loge avaient répondu en toute connaissance de cause à l'appel de leurs supérieurs. Ils prenaient place dans les chaises droites qu'ils avaient disposées à leur place respective autour du temple afin de préserver un peu le décorum.

— Je vous salue, mes frères, dit l'homme d'un ton solennel, presque lugubre, malgré sa voix veloutée qui avait toujours eu sur les autres un effet quasi hypnotique.

Inconsciemment, sa main droite chercha le maillet qu'il utilisait toujours lorsqu'il occupait ce fauteuil, et dont les coups sur le plateau rythmaient le déroulement des activités.

— Nous vous saluons, vénérable maître, lui répondirent en chœur les autres, respectant les règles traditionnelles de l'Ordre, même en ce lieu profane.

Le maître fut assailli par une ultime hésitation qui se dissipa aussi vite. Il était conscient qu'il était déjà trop tard pour reculer, tant pour lui-même que pour ses frères. Songeur, apeuré aussi, devant la gravité de la tâche qu'ils s'apprêtaient à entreprendre et les risques qu'elle comportait, il frotta distraitement la barbe poivre et sel soigneusement taillée de banquier prospère qui lui couvrait les joues. Pour la centième fois peut-être depuis ces derniers jours, il songea que si, le soir de son initiation, on lui avait dit qu'il se retrouverait dans cette situation, vingt-sept ans plus tard, il aurait tourné les talons pour ne jamais franchir les portes du temple. Mais on s'était bien gardé de le lui dire, justement.

Malgré tout, il avait confiance. Si l'opération était bien préparée, il n'y avait aucune raison qu'elle échoue. Après tout, cela avait déjà été fait dans un contexte passablement plus difficile.

— Permettez-moi tout d'abord de vous remercier, mes frères, poursuivit-il. Votre présence ici témoigne de votre loyauté, de votre courage, de vos convictions et de votre dévouement. Soyez-en félicités, même si les archives de la loge ne pourront en attester et que l'Ordre ne vous exprimera jamais sa reconnaissance.

Il fit une nouvelle pause avant de poursuivre.

— Cette rencontre n'a jamais eu lieu et vous-même n'en savez rien. Le fait que vous y ayez été conviés vous condamne à aller de l'avant et à garder le secret coûte que coûte. Dès lors que vous avez franchi cette porte, la moindre indiscrétion, le premier écart sera puni de mort, conformément à nos usages. Me fais-je bien comprendre ?

Il les dévisagea un à un, méthodiquement. Chacun hocha la tête avec calme et aucun d'eux ne baissa les yeux.

— Alors, debout, chevaliers de l'Arche pourpre, et prêtez serment.

Les cinq hommes se levèrent et placèrent la main droite sur leur cœur. Le vénérable maître en fit autant.

— Répétez après moi : « Je jure de garder le silence sur tout ce qui se dira ici ou ce qui s'en dira par la suite, sous peine d'avoir la gorge tranchée, le cœur arraché et le corps coupé en deux, une moitié menée à l'est, l'autre à l'ouest, et chacune brûlée en cendres au sommet d'une montagne, afin que le vent emporte jusqu'au souvenir de moi. Je me déclare entièrement responsable de mon propre serment et de celui de mes compagnons, et conscient que je paierai de ma vie leur trahison autant que la mienne. *God save the Queen, Great Britain and Ireland, and our Order.* »

D'une voix ferme, tous répétèrent mot à mot le sinistre serment puis se rassirent et attendirent en silence. Le maître de la loge chercha à nouveau son maillet. Il aurait eu grand besoin de manipuler quelque chose pour canaliser sa nervosité. Faute d'exutoire, il se décida à aborder le sujet de front. Plus vite il le ferait, plus vite les choses s'enclencheraient.

— Vous savez tous pourquoi nous sommes ici, déclara-t-il. Je n'ai pas besoin de vous rappeler la façon dont la situation a récemment évolué en Angleterre. Vous en êtes conscient comme moi. La crise est sérieuse et doit être endiguée. L'intégrité de la couronne doit être préservée. Rien n'est plus important. C'est à nous que les autorités de l'Ordre font appel. Vous connaissez déjà le plan et vous savez ce qu'on attend de vous. Le but de cette rencontre est de vous informer que l'opération sera lancée sous peu.

Le maître adjoint, qui lui faisait face de l'autre côté du temple, à l'Occident, frappa des mains puis leva la droite pour demander la parole, qui lui fut accordée d'un signe de la tête.

— Sommes-nous absolument certains de la provenance de la directive ? s'enquit-il d'une voix qui trahissait un reste d'espoir.

— Elle vient de haut, précisa le maître.

— Haut comment ?

— Du sommet. La lettre était écrite de la main de notre frère Macdonald en personne, qui obéissait lui-même à une autorité plus haute que lui.

Le maître de la loge lui adressa un regard qui lui fit comprendre qu'il se sentait aussi impuissant que lui.

— Où en sont les préparatifs, mon frère ? demanda le tuileur, du fond de la pièce.

— Notre homme nous assure que tout sera prêt, répondit le vénérable maître.

— N'empêche, maugréa le chapelain, un grand homme mince à la moustache en pinceau finement taillée et au visage austère, qui était assis au Septentrion. Si ce fichu dépravé était capable de garder son pantalon bien attaché, nous n'en serions pas là.

— J'en conviens. Mais notre rôle est d'obéir aux ordres, pas de juger, rétorqua sèchement le vénérable maître. D'autres commentaires ?

Il attendit assez longtemps pour permettre à chacun de s'exprimer, mais tous se turent.

— Bien. Alors, mes frères, préparez un bagage. Dès que notre homme nous confirmera que tout est prêt, nous partirons. Je vous rappelle que si nous sommes pris, l'Ordre ne nous protégera pas et niera nous connaître. En ce moment même, on efface nos noms des registres. Ils y seront rétablis si tout se passe bien.

Un silence lourd tomba sur le petit groupe, dont les membres comprenaient toute la gravité de l'engagement qu'ils venaient de prendre.

— J'enverrai un télégramme à notre agent dès demain matin pour l'aviser. La loge est close. Allez, mes frères. *God save the Queen, Great Britain and Ireland, and our Order.*

Ils sortirent un à un sans dire un mot, laissant le vénérable maître seul avec sa conscience.

3

Montréal, 6 août 1891, un peu avant minuit

Le dimanche soir, les activités étaient toujours au ralenti. Martha Gallagher se demandait même pourquoi elle se donnait la peine d'arpenter ces rues où elle ne croisait que des chats et des chiens errants. De surcroît, ce soir, la pluie tombait dru. Son vieux manteau de laine semblait peser une tonne et ses bottillons aux talons usés étaient complètement trempés, tout comme ses bas et sa jupe. Elle avait mal aux pieds, aux jambes et au dos. Elle crevait de faim et de froid. Son souffle était court. La fatigue l'envahissait. Pourtant, elle s'entêtait à marcher. Elle n'avait pas d'autre choix. Il lui fallait de l'argent. Un dollar au moins, pour manger quelque chose de chaud dans une auberge, ne fût-ce qu'une soupe aux pois bien épaisse avec un bon morceau de lard flottant dedans et un peu de pain, et pour payer le lit qu'elle louait chez miss Fanny, à l'angle de la rue Craig et du boulevard Saint-Laurent. Deux dollars, ce serait encore mieux. Il suffisait de trois ou quatre clients vite faits.

Malheureusement, à cette heure, c'était beaucoup demander. À défaut d'un lit, elle devrait se trouver un portique et s'y recroqueviller pour dormir. Avec cette température, elle se réveillerait sans doute encore plus malade qu'elle ne l'était déjà. Une mauvaise toux la prenait souvent sans qu'elle ait les moyens de se faire soigner. À quarante-six ans, elle aurait dû avoir quitté le métier depuis longtemps. Ses chevilles et ses mollets enflés le lui rappelaient sans cesse. Elle rêvait de remiser une fois pour toutes ce sexe usé qui la faisait mal vivre et qui ne lui procurait pas de plaisir. Mais elle ne savait rien faire d'autre, et il valait quand même mieux se faire prendre à la sauvette, debout contre un mur dans une ruelle, que de gâcher sa vie dans une usine jusqu'à ce qu'un accident l'estropie et la jette à la rue. Le plus vieux métier du monde, disait-on. Martha Gallagher n'était peut-être pas instruite, mais elle n'était pas stupide non plus. Si le premier client avait eu de quoi payer, c'est qu'il existait forcément au moins un métier plus vieux que celui de prostituée.

Elle s'arrêta au coin de la rue Saint-Dominique et renifla avant de s'essuyer le nez avec sa manche. Elle avait le choix : remonter jusqu'à la rue de La Gauchetière ou retourner tout de suite sur Saint-Laurent. Les timides et les hommes trop connus préféraient ne pas être vus et attendaient les filles dans la rue d'à côté. Seules celles qui étaient réellement dans le besoin et dont la beauté s'était fanée s'y rendaient. À son âge, avec ses cheveux grisonnants, son visage piqué par la varicelle et son corps alourdi par les ans, Martha était inévitablement de celles-là. Il ne servait à rien de le nier. Ses meilleures années étaient derrière elle depuis longtemps. Les gens riches allaient vers les jeunes poulettes alors qu'elle-même ne faisait plus que des passes au rabais à des ouvriers sales et pauvres. Bientôt, même toutes lumières éteintes, elle ne pourrait plus gagner sa vie. Viendraient ensuite l'asile des filles perdues et le prêchi-prêcha des religieuses et des aumôniers. Mais pas encore. Pas tout de suite. Dans la rue, au moins, elle était libre.

Elle tendit vainement l'oreille, guettant le bruit des sabots des chevaux qui tiraient encore les tramways là où l'électricité ne les avait pas remplacés. Le service était arrêté pour la nuit, ce qui limitait ses clients potentiels aux piétons. Toutefois, avec un peu de chance, elle croiserait peut-être un ou deux manœuvres du port ou d'une manufacture qui venaient de terminer leur quart et avaient quelques sous à dépenser. Au pire, elle les satisferait à rabais avec sa bouche en essayant de ne pas grimacer ou, pour une misère, à la main en murmurant des douceurs dont elle ne croyait pas un mot. Elle avait l'habitude. Ça ne durait jamais longtemps et il suffisait de penser à autre chose. Elle enfouit sa langue dans le trou encore à vif laissé par ses deux incisives supérieures, qu'un client ivre lui avait fait sauter d'un coup de poing. Cela faisait presque un mois, mais elle n'arrivait pas à s'y faire.

Une quinte de toux la saisit sans prévenir et la plia en deux. Les mains sur les genoux, une sueur à l'odeur aigre se mêlant à la pluie dans ses vêtements et sur son visage, elle toussa pendant de longues minutes. Elle attendit que la crise soit calmée, se racla la gorge et cracha, hors d'haleine, les poumons brûlants, la respiration sifflante. Même dans le noir, elle savait qu'il y avait dans sa glaire des filaments sanguinolents qui sentaient la pourriture. Cela n'augurait rien de bon et elle préférait ne pas le voir. Aussi longtemps qu'elle ne consultait pas de médecin, elle n'était pas officiellement malade, et si elle pouvait gagner sa vie, personne ne l'enfermerait dans un hôpital où elle serait entourée de religieuses dont la charité était bien pire que le mépris.

Elle prit des inspirations frémissantes, retint quelques toussotements, passa une main fébrile sur son front et ses joues, puis se remit en marche. Il devait être plus de onze heures. Elle se sentait mal et n'avait pas le courage de passer la moitié de la nuit dehors. Elle décida donc de remonter jusqu'à La Gauchetière, puis de redescendre par Saint-Laurent. Par un temps pareil, on laissait même rentrer les chiens. Si elle ne trouvait aucun client, ce qui semblait de plus en plus probable, elle supplierait miss Fanny de lui faire crédit pour une nuit en promettant qu'elle travaillerait deux fois plus demain. La tenancière avait beau faire le commerce du plaisir, tout le monde savait qu'elle avait bon cœur et qu'elle n'aimait pas que les filles souffrent. Et puis, entre Irlandaises, il fallait bien s'aider.

Un peu requinquée, Martha s'engagea d'un pas lourd dans la rue Saint-Dominique, qui n'était pas assez importante pour jouir de l'éclairage électrique qui se répandait petit à petit à Montréal depuis cinq ou six ans. Dans le noir, elle avança sans hésitation. Elle connaissait chaque pouce de cette rue et, mieux encore, ses petits recoins et ses portiques, où il lui arrivait souvent de concrétiser une transaction hâtive avec un client pressé.

Elle s'arrêta à mi-chemin, au coin de la rue Vitré, là où la noirceur était la plus épaisse. Une fois de plus, elle fut tentée de tourner pour gagner Saint-Laurent et aller quémander tout de suite un lit, mais elle se ravisa. Dix minutes de plus sous la pluie ne changeraient rien et, avec de la chance, lui apporteraient un client. Elle s'était à peine remise en route lorsque son vœu fut exaucé.

— Pssst ! fit une voix sur sa droite.

Elle s'arrêta et fouilla l'obscurité du regard. Plissant les yeux, elle finit par apercevoir une silhouette dans la porte cochère d'une maison.

— Pssssst !

Osant à peine croire en sa chance, elle fit quelques pas dans la direction d'où provenait l'appel.

— Tu veux quoi, mon chéri ? demanda-t-elle.

Sa voix se cassa, elle retint difficilement une quinte de toux et se racla la gorge pour en chasser un chat. L'inconnu gardait le silence. Elle lui reposa la question en anglais, sans plus de résultat. Elle fit trois pas de plus.

— Dis donc, mon loup, tu es timide, roucoula-t-elle de ce ton désormais beaucoup trop jeune pour elle, mais qui était devenu une seconde nature. Il ne faut pas. Dis à Martha ce qui te ferait plaisir.

Enveloppé par la nuit, l'homme se contentait de l'attendre. Un peu agacée par ce jeu puéril, car tous deux savaient exactement comment se conclurait leur rencontre, elle se planta devant lui et l'observa tout en roulant légèrement ses hanches larges.

L'homme était adossé au mur de brique et son visage était caché dans l'ombre. Il n'était ni grand ni petit, ni maigre ni costaud. Il portait un macfarlane, dont la partie supérieure en forme de pèlerine recouvrait ses épaules et la partie inférieure lui descendait au-dessous du genou. C'était le genre de pardessus imperméable que revêtaient les cochers et les gentlemen qui avaient le malheur d'être pris dehors par mauvais temps. Avec cette pluie, ce n'était pas étonnant. Un gibus était posé, élégamment incliné, sur sa tête. Tout cet accoutrement dégouttait, comme si l'homme avait attendu là longtemps. Le port rigide, il s'appuyait sur une canne, aussi immobile qu'une statue.

Son attitude était déconcertante et un bref frisson d'appréhension parcourut Martha. En matière d'hommes, elle avait appris à écouter son instinct, comme toutes les filles qui voulaient survivre à la profession. Or, il semblait émaner de celui-là quelque chose de malsain. Elle hésita un instant, mais son pressant besoin d'argent prit le dessus et elle chassa cette impression fugitive. C'était le seul client qu'elle aurait ce soir et elle ne pouvait pas se permettre de le perdre, à moins d'accepter de dormir dehors, le ventre vide de surcroît. Elle franchit la distance qui les séparait encore.

— Faut pas avoir peur, mon lapin, minauda-t-elle. Je ne te ferai pas mal. Dis, tu dois avoir un bel instrument dans ce pantalon. Tu me laisses tâter ?

Elle tendit la main vers son entrejambe et esquissa un dernier pas. L'individu eut aussitôt un mouvement de recul dont elle ne se formalisa pas. Elle était parfaitement placée pour savoir que les hommes étaient des bêtes simples, mais étranges. Ils se laissaient tous plus ou moins mener par leurs désirs inavoués même si, souvent, ils manquaient de courage au dernier instant et devaient être amadoués. Sinon, ils repartaient et sa bourse, à elle, demeurait vide.

— Allez, mon minet, supplia-t-elle d'un air enfantin qui la rendait ridicule, mais que les hommes appréciaient, il est tard et il pleut des clous. Si tu veux, j'ai un lit pas loin d'ici. Nous serons bien au chaud et je te ferai de belles chatouilles.

L'homme resta sans réaction. Contrôlant son impatience, elle changea d'angle d'attaque.

— Bon, alors si je m'appuie contre le mur et que je relève ma jupe, tu seras content et tu me donneras une belle pièce de cinquante cents, mon joli ?

Cette fois, l'homme s'écarta pour lui céder le passage.

— Voilà qui est mieux ! s'exclama Martha en prenant place.

Elle remonta sa jupe pour dévoiler un sexe velu.

— Tu viens, gros loup ? Par-devant ou par-derrière ? Tu peux même me prendre entre les fesses si tu veux.

L'inconnu la toisa un moment et, à nouveau, Martha eut un mauvais pressentiment. Il se dégageait de lui une froideur presque clinique. Pour l'enticher, elle se massa le sexe dans une grossière parodie de désir.

Il se décida finalement à avancer pour la rejoindre, avec l'air d'un prédateur qui ne veut pas effaroucher une proie à sa merci. Il la contourna et se blottit derrière elle. De sa main gantée, il lui caressa la gorge. La prostituée réalisa trop tard qu'il ne s'était pas appuyé sur sa canne pour se déplacer. Elle n'avait pas encore eu le temps de laisser retomber sa jupe qu'il tirait brusquement sur le pommeau en argent pour dégager un long stylet d'une douzaine de pouces.

La lame étroite et effilée trancha la peau de Martha Gallagher et pénétra dans sa gorge avec une facilité déconcertante. Elle en ressortit si vite que la prostituée eut seulement le temps de ressentir de la surprise et une douce chaleur qui s'écoulait sur sa poitrine. Par réflexe, elle leva les mains et s'agrippa en vain au bras qui l'encerclait. Martha Gallagher se demanda avec détachement si mourir faisait mal. Ce fut sa dernière pensée.

4

Montréal, 7 août 1891, tôt le matin

La scène qui se déroulait dans la maison de fond de cour, avenue De Lorimier, était la même que dans de nombreux foyers ouvriers de Montréal. À cette différence que les deux protagonistes n'étaient ni ouvriers, ni mari et femme. Pour le reste, ils étaient semblables à la vaste majorité de la population de Montréal, dont la vie flottait quelque part entre la modestie et la misère.

Lorsque Joseph Laflamme, émergeant de sa chambre, entra dans la cuisine, Emma leva les yeux de sa machine à coudre.

— Tu empestes le fond de tonne. Encore.

Le ton était cassant et lourd de reproches, et il l'entendait de plus en plus fréquemment. Debout dans l'embrasure de la porte, la chemise sortie du pantalon et pieds nus, chancelant, il ferma les yeux, prit une profonde inspiration. Les battements de son cœur résonnaient si fort dans sa pauvre cervelle qu'il avait l'impression que son crâne allait se fendre en deux pour la libérer. Le moindre mouvement était une véritable torture. Il relâcha son souffle, produisant un bruit à mi-chemin entre le gémissement et le grognement, puis porta la main à son front douloureux. Il avait eu sa part de gueules de bois dans sa vie – et un peu trop souvent ces derniers temps, il devait bien l'admettre –, mais celle-ci était particulièrement sévère. Même sa peau et ses cheveux lui faisaient atrocement mal.

Emma actionna de nouveau la pédale de sa machine en pompant avec colère.

— Tant mieux si tu as la gueule de bois, persifla-t-elle de cette voix sèche que toutes les vieilles filles semblaient adopter avec le temps. Si seulement la tête pouvait te fendre, soûlon.

— Je n'ai pas mal, ironisa-t-il en grimaçant. C'est seulement que quelqu'un a déménagé le gros bourdon de la basilique dans ma tête pendant que je dormais et que le bedeau s'amuse à le faire sonner sans arrêt.

— C'est le Bon Dieu qui te punit.

— Je déteste quand tu prends ce ton de mère supérieure, rétorqua-t-il en se massant délicatement le cuir chevelu. Si tu y tiens, il n'est pas trop tard pour prononcer tes vœux. Au nombre de communautés qu'il y a dans cette ville, il y en a bien une qui voudra de toi, même sans dot.

La réverbération de sa voix dans sa tête le fit grimacer de plus belle, et il regretta aussitôt sa réplique acerbe.

— Ouille… gémit-il.

— Tu finiras par te noyer dans ta bouteille, mon pauvre Jo, déclara Emma avec une compassion presque maternelle. À moins que la vérole ne t'emporte avant. Tu ne peux pas continuer comme ça. Je suis si peinée de te voir te mener de cette façon…

— Ah, pour l'amour de Dieu, cesse de râler! grommela-t-il avec impatience en se massant les tempes. J'ai trente et un ans. Si j'ai besoin d'un chaperon, je te ferai signe.

— Tu ne devrais pas invoquer Dieu après une autre nuit de débauche, lui reprocha-t-elle. Lave-toi plutôt. Tu pues la gueuse et le parfum bon marché jusqu'ici.

Se gardant de tomber dans le piège que lui tendait sa sœur, Joseph considéra le pichet et le broc posés sur le comptoir, à côté d'une serviette en lin soigneusement pliée. Il avait la bouche pâteuse et la barbe piquante.

— J'ai pensé que tu aurais besoin d'eau fraîche, précisa Emma en suivant son regard. J'ai été en tirer à la pompe.

— Mrrrrmmph... marmonna-t-il en guise de remerciements.

Il avança d'un pas incertain et prudent, ses pieds nus raclant le plancher de lattes qu'Emma gardait toujours méticuleusement ciré. Empoignant le broc par l'anse, il remplit à demi le bassin et retira sa chemise avant de s'asperger le visage et la nuque. La fraîcheur lui raviva un peu les esprits. Après avoir rajouté de l'eau, il y plongea toute la tête. Lorsqu'il la ressortit, il eut l'impression d'avoir les idées un peu plus claires, bien que son cœur battît toujours aussi fort dans ses tempes. Il prit la débarbouillette et le savon brun et se frotta le torse et les aisselles. Puis il déboutonna son pantalon et s'attaqua au reste, s'attardant particulièrement sur ses parties intimes, qui l'exigeaient.

— Tu mouilles le plancher, maugréa Emma sans quitter des yeux sa couture.

Il avait envie de répondre que l'eau allait finir par sécher toute seule et qu'il n'était pas nécessaire de s'énerver pour ça, mais il se retint. Il n'avait pas d'énergie à consacrer à une autre engueulade. De toute façon, c'était toujours la même chose. Elle le houspillait, il résistait un peu pour la forme, lui lançait deux ou trois méchancetés plus ou moins sincères pour sauver la face, et, tout comme elle, finissait par abandonner la partie. Au bout du compte, ils agissaient comme n'importe quel vieux couple et, en un sens, c'était ce qu'ils étaient puisqu'ils avaient passé toute leur vie ensemble.

— Je sais que tu aimerais que le journal…

Joseph l'interrompit d'un grognement impatient. Il ne voulait entendre parler ni de sa soirée, dont il ne se souvenait que confusément, ni du journal. Il s'était réveillé sur son lit, allongé sur les couvertures, en chemise, le reste de ses vêtements semés à tout vent dans la pièce, sans le moindre souvenir de la façon dont il était revenu à la maison. Seules quelques bribes de la veille lui revenaient, vagues et insaisissables, embrouillées par l'alcool. Des images fugitives, des rires, des cris… Mais le souvenir de Mary O'Gara, lui, était on ne peut plus clair. Mary, la petite déesse impure et polissonne, aux cheveux couleur d'acajou et aux grands yeux bleus, au visage couvert d'adorables taches de rousseur, aux courbes si aguichantes, au sourire enfantin qui dévoilait de belles dents blanches. Il se rappelait sans difficulté son odeur de lavande et de sueur ; le goût légèrement salé de son cou, dans lequel il enfouissait son visage à défaut de pouvoir goûter la bouche qu'elle lui refusait ; le froissement de sa robe quand elle la retirait ou la retroussait ; ses rires ingénus quand il était trop empressé et maladroit ; ses tortillements, ses halètements et ses râles, probablement faux, mais auxquels il préférait croire, quand il la prenait avec un enthousiasme dont elle se riait toujours un peu.

Joseph s'épongea et sécha ses cheveux avec la serviette. Il mélangea du savon dans un verre, l'étendit au blaireau et, se regardant dans un petit miroir, se rasa avec un vieux rasoir droit qui avait cruellement besoin d'être aiguisé. Puis il passa de la pommade dans ses cheveux, du même brun que ceux de sa sœur, et lissa la fine moustache qui ornait sa lèvre supérieure. Il termina en se brossant les dents.

Au fond, malgré ses efforts de plus en plus héroïques pour l'oublier, sa vie était une triste farce. Mary l'aimait bien, certes, mais il était avant tout son client. Leurs fréquentations prenaient la forme de prestations de services dûment payées. Or, sa capacité à brandir un porte-monnaie bien garni déclinait à vue d'œil. L'économie recommençait à aller mal. Le journal l'engageait de moins en moins, et pour des honoraires de misère. Il en venait à envier les ouvriers et les six dollars que leur rapportait chaque semaine leur travail à l'usine, lui qui, souvent, en gagnait moins. Même la pauvre Emma en empochait presque quatre en assemblant des vêtements de mauvaise qualité à la table de la cuisine.

Il se pencha pour essuyer le plancher, et les coups de masse reprirent de plus belle dans son crâne. Il avait l'impression que son cerveau allait se liquéfier et s'écouler par ses narines. Il se releva en s'agrippant au comptoir.

— Ouille… redit-il. Bon Dieu…

— Seigneur, soupira Emma d'un ton plein de commisération en le regardant, sa machine immobilisée. Qu'allons-nous faire de toi, mon pauvre Jo ?

— Ne m'appelle pas comme ça. Tu sais que ça me déplaît.

— Une sœur a bien le droit d'avoir un nom affectueux pour son grand frère. Et puis, je t'appelle Jo depuis toujours.

— Justement. Je n'ai jamais aimé ça, figure-toi, et je ne suis plus un enfant.

— Alors il serait grand temps que tu commences à te conduire comme un homme. Trouve-toi une femme respectable et commence à envisager l'avenir, l'implora-t-elle. Une jeune veuve ou une vieille fille un peu desséchée comme moi, qui pourrait encore faire quelques beaux enfants. Tu es quand même bien de ta personne et…

— Et à mon âge, je peine encore à trouver du travail, l'interrompit-il avec amertume. Beau parti pour une dame !

D'un geste rageur, il jeta la serviette sur le comptoir. Manifestement, elle se lançait dans un second assaut. Il s'assombrit et baissa les yeux.

— De toute façon, je... je ne sais pas parler aux femmes, admit-il en rougissant. Je n'ai jamais su.

— Jo, voyons, tu es un bon garçon. Tu es seulement timide.

— Occupe-toi de ton propre célibat au lieu de penser au mien.

— C'est différent, tu le sais bien, rétorqua Emma d'un ton cassant. Je... Je suis passée date.

— Allons donc. Tu es encore très jolie et tu es intelligente. Tu ferais une merveilleuse épouse.

— Bien sûr. Pour un vieillard gâteux qui en est à son troisième mariage, pour qui une femme légitime est avant tout une bonne et une servante. Un vieux qui se contentera d'une vieille fille dont personne d'autre n'a voulu.

Les yeux d'Emma se mouillèrent tandis qu'un pli résigné se formait à ses lèvres. Comme cela lui arrivait souvent, Joseph eut pitié d'elle. Elle ne ressemblait pas au portrait qu'on se faisait de la vieille fille maigre et sèche. Au contraire, elle était grande, bien bâtie et dégageait une énergie qui ne se démentait jamais. Un buste et un postérieur ronds, des mains fines aux doigts longs, elle avait ce qu'il fallait pour plaire à un homme. Tout dans son visage était délicat : petit nez retroussé, bouche en cœur, yeux de biche, oreilles rondes. Et c'était sans compter son intelligence vive et son esprit alerte. Elle avait acquis l'habitude de la lecture dans son enfance et ne l'avait jamais perdue. Au moindre moment de liberté, elle allait emprunter des livres à l'Institut des artisans ou au Musée des beaux-arts. Au fond, elle aurait dû faire l'École normale et devenir enseignante, mais le sort en avait voulu autrement. Elle aurait mérité un riche mari qui la chérissait, une maison heureuse et débordante d'enfants, des amis, de belles robes… Au lieu de cela, elle vivait presque dans un taudis avec son frère pour seule compagnie, sans beaucoup d'espoir d'améliorer son sort. La vie n'avait pas été généreuse avec eux.

— J'ai vingt-neuf ans, bientôt trente, mon pauvre Jo, déplora Emma. Je suis une vieille fille.

Elle avait attaché en chignon ses cheveux bruns, mais des boucles rebelles s'en échappaient déjà.

— Voyons donc, ne parle pas comme ça, rétorqua-t-il, attristé. Tu me brises le cœur quand tu dis des choses pareilles, Emma.

Elle haussa les épaules, lui signifiant qu'en parler ne changerait rien.

— Mais pour toi, c'est différent, reprit-elle. Les femmes vieillissent vite. Les hommes, eux, durent plus longtemps.

— Parce qu'ils ont pris le temps de bâtir leur carrière et qu'ils ont quelque chose à offrir, dit Joseph avec amertume. Il suffit de regarder la mienne et…

Il n'acheva pas sa phrase. Il n'avait aucune envie de ressasser ses échecs de si bon matin. Emma secoua tristement la tête et remonta sur son nez ses petites lunettes rondes cerclées de métal. L'aiguille de sa machine se remit à aller et venir. Elle besognait sans doute depuis le lever du jour, assemblant des vêtements pour les rapporter à l'usine en soirée. À ce rythme, elle se ruinerait la vue. Chaque sou était nécessaire pour boucler leur budget. Mais cela valait quand même mieux que le travail à la filature, qui usait prématurément les ouvrières avant même qu'elles ne se marient.

Il retourna dans sa chambre et en ressortit quelques minutes plus tard vêtu d'un costume gris foncé, vieux mais propre. Ses chaussures noires, sa chemise blanche à col rigide et sa cravate avaient tous vu de meilleurs jours. Se sentant un peu plus frais, mais l'estomac encore retourné et absolument incapable d'envisager l'idée d'avaler la moindre nourriture, il s'approcha de sa sœur et lui posa un baiser sur la tête.

— Je vais passer au journal, dit-il. Rouleau donne toujours plus de travail en début de semaine.

— Je te rappelle que Mme Lanteigne veut que tu passes pour la fenêtre coincée chez les Sarrasin. Elle s'attendait à te voir hier, dit Emma avec un soupçon de reproche.

Il se figea et soupira à nouveau. Il avait oublié. L'arrangement passé avec leur logeuse ne faisait que lui rappeler leur pauvreté. S'ils pouvaient habiter dans le vieux hangar converti en maisonnette dans la cour arrière de la maison à trois étages, c'était uniquement parce que la propriétaire, veuve de son état, avait besoin de lui pour entretenir l'édifice hérité de son défunt mari. En échange de ses services, auxquels Emma ajoutait quelques heures de ménage et de lavage, ils pouvaient tout juste se permettre les deux chambres et la cuisine vétustes qui avaient constitué leur univers ces douze dernières années.

— J'y verrai ce soir, dit-il.

— Promis ? insista-t-elle en levant vers lui ses grands yeux, les lunettes sur le bout du nez.

— Promis.

Il consulta sa vieille montre de gousset et frémit. Il devait se presser, sinon on lui chiperait le peu de travail disponible, si tant était qu'il y en ait. Il tapota affectueusement l'épaule de sa sœur, se dirigea vers la porte et sortit.

5

Joseph s'éloigna sans se retourner. Voir la modestie de cette maison le déprimait à tout coup, même s'il aurait dû se réjouir de ne pas vivre dans un de ces appartements miteux et sans eau courante où les ouvriers s'empilaient dans toute la ville. Il ne voulait pas apercevoir la bécosse située au fond de la cour et qui, lors des chaudes journées d'été, empestait tant que son odeur finissait par pénétrer dans la maison. Peut-être était-ce pour tout cela qu'il s'arrangeait pour revenir ivre de plus en plus souvent. En voyant double dans la nuit, il avait moins de chances de faire face à sa propre médiocrité.

L'effet rafraîchissant que l'orage pouvait avoir eu durant la nuit s'était dissipé. L'air d'août était déjà lourd et chaud, et l'humidité lui rappela cruellement que Montréal était une île. Il maugréa, le front moite, en passant le doigt sous son col pour l'étirer, regrettant de devoir porter une cravate et une veste. Avec le mal de tête et la nausée qui couvaient encore, l'avant-midi s'annonçait long.

La pluie avait été abondante et la cour était boueuse par endroits. Au bout de quelques pas, ses chaussettes mouillées lui rappelèrent qu'il y avait des trous dans ses semelles. Il fit un effort de volonté pour chasser le découragement qui menaçait de l'envahir. Être maussade ne l'aiderait en rien devant M. Rouleau. Personne ne confiait du travail à quelqu'un qui se présentait battu d'avance. Dans son cas, personne ne lui en offrait, point à la ligne.

Il franchit la porte cochère et émergea dans la rue. Cette fois, il se retourna. La bâtisse était un peu délabrée et il devait bien admettre que son travail d'entretien laissait à désirer. Heureusement, Mme Lanteigne n'était pas trop exigeante. La brique avait été peinte voilà longtemps, ce qui était une affreuse erreur. Maintenant, la peinture pelait et exigeait une nouvelle couche. La porte était dans le même état. Les vitres des logements sombres étaient sales et poussiéreuses. Il leva les yeux vers le deuxième étage et repéra celle du logement des Sarrasin, qu'il devrait absolument décoincer à son retour. Sinon, Emma le harasserait à nouveau. Et puis, il n'avait pas les moyens d'indisposer sa logeuse.

La maison était sise avenue De Lorimier, entre les rues Mignonne et Sainte-Catherine, dans un quartier ouvrier et pauvre, près de ce qu'on appelait le « Faubourg à m'lasse », lui-même tout aussi défavorisé. Comme il était hors de question de héler un fiacre qu'il ne pouvait pas se payer, il avait environ une heure de marche devant lui. Faisant fi du mal de tête qui semblait s'être larvé dans sa nuque, il s'engagea sur De Lorimier d'un bon pas. Il longea les ateliers du Canadien Pacifique, puis la Prison du Pied du courant, sur sa gauche. Arrivé au bout de la rue, il ne prit pas le temps d'admirer le fleuve, assombri par les nuages gris qui s'y reflétaient. Il tourna à droite, rue Craig, et poursuivit sa route. Les carrefours se succédèrent sans qu'il y fasse attention. Ce trajet, il le faisait plusieurs fois par semaine, le plus souvent en vain. Il ne l'inspirait plus depuis longtemps. Papineau… Champlain… De Salaberry… Panet… Montcalm… Wolfe… Jacques-Cartier… Tant de grands noms pour désigner des rues si pauvres. La marche avait par contre le mérite de chasser peu à peu sa migraine et de lui éclaircir les idées.

En une quarantaine de minutes, il arriva à la hauteur du carré Viger où, sous prétexte de trouver un peu d'air, les bons bourgeois viendraient bientôt rivaliser d'élégance, les dames arborant de délicates ombrelles de dentelle et discutant de ce ton prétentieux et agaçant qu'elles semblaient toutes partager. Il traversa le Champ-de-Mars, où il y avait déjà quelques promeneurs, et s'engouffra rue Saint-Jacques jusqu'au numéro 69. La luxueuse façade de pierre grise de l'édifice à plusieurs étages était à l'image de cette rue occupée par les banques et la haute finance canadienne. Sur le mur, près de la porte, une plaque en laiton annonçait les bureaux des deux journaux appartenant à Joseph-Israël Tarte : le quotidien *Le Canadien* et l'hebdomadaire *Le Cultivateur*. Dans le bâtiment voisin était installé le principal concurrent : *La Presse*, menée de main de maître par Trefflé Berthiaume, que Joseph avait vainement tenté d'amadouer, lui aussi. Tout autour, les cabinets d'avocats, de notaires et d'huissiers, et les imprimeurs qui profitaient de la présence des journaux pour faire des affaires en or, se disputaient le moindre espace sur les façades.

Joseph inspira profondément pour chasser sa nervosité et les derniers relents de mal de tête, tira son mouchoir de sa poche pour éponger la sueur sur son visage, ajusta sa cravate, puis se lissa les cheveux et la moustache. Le col rigide de sa chemise lui irritait cruellement la peau du cou, mais il ne pouvait rien y faire pour l'instant. Espérant être présentable, il pencha la tête tel un guerrier prêt au combat, marcha avec détermination jusqu'à la grande porte, saisit la poignée de laiton usée par une multitude de mains, ouvrit et entra. Le hall était correct et propre, sans plus. Celui de *La Presse* était bien plus luxueux. Il épousseta sa veste, comme si cette précaution pouvait la rafraîchir. Les jambes molles, il s'engagea dans l'escalier.

Deux étages plus haut, il s'immobilisa sur le palier, le souffle court et à nouveau en nage. À l'opposé, sa bouche était aussi sèche que du papier sablé, comme si tout le liquide de son corps s'échappait par les pores de sa peau. Il frotta ses tempes que l'effort avait rendues à nouveau douloureuses et attendit que les pulsations qui lui parcouraient la tête se calment. Il aurait donné cher pour un verre d'eau. Ou mieux encore, un grand verre de gin. Ou deux. À cette seule pensée, son estomac menaça de se rebeller et il s'empressa de songer à autre chose. Il s'épongea le visage, rangea son mouchoir humide et entra dans les locaux du *Canadien*.

Mêlé de près à la politique, M. Tarte, le propriétaire, ne passait pratiquement jamais à son journal, ce qui ne l'empêchait pas de le mettre au service de ses opinions politiques. Récemment, il avait dénoncé une affaire de corruption impliquant le député McGreevy, qui, selon la rumeur, allait bientôt être expulsé de la Chambre des communes. On racontait même que le scandale risquait d'emporter le puissant Hector Langevin, ministre des Travaux publics. Ironiquement, l'élection récente de Tarte lui-même était maintenant contestée. Les mauvaises langues chuchotaient même que toutes ces querelles l'avaient mené au bord de la ruine et que le journal était en danger. À en juger par la parcimonie avec laquelle on y distribuait le travail, il y avait lieu de s'inquiéter.

Joseph ne fut donc pas surpris de ne pas le voir. En fait, il était si tôt que seul Charles-Edmond Rouleau, son assistant, était arrivé. Son crâne chauve luisant sous la lumière d'une lampe électrique ultramoderne, déjà en bras de chemise, un cigare vissé au coin de la bouche, le journaliste révisait des articles qui allaient partir sous presse dans la journée. Son attention était entièrement prise et il ne remarqua pas l'arrivée de Joseph.

— Hum, hum... fit ce dernier après un moment d'attente.

En entendant le raclement de gorge, Rouleau leva distraitement l'index pour le faire patienter. Il termina de lire sa page et finit par lever les yeux sur Joseph.

— Tiens, c'est toi, Laflamme, déclara-t-il avec indifférence. Tu as l'air d'un mort ambulant.

— Merci du compliment.

— Sérieusement, on dirait que tu as passé la nuit sur la corde à linge. As-tu même dormi ?

— Bien sûr.

— Si tu le dis. Qu'est-ce que tu veux ? s'enquit Rouleau, comme s'il ignorait la raison de sa présence.

Joseph sentit le découragement l'envahir avant même d'avoir prononcé un mot.

— Eh bien, je me demandais... euh, je...

— Parle, s'impatienta le journaliste. Je n'ai pas que ça à faire, tu le sais bien. J'ai le numéro de demain à éditer et je suis en retard. Sauvageau m'a remis un torchon que je dois retravailler et je ne sais pas par quel bout le prendre.

— J'ai quelques idées d'articles, monsieur Rouleau.

— Joseph... déplora l'autre, plus contrit qu'indisposé. Je n'ai pas de travail pour toi. Tu sais bien que les finances du journal sont fragiles. Le patron a demandé de limiter les dépenses.

L'impression qu'un gros caillou venait de lui tomber dans le fond de l'estomac, la soif le tenaillant plus encore qu'auparavant, Joseph accusa le coup de son mieux et ramassa tout son courage pour insister, même si la partie était perdue d'avance.

— Je pensais écrire quelque chose sur le projet du musée La Salle, dont on annonce l'ouverture l'an prochain, dans l'ancien magasin Merrill, sur Notre-Dame. C'est le plus grand projet lié au deux cent cinquantième anniversaire de la ville.

Rouleau secoua la tête avec un mépris évident.

— Et le moins susceptible de se concrétiser, renâcla-t-il. Raymond Beullac est juste un autre Français qui s'imagine qu'il peut venir ici et nous raconter notre propre histoire en pétant plus haut que son trou. Il paraît que sa souscription publique traîne de la patte et qu'il n'est pas capable de ramasser l'argent. Penses-y un peu: nous sommes en août et les fêtes débuteront le 17 mai prochain. On n'organise pas un musée de l'envergure qu'il claironne en neuf mois.

— Mais… Monsieur Rouleau, on dit que les statues de cire seront aussi belles que celles de Mme Tussaud, à Londres, et du musée Grévin, à Paris. Et en plus, il y aura des sculptures de Louis-Philippe Hébert. Je pourrais au moins aller voir l'état d'avancement des travaux?

— Ils sont au point mort. Tout le monde le sait. Au mieux, s'il est très chanceux, il arrivera à l'ouvrir à la fin de 1892, son musée.

— J'ai d'autres idées, dit Joseph.

Il fouilla dans la poche intérieure de sa veste et en sortit un calepin qu'il se mit à feuilleter fébrilement.

— Les tramways électriques qu'on commence à installer?

— Sauvageau est déjà sur le sujet.

— Les récents tours de force de Louis Cyr?

— Tous les journaux en parlent sans cesse, le nôtre autant que les autres.

— Le scandale de la baie des Chaleurs qui entache le gouvernement de M. Mercier ?

— Sauvageau…

— On dit qu'une grève se prépare dans les scieries en Outaouais…

— Sauvageau…

— Les odeurs de corruption et de pots-de-vin qui flottent autour du maire McShane et de ses amis ?

— Sauvageau…

Au désespoir, Joseph baissa la tête, défait. Rouleau le considéra, la pitié peinte sur son visage rougeaud, en mâchouillant son cigare.

— Je suis désolé, mon pauvre Laflamme, dit-il, embarrassé, en regardant les pouces qu'il s'était mis à faire tourner sur le bureau. Je t'aime bien. Tu fais du bon boulot. Tu as du talent. Vraiment. Davantage que Sauvageau, entre toi et moi. Je ne te dis pas ça pour te faire plaisir. Mais les temps sont durs et il est là depuis plus longtemps que toi. Je n'ai pas le choix…

La porte s'ouvrit avec fracas. Un homme mince de taille moyenne, en costume sombre, les cheveux lissés vers l'arrière et la barbe brune bien taillée, entra en coup de vent.

— Ah ! s'écria Rouleau. Sauvageau ! Justement !

— Bonjour, patron.

Joseph toisa Albert Sauvageau. Cet homme toujours bien mis, mais sans ostentation, était tout ce qui le séparait d'une place permanente au journal. Quadragénaire et célibataire endurci, sa seule occupation était son travail, disait-on. Il ne pouvait s'empêcher de ressentir pour lui une certaine antipathie dont il savait bien qu'elle n'était pas méritée.

Sauvageau sourit à pleines dents.

— Laflamme, déclara-t-il avec bonhomie en passant la main dans ses cheveux courts et déjà humides de sueur.

Tu as l'air d'un tuberculeux, ce matin, mon vieux. Une autre nuit de débauche ?

Sans attendre de réponse, il reporta son attention sur son patron.

— Vous ne devinerez jamais ce qu'un ouvrier vient de me raconter, dit-il d'un air espiègle.

Dans l'expectative, Rouleau haussa les sourcils et lui fit signe de continuer.

— Il paraît qu'on a attaqué une pute à coups de couteau hier soir, coin Vitré et Saint-Dominique. Elle était salement abîmée. On l'a transportée à l'Hôtel-Dieu. Ça en fera une de moins à embarquer pour la police et une âme de plus au purgatoire pour garder les curés occupés à prier !

Si la chose était possible, Joseph blêmit encore. Le coin Vitré et Saint-Dominique était situé dans le quartier que fréquentait Mary.

— Une prostituée ? Tu sais... comment cette femme s'appelait ? demanda-t-il d'une voix étranglée.

— Non. De toute façon, ce n'est qu'une putain de moins. Qui s'en soucie ?

Joseph s'appuya à un bureau pour conserver son équilibre. Pendant un instant, les deux autres craignirent qu'il vomisse sur le plancher devant eux.

— Seigneur... murmura-t-il.

Il tourna les talons et courut vers la porte.

— Hé ! Où vas-tu comme ça ? s'écria Rouleau.

— À l'Hôtel-Dieu ! répondit-il sans se retourner.

— Laflamme ! Je ne veux pas d'article sur cette histoire ! Tu m'entends ? Je ne publierai pas ça dans *Le Canadien* ! Une putain morte n'intéressera personne !

Joseph sortit en coup de vent sans même un au revoir, laissant ses interlocuteurs pantois.

— Qu'est-ce qui lui prend ? demanda Rouleau, interdit.

— D'après ce que je me suis laissé dire, l'intérêt de notre ami Laflamme en cette matière pourrait bien être... personnel, persifla Sauvageau avec un petit sourire fielleux.

Comme pour lui faire remontrance de son propos, la porte claqua en bas.

6

La chaleur avait empiré pendant qu'il était au *Canadien* et la journée s'annonçait étouffante. Malgré cela, Joseph courut comme un fou, plus vite qu'il ne s'en serait cru capable, indifférent aux regards inquiets ou réprobateurs que lui lançaient les piétons. Il en bouscula quelques-uns au passage, sans vraiment s'en rendre compte, et effraya même un cheval auquel il coupa le chemin en surgissant rue Bleury. Le cocher eut fort à faire pour empêcher la bête apeurée de s'emballer et ne se gêna pas pour lancer force insultes bien senties en agitant le poing.

Il remonta Bleury aussi vite que ses jambes le lui permirent, son souffle court lui brûlant les poumons et la sueur détrempant ses cheveux et ses vêtements. Il se sentait à la fois désespéré et ridicule. On ne tombait pas amoureux d'une putain. Ces filles, on les payait pour en obtenir une imitation passagère de l'amour. On ne les épousait pas. Pourtant, il courait, ses semelles usées glissant fréquemment sur le macadam.

À l'intersection de l'avenue des Pins, il dut s'arrêter un moment, plié en deux, les mains sur les cuisses, pour retrouver son souffle, de crainte de tourner de l'œil avant d'avoir atteint son but. La sueur coulait en rigoles sur son visage et inondait tous ses vêtements de corps. De la main, il replaça ses cheveux moites et, dès qu'il en fut capable, il s'élança de plus belle. Il longea le haut mur de pierre qui encerclait le monastère des Hospitalières de Saint-Joseph. Arrivé rue Saint-Urbain, il tourna à gauche et fonça jusqu'au portail qui donnait accès à l'Hôtel-Dieu. Écartant sans ménagement ceux qui se trouvaient sur son chemin, il atteignit la porte, l'ouvrit avec fracas et entra.

Dans la salle d'attente, le silence n'était rompu que par des plaintes discrètes ainsi que des toussotements et des pleurs d'enfants. Les blessés et malades qui attendaient le dévisagèrent avec étonnement. La sœur hospitalière qui se trouvait au fond de la pièce l'avisa avec un regard réprobateur en pinçant les lèvres. Le visage enserré dans une guimpe et un bandeau blancs surmontés d'un voile noir, revêtue d'une longue tunique de la même couleur, elle avait cet air sévère propre aux religieuses, sans doute aggravé par son âge assez avancé. Elle le toisa quelques instants sans bouger, puis posa sur une table le plateau de métal qu'elle portait, essuya ses mains sur le tablier blanc qui couvrait son costume et, à petits pas volontaires, alla se planter devant Joseph, les mains dans les manches de sa robe. Elle avait peut-être une tête de moins que lui, mais son habitude d'exercer l'autorité était évidente. Elle plissa les yeux et inspira lentement, sans doute pour contrôler son irritation.

— Vous êtes ici dans un hôpital, mon fils, lui reprocha-t-elle à voix basse en martelant chaque syllabe. Pas dans une étable. Conduisez-vous en conséquence. Êtes-vous malade ? blessé ?

— Je… Euh, non, ma mère. Je… Je vous demande pardon, balbutia-t-il, toujours essoufflé, ses sueurs lui donnant l'impression de fondre sous le regard autoritaire.

J'ai couru... Je... Je cherche une, euh, une... une amie... Elle a été attaquée cette nuit... Poignardée. On m'a dit qu'elle avait été emmenée ici.

À ces mots, le visage de la religieuse se chiffonna, comme si elle venait d'avaler une gorgée d'un médicament particulièrement infect.

— Ah... La belle de nuit... siffla-t-elle d'un ton lourd de désapprobation tout en se signant.

Sans aucune gêne, elle le détailla de la tête aux pieds, visiblement convaincue que son costume et sa fonction lui conféraient le droit de juger ouvertement ses semblables. Sans doute se demandait-elle si elle devait permettre à un homme s'intéressant au sort d'une vulgaire prostituée, et dont l'âme était peut-être en danger, de fouler le sol sanctifié de l'Hôtel-Dieu de Montréal. Joseph reconnut sans mal la condescendance vêtue d'habits charitables. Durant toute leur enfance à l'orphelinat, Emma et lui en avaient subi une version moins arrogante, certes, mais tout aussi humiliante. Il comprit que, sans même faire preuve d'un semblant de compassion ou d'empathie, la religieuse s'apprêtait à lui demander de quitter les lieux. Il savait bien que, contre de telles créatures, il n'y avait qu'une arme qui soit efficace : menacer de ternir leur réputation.

— Je suis journaliste, ma sœur, s'empressa-t-il de lui dire en exagérant un peu la vérité. Joseph Laflamme. Attaché au *Canadien*. Je ne manquerai pas de rendre compte des bons traitements que l'Hôtel-Dieu a prodigués à cette pauvre fille et de la charité chrétienne qui caractérise nos chères Hospitalières depuis l'époque de Mlle Jeanne Mance. Je veillerai aussi à bien mentionner la qualité de votre accueil.

Loin d'être naïve, la religieuse saisit aussitôt la menace à peine voilée par le compliment. Ses lèvres se pincèrent encore plus tandis qu'elle jaugeait cet effronté qui, comme si sa brusquerie ne suffisait pas, se réclamait d'un journal aux idées libérales que Mgr Fabre, évêque de Montréal, aurait aimé fermer à double tour. Elle soupira et parut prendre une décision.

— Nous n'avons rien pu faire, lui révéla-t-elle d'une voix glaciale. La pauvre pécheresse était déjà morte à son arrivée. Personne n'aurait pu survivre à ce qu'on lui a fait.

Elle se signa tandis que Joseph sentait le plancher tanguer sous ses pieds.

— Sans même avoir pu se confesser, déplora-t-elle avec dépit. Que Dieu ait pitié de son âme.

— Son nom, ma sœur? s'enquit Joseph, aux abois. Vous savez son nom?

— Je l'ignore.

Une porte s'ouvrit à l'autre extrémité de la salle. Un jeune homme aux cheveux sombres, vêtu d'un sarrau blanc, en sortit. Le visage orné de rouflaquettes qui se rejoignaient pour former une moustache, des lunettes posées sur le bout du nez, il était grand et avait un air distingué. Il s'arrêta devant la porte, jeta un coup d'œil dans la salle d'attente et passa la main sur le bas de son visage harassé de fatigue.

Derrière lui surgit une femme courte sur pattes, au large postérieur, qui pleurait à chaudes larmes, épongeant le coin de ses yeux avec un mouchoir pour éviter que ses larmes ne fassent couler son maquillage vulgaire. Elle portait une bague criarde à chacun de ses doigts potelés. Tout dans son habillement, sa robe, son boléro court, son jabot de dentelle, son manteau à col de fourrure et le petit chapeau perché sur un chignon vertigineux, détonnait dans le décor austère et aseptisé.

— Miss Fanny? fit Joseph, interdit, en reconnaissant la maquerelle de Mary O'Gara.

Il eut aussitôt un serrement au cœur. Au mépris de la plus élémentaire politesse, il laissa la religieuse plantée là et, les jambes raides, rejoignit la femme éplorée. Dès que celle-ci l'aperçut, elle ouvrit les bras, découvrant une poitrine aussi abondante que le reste de sa personne. Elle était livide et visiblement sonnée.

— Ah ! Seigneur Jésus ! M'sieur Joseph ! s'exclama-t-elle d'une voix tonitruante et dénuée de tout raffinement qui jurait avec la solennité de l'endroit, en agitant ses petites mains grassettes dans tous les sens.

Sa lèvre inférieure, qui portait trop de rouge, se mit à trembler.

— M'sieur Joseph ! C'est terrible, ce qu'on lui a fait ! Horrible ! Si on m'avait dit qu'un jour, je devrais identifier le cadavre d'une de mes filles dans un tel état... Oh mon Dieu...

Joseph se sentit sur le point de défaillir.

— Pauvre Martha ! gémit la grosse femme avant de porter à son nez son mouchoir bordé de dentelle.

Ce fut à peine s'il entendit le vacarme de miss Fanny qui se mouchait tant le soulagement le submergea. La petite Mary était saine et sauve. Rien d'autre ne comptait. Il ne connaissait pas la dénommée Martha, sinon de vue. Il lui semblait se souvenir d'une femme usée au-delà de son âge. Son assassinat était regrettable, certes, mais ne le touchait pas.

— Martha Gallagher, lui confirma la matrone. Pauvre vieille loque... Elle avait du mal à gagner son pain et ramassait les clients que les autres ne voulaient pas.

Tandis que les battements de son cœur s'apaisaient, ses réflexes de journaliste, même s'ils n'avaient pas été beaucoup exercés ces derniers mois, reprirent le dessus. Il avisa le médecin qui accompagnait miss Fanny, puis tira de sa poche son calepin et un bout de crayon. Il n'avait rien à perdre. Peut-être arriverait-il à vendre un papier sur l'assassinat s'il n'insistait pas trop sur la profession de la victime. Qu'elle soit de bon goût ou non, il détenait une exclusivité.

— Joseph Laflamme, journal *Le Canadien*, se présenta-t-il avec le ton le plus professionnel que lui permettait son état. De quoi est morte la victime, docteur ?

Manifestement, la vue du calepin avait figé le médecin. Cela arrivait souvent. Les gens se méfiaient des paroles qui restent.

— Il me semble que je devrais d'abord parler à la police, balbutia-t-il, pris de court. Elle voudra certainement savoir...

— Sauf votre respect, docteur, l'interrompit aussitôt Joseph pour ne pas perdre son avantage, si vous croyez que la police va se déplacer pour ce genre de meurtre, vous vous faites des illusions. Mais le public a le droit de savoir ce qui se passe dans la ville, ne serait-ce que pour être sur ses gardes. Le silence ne sert que l'assassin. Et puis, j'ai cru comprendre que la façon dont elle avait été assassinée n'était pas commune ?

Son interlocuteur soupesa ce qu'il venait d'entendre, puis le prit par le coude et l'entraîna à l'écart de la maquerelle. Il se mordilla les lèvres. Joseph mouilla la pointe de son crayon sur sa langue et se prépara à noter.

— Je n'ai jamais rien vu de tel.

— Que voulez-vous dire ?

— La pauvre femme a été littéralement mutilée, expliqua le médecin en serrant les mâchoires. Le tueur lui a tranché la gorge d'une oreille à l'autre. Comme si cela ne suffisait pas, il lui a ouvert la poitrine et a... arraché le cœur. Puis il l'a éviscérée. Le policier qui accompagnait le cadavre a affirmé que son intestin avait été drapé sur son épaule gauche.

Il grimaça de dégoût en livrant ce dernier détail. Il frotta ses joues velues, puis massa sa nuque raidie par la fatigue.

— Je suis médecin et j'en ai presque vomi, avoua-t-il.

— Bon Dieu... bredouilla Joseph avec incrédulité, son crayon s'immobilisant malgré lui sur le papier.

— Je ne suis pas expert en lésions, mais pour accomplir de telles choses aussi vite, le tueur a assurément utilisé quelque chose de plus puissant qu'un simple couteau. Une dague, peut-être. Ou une de ces baïonnettes que les soldats fixent au bout de leur fusil. Une arme très tranchante, en tout cas, et dont il sait se servir.

Puis il soupira, visiblement dépassé, et secoua la tête.

— Une chose est certaine, renchérit-il gravement. Celui qui a fait ça à cette pauvre femme lui en voulait. Considérant sa... profession, peut-être lui a-t-elle transmis une maladie honteuse. Ou alors...

— Ou alors ?

— Ou alors il voue une haine sauvage au sexe faible tout entier.

— Mais... Comment un homme peut-il en arriver là ?

Le médecin ricana tristement et le regarda droit dans les yeux. L'espace d'un instant, il eut l'air d'avoir vingt ans de plus.

— Qui sait ? L'esprit humain est une chose complexe et fragile qu'on ne connaît pour ainsi dire pas. A-t-il été privé de sa mère ? Celle-ci l'a-t-elle rejeté ?

— Merci, dit Joseph. Docteur... ?

— Hudon. Armand Hudon.

— Merci, docteur Hudon.

L'homme en sarrau lui adressa un signe de la tête en guise d'au revoir, puis s'éclipsa par la porte où il était entré. Miss Fanny pleurnichait toujours, indifférente aux regards désapprobateurs qui lui étaient lancés. Sans rien dire, elle se dirigea vers la sortie. Soudain pressé de quitter cet endroit, Joseph se lança à ses trousses.

Une fois dehors, la maquerelle avança à petits pas rapides vers un fiacre posté devant l'entrée de la muraille qui semblait l'avoir attendue depuis son arrivée. Elle soufflait comme un taureau lorsqu'elle l'atteignit. Elle ressortit son mouchoir de sa manche et s'épongea le front avec une préciosité exagérée.

— Vous voulez que je vous dépose quelque part, M'sieur Joseph ? lui offrit-elle en l'apercevant non loin d'elle.

— Non, merci. Je vais marcher.

— Comme vous voulez.

Sans rien ajouter, la grosse femme ouvrit la portière et se hissa dans la cabine, dont les ressorts grincèrent sous son poids. Le cocher fit claquer les rênes. Le cheval se mit en marche et Joseph regarda le véhicule s'éloigner dans la rue Saint-Urbain, au son régulier des sabots ferrés sur les pavés.

Puis il se mit en route à son tour, le cœur étonnamment léger.

7

Joseph marchait rue Saint-Urbain depuis une dizaine de minutes. Pour une fois, le destin lui souriait un peu. Non seulement Mary n'était pas la victime, mais à ses yeux, la meilleure nouvelle depuis longtemps était qu'un tueur fou se terrait quelque part à Montréal. Et de tous les journalistes, lui seul le savait. Après des années à tenter d'obtenir un poste permanent dans un journal, il allait peut-être enfin quitter la case départ.

Il avait desserré sa cravate et défait le bouton de son col, mais la chaleur l'indisposait toujours autant. Les premiers tremblements le prirent sans prévenir et une sueur froide lui couvrit le visage. Il s'arrêta, observa ses mains et constata que ses doigts tressaillaient. Il tenta de les maîtriser, mais en vain. Puis sa respiration s'accéléra, sa poitrine se serra et un incontrôlable sentiment de panique se répandit en lui. Un coup de chaleur, sans doute. À courir comme il l'avait fait, cela n'avait rien de surprenant. Il n'avait rien avalé depuis la veille, ce qui n'arrangeait rien. Il n'avait que bu. Trop bu.

Il s'immobilisa et vacilla. Il avait la tête qui tournait et il était certain qu'il allait s'évanouir. Sur sa droite, il avisa un muret qui encerclait une des propriétés bourgeoises de cette rue huppée, s'y dirigea d'un pas hésitant, puis s'y assit. Il ferma les yeux et ravala sa salive, la bouche et la gorge aussi sèches que du sable, une sueur aigre mouillant ses aisselles et collant sa chemise sur la peau de son dos. Il inspira profondément, espérant maîtriser son corps qui se déréglait.

Aussi misérable que les pierres du chemin, Joseph attendit un soulagement qui tardait à venir. Un matin, il y avait de cela quelques semaines, un malaise identique l'avait saisi et s'était dissipé après qu'il se fut assis à la table. Un verre de gin coupé d'un peu d'eau chaude avait fini de le remettre d'aplomb. Il avait attribué cette mésaventure à une indigestion et n'y avait plus repensé jusqu'à cet instant précis.

Après cinq minutes, les tremblements commencèrent enfin à se résorber et, les yeux fermés, le front appuyé dans le creux d'une main, il s'essuya maladroitement le visage avec son mouchoir. Quand il rouvrit les yeux, il vit deux dames qui passaient en lui décochant un regard lourd de remontrances.

— Peuh ! Il commence à y avoir beaucoup trop d'ivrognes dans nos rues, dit l'une d'elles d'un ton pointu, assez fort pour qu'il l'entende. Montréal est en train de devenir une cour des miracles.

Les deux passantes levèrent le nez bien haut et poursuivirent leur chemin. Joseph secoua la tête, se remit debout et prit de grandes inspirations. Il ôta sa vieille veste fripée, la drapa sur son avant-bras et la lissa machinalement, puis il desserra un peu plus sa cravate et avisa les alentours. Il fit quelques pas prudents et constata que ses jambes le portaient à nouveau. Encouragé, il se mit en route en espérant que les deux précieuses, se croyant suivies, se mettraient à trottiner, apeurées, dans leurs petits bottillons.

Malgré lui, ses pas le menèrent en territoire connu. Il tourna d'abord rue Prince-Arthur, puis à nouveau sur Saint-Laurent. Il avançait distraitement, perdu dans ses pensées. Il réalisa avec étonnement qu'il s'était arrêté devant le numéro 86, l'hôtel Saint-Laurent, où il avait ses habitudes. Il hésita un moment, jusqu'à ce que la soif décide pour lui. Haussant les épaules, il entra.

Le bar empestait la fumée froide. Des groupes d'ouvriers irlandais, dont le quart de nuit avait pris fin depuis quelques heures déjà, étaient attablés qui avec un verre de whisky, qui avec une chope de cette bière brune épaisse aux relents de mélasse qu'ils affectionnaient particulièrement. Carmel Beaulieu, le propriétaire de l'établissement, était derrière son bar, en train de frotter des verres avec un torchon. En l'entendant arriver, il leva la tête et lui sourit. Même en bras de chemise, ses manches roulées jusqu'au coude, il avait chaud, lui aussi, comme en attestait son visage luisant.

— Tiens ! s'exclama-t-il avec amusement, de la voix de stentor qui lui permettait de se faire entendre dans le brouhaha des soirées agitées. Si c'est pas Laflamme ! Te revoilà déjà ? J'aurais cru que tu cuverais ton vin au moins jusqu'à midi ! Et encore, c'était juste pour la première fermentation !

L'homme était court mais costaud et n'avait aucun mal à expulser lui-même les trouble-fêtes de son établissement. Il ne s'en privait d'ailleurs pas et le faisait d'une manière toujours spectaculaire qui impliquait généralement un atterrissage sur la tête en pleine rue.

— Revoilà ? fit Joseph, alarmé, en fouillant sa mémoire. Je... j'étais ici ?

Beaulieu s'esclaffa et frappa le comptoir de sa grosse main ouverte, assez fort pour faire tinter les verres sur les tablettes. Laflamme essaya de ne pas grimacer malgré les pulsations dans sa tête.

— Hier soir, tonna-t-il. Ou plutôt, ce matin. Pas étonnant que tu ne t'en souviennes pas, saoul comme tu l'étais ! Tu es pâle comme un mort. Je te sers quelque chose pour chasser ta gueule de bois ?

Ce que Joseph venait d'entendre était préoccupant. Il se raisonna en se disant qu'il avait simplement oublié une partie de la soirée, que c'était normal, qu'il avait rencontré des amis et que la fête avait un peu dérapé. Il essaya de se souvenir et, à travers un épais brouillard, parvint à identifier quelques-uns de ses compagnons de la veille. Autant d'éponges, de véritables piliers d'auberge. Comme lui ? *Tu empestes le fond de tonne. Encore*, fit la voix d'Emma dans sa tête. *Tu finiras par te noyer dans ta bouteille, mon pauvre Jo. Tu ne peux pas continuer comme ça. Je suis si peinée de te voir te mener de cette façon*. Il soupira, contrarié. Il n'allait quand même pas permettre à sa sœur de diriger sa vie.

— Un gin, *straight*, ordonna-t-il avec fermeté, davantage par esprit de rébellion que par réelle envie.

Le gros homme ferma un œil et le détailla avec méfiance.

— Tu as de quoi payer ? Ton crédit est à sa limite.

Il fouilla dans ses poches et y trouva quelques pièces. Il en posa une sur le revêtement de cuivre usé du comptoir, puis prit place sur un tabouret pendant que Beaulieu lui versait une rasade. La première gorgée lui procura un indescriptible soulagement en humectant son gosier sec, et il vida le verre d'un trait. Aussitôt, il mit une autre pièce à côté.

— Un autre, demanda-t-il en claquant la langue.

— Tu avais soif, dis donc, remarqua l'hôtelier en remplissant le verre. Tu as couru jusqu'ici ou quoi ?

— C'est tout comme…

Il saisit son verre et nota avec satisfaction que sa main avait cessé de trembler. Cette fois, il se contenta d'une petite gorgée, prenant le temps de jouir de la sensation de chaleur que l'alcool répandait dans sa poitrine. Il sentit l'énervement de la matinée le quitter peu à peu.

— Tu as entendu parler du meurtre de cette nuit? s'enquit Beaulieu.

— Celui de la vieille Martha? Oui. Ce matin, en passant au journal. Sauvageau le savait déjà.

— Paraît qu'elle n'était pas belle à voir, la pauvre, dit l'hôtelier en astiquant un verre.

— J'arrive justement de l'Hôtel-Dieu. J'ai été m'informer. Le médecin à qui j'ai parlé n'avait jamais rien vu de tel. Un vrai carnage.

Il raconta à l'hôtelier ce qu'il avait appris. En entendant cela, Beaulieu blêmit et se mit à frotter un peu plus vite, visiblement outré.

— Sacrement, gronda-t-il en secouant lentement la tête, mais quel maudit fêlé ferait une chose pareille?

— Un client mécontent qui avait trop bu? suggéra Joseph en haussant les épaules. Un aliéné qui avait des hallucinations? En tout cas, le médecin pense qu'il doit détester les femmes.

— Tu vas écrire quelque chose dans ton journal?

Joseph laissa échapper un rire désabusé et avala une gorgée.

— Je vais essayer, mais Rouleau m'a prévenu qu'il ne voulait pas en entendre parler. C'était avant que j'apprenne qu'un dément était impliqué. Ça change l'affaire. Je vais certainement lui proposer quelque chose.

— Sinon, écris ailleurs, répondit Beaulieu, comme si cela tenait de l'évidence. Il n'y a pas que *Le Canadien* dans cette ville. Bonne Vierge, ils ne te sont pas particulièrement fidèles, eux ! Propose-le à *La Presse*, *La Minerve* ou *L'Étendard*. Tu verras bien ce qu'ils diront. Et puis, tu sais écrire l'anglais, alors qu'est-ce qui t'empêche de publier dans la *Gazette*, le *Montreal Herald*, le *Daily Witness* ou le *Montreal Star* ?

Joseph resta un moment muet, une moue songeuse sur les lèvres, le regard plongé dans le liquide translucide dans son verre.

— Tu as raison, déclara-t-il d'un ton déterminé en relevant la tête. Il y a une limite à être loyal à un journal qui ne me donne pas de travail.

— Voilà qui est mieux ! Allez ! La maison t'offre un verre !

Sans attendre l'autorisation, l'hôtelier remplit le verre de Joseph, qui se garda bien de l'en empêcher.

— Le plus triste dans tout ça, reprit-il en remettant la bouteille sur le comptoir avant de reprendre sa serviette, c'est que tout le monde s'en fiche, de Martha. Ces filles-là sont transparentes. Elles existent, mais on ne les voit pas. On se contente de regarder à travers. Pourtant, elle n'aurait pas fait de mal à une mouche. Elle ne demandait que quelques repas par jour et un lit pour la nuit. Si elle avait un mari et des enfants, ils ont fait une croix sur elle depuis longtemps. Même ses meilleurs clients vont simplement se payer un autre cul sans penser à elle. Quant à la police…

Les lèvres pincées, il soupira tout en frottant, tandis que Joseph savourait son verre désormais plein à ras bord.

— Si ça se trouve, déplora Beaulieu, personne ne se montrera le bout du nez pour payer son enterrement et elle va se retrouver dans une fosse commune. Mais je ne les laisserai pas faire. On va faire une collecte parmi les autres filles. Je lui paierai une tombe et un lot de ma poche, s'il le faut, sacrement. Avec une petite pierre tombale.

Joseph vida son gin d'un trait. La gorgée était copieuse et la brûlure qui se répandit de sa gorge jusque dans son estomac lui fit monter les larmes aux yeux.

— Merci pour le gin... et pour les conseils, dit-il.

— Le premier n'est pas cher et les seconds sont gratuits, répondit Beaulieu. Allez, Laflamme, va nous faire une belle enquête pour que les gens sachent et que la police ait un peu honte par la même occasion.

Ragaillardi, une agréable chaleur dans le ventre et dans la tête, Joseph salua l'hôtelier et sortit. Une fois dehors, il détermina que la première chose à faire était de visiter les lieux du crime et de voir s'il n'y avait pas quelques témoins à questionner. D'un pas que l'espoir retrouvé rendait léger, il prit la direction du coin de Vitré et Saint-Dominique.

8

Rafraîchi par le gin de Carmel Beaulieu, sa veste passée sur l'épaule, Joseph marchait d'un pas mesuré pour ne pas avoir inutilement chaud, de crainte de subir un nouveau malaise. Un soleil de plomb pesait maintenant sur Montréal, et plus aucune fraîcheur n'était à espérer avant le crépuscule. Encore aujourd'hui, tout ne serait que chaleur suffocante et humidité collante.

Il lui fallut une vingtaine de minutes pour atteindre Saint-Dominique. Il tourna à gauche dans la petite rue Vitré et s'arrêta un moment pour prendre le pouls des lieux. Il éprouvait une étrange sensation à l'idée que, non loin de l'endroit où il se trouvait, près d'une de ces maisons à plusieurs étages serrées les unes contre les autres, quelqu'un était mort il y avait une douzaine d'heures à peine.

Il avançait lentement, tournant la tête d'un côté et de l'autre, à la recherche des lieux que Sauvageau avait mentionnés avec une désinvolture choquante, comme si la victime valait moins qu'un chien égaré. Certes, il s'agissait d'une fille perdue, mais la Marie-Madeleine des Évangiles avait exercé le même métier et Jésus l'avait lavée de tous ses péchés. De toute évidence, les putains de Montréal n'avaient pas droit à autant de charité chrétienne, malgré tous les clochers d'églises, les couvents, les curés donneurs de leçons et les fidèles bien-pensants dont regorgeait la ville. L'hypocrisie ne semblait avoir aucune limite. De toute façon, Joseph détestait les curés et tout ce qu'ils représentaient. Ils avaient marqué son enfance au fer rouge et il savait de quoi ils étaient capables.

D'un mouvement sec de la tête, il chassa ces pensées comme chaque fois qu'elles s'insinuaient en lui. S'apitoyer sur le passé ne servait à rien. Un peu plus loin, il repéra enfin la porte cochère sombre d'un immeuble à deux étages, près de l'intersection. Sauvageau avait bien dit « coin Vitré et Saint-Dominique ». Il s'épongea le visage et la nuque avec son mouchoir détrempé, soupira, contrarié par les scrupules qu'il ressentait soudain. Il souhaitait exploiter un meurtre sordide pour faire avancer sa carrière. Et après ? Un journaliste rapportait les nouvelles et enquêtait. C'était sa fonction – ou, du moins, la fonction à laquelle il aspirait. Meilleure était la nouvelle, meilleures seraient les ventes du journal, et plus il y aurait de travail pour Joseph Laflamme. Les lois du capitalisme n'épargnaient pas l'information.

Essayant de ne pas trop penser à ce qu'il pourrait découvrir, il franchit les quelques pas qui le séparaient encore de la porte cochère. Dès qu'il y arriva, il se sentit comme enveloppé d'un grand froid qui n'était pas seulement dû à la fraîcheur de l'ombre. Les relents d'une odeur métallique se mêlaient à celles, plus fortes, d'excréments et d'urine. Ainsi donc, c'était ce que sentait la mort. Tandis qu'un frisson d'appréhension superstitieuse lui parcourait le dos, il ravala un haut-le-cœur qui lui ramenait le gin dans la gorge et fit un pas de plus. Le feulement d'un chat mécontent de cette intrusion le fit sursauter. Le félin lui passa à toute vitesse entre les jambes et disparut dans la rue.

— Bon Dieu… chuchota-t-il pour lui-même, sa voix résonnant sur la voûte de brique humide, tandis qu'il attendait que ses yeux s'habituent à la pénombre. Mais qu'est-ce que je fiche ici ?

Tu essaies de trouver une histoire que Rouleau voudra t'acheter, alors cesse de faire la fillette, se sermonna-t-il mentalement. Quand il y vit mieux, il se contraignit à examiner la scène aussi froidement qu'il en était capable. Il tenta de concilier ce qu'il avait sous les yeux et ce que le médecin lui avait révélé. La violence du meurtre lui apparut aussitôt dans toute son horreur. Jamais il n'aurait cru que le sang jaillissant d'une gorge ouverte pût gicler aussi fort et aussi loin. Il y en avait partout : sur les vieux pavés inégaux, sur le mur de brique et sur une caisse en bois abandonnée là. Des gouttes avaient même été projetées à plusieurs pieds de distance, bien visibles sur le mortier pâle qui liait les briques. À l'évidence, une fois l'abdomen et la poitrine ouverts, la pauvre femme s'était vidée comme une outre percée. Le sang s'était accumulé le long du mur, formant une flaque épaisse et sombre. Des morceaux de matière rose et grisâtre gisaient çà et là, et il préférait ne pas trop s'interroger sur leur nature précise. Point n'était besoin d'être médecin ou policier pour déduire que c'était là que Martha Gallagher avait été laissée alors que sa vie de misère s'écoulait de ses blessures.

Contrôlant de son mieux la panique qui commençait à le gagner et à lui tordre le ventre, il se raisonna en se disant qu'il n'était pas venu jusque-là pour repartir en prenant ses jambes à son cou. Il s'accroupit et, malgré sa répugnance, tendit l'index et toucha le sol. Le sang était pratiquement sec.

Il se releva, tira de sa poche calepin et crayon, et prit le temps d'examiner à nouveau chaque détail de la scène avant de tout noter. Au bout du compte, cela ne lui apprenait pas grand-chose ; pas assez, en tout cas, pour alimenter un article percutant, que Rouleau ne pourrait pas refuser. Il rangeait ses affaires et s'apprêtait à s'en aller avec une provision d'affreux souvenirs lorsque, du coin de l'œil, il crut apercevoir un éclat lumineux. Il s'immobilisa, étira le cou et fouilla vainement la pénombre du regard. Il fit un pas en arrière et le scintillement réapparut. Il s'approcha et repéra, à la jonction des pavés et du mur, à l'écart de la flaque de sang, un petit objet doré. Il le ramassa et le regarda avec étonnement ; il s'agissait d'un bouton de manchette.

Quelqu'un l'avait perdu. L'assassin ? Qui pouvait le dire ? Cette porte cochère avait assurément vu passer nombre de gentilshommes bien mis et arborant des bijoux en or, venus se livrer à des égarements passagers en compagnie d'une fille. N'importe lequel d'entre eux pouvait y avoir égaré une telle parure.

Une fois sous la porte cochère, Joseph inclina l'objet dans la lumière du soleil pour l'examiner plus attentivement. Il s'agissait d'un disque en or de la taille de l'ongle de son pouce. Sur le plat était représenté un symbole curieux, finement gravé : un triangle avec, au centre, ce qui semblait être un œil agrémenté de cils. La lettre *G* était inscrite dans ce qui tenait lieu de pupille. Et, de part et d'autre du triangle, se dressaient deux étranges colonnes reliées par une forme courbe.

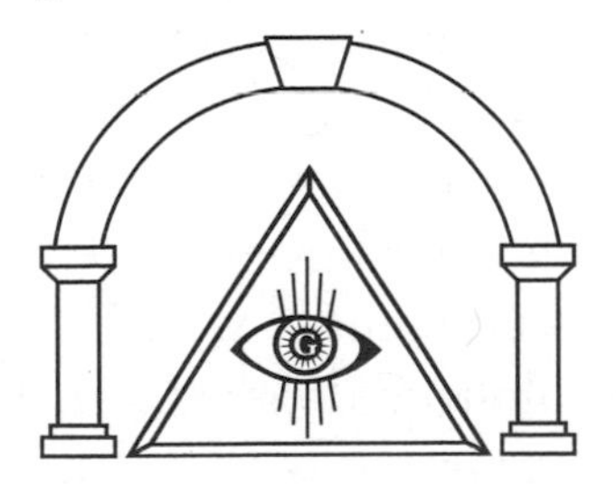

Il s'agissait d'une fort jolie parure, exécutée avec élégance, et qui avait dû coûter très cher. Joseph se renfrogna, essayant de se concentrer. Si cet objet appartenait au tueur, cela signifiait-il que son nom commençait par *G* ? Tenait-il dans le creux de sa main une piste, certes ténue, mais bien tangible ? Son enthousiasme retomba aussitôt. Le nom de la victime était Gallagher. Avant qu'elle n'ait plus été qu'un prénom, en tout cas. Peut-être le bouton de manchette avait-il appartenu à son mari, si elle en avait eu un ? Peut-être constituait-il le seul lien qu'elle avait gardé avec une ancienne vie qu'elle regrettait ? Un ultime souvenir d'une existence révolue où elle avait connu un peu de bonheur avant sa déchéance ?

— Vous avez trouvé quelque chose ? fit une voix derrière Joseph.

Perdu dans ses pensées, il sursauta comme un malfaiteur surpris en plein crime. Par réflexe, sans vraiment comprendre pourquoi il agissait ainsi, il ferma le poing sur le bouton de manchette avant de se relever, puis, tout en se retournant vers l'inconnu, il le glissa subrepticement dans sa poche. Le cœur battant, il avisa celui qui s'était approché comme un chat, sans faire le moindre bruit.

Sous la porte cochère, non loin de lui, se dressait un homme grand et mince portant une vieille chemise de travail si usée que sa couleur était devenue incertaine, un pantalon sombre élimé et une casquette molle juchée sur le coin de la tête. Arborant une barbe de trois jours, la cinquantaine avancée, il avait les épaules affaissées par le travail répété et semblait traîner une fatigue permanente. Il posait sur lui un regard triste et dénué d'agressivité, en se grattant pensivement le front d'une main, tandis que l'autre était plongée dans une poche. Sans doute s'agissait-il d'un débardeur ou d'un ouvrier qui usait sa vie dans une des usines du quartier, ou dans les fonderies et les ateliers du Canadien Pacifique un peu plus à l'est.

— Vous… Vous avez trouvé quelque chose ? répéta-t-il timidement en baissant les yeux.

— Non, mentit Joseph après une brève hésitation, sans trop savoir pourquoi. Je croyais avoir aperçu un éclat, mais ce devait être un reflet ou un jeu de lumière.

Il fit une pause, observant la scène avec une fascination morbide. Il était soulagé de ne plus être seul dans cet endroit.

— Ouf, soupira-t-il avec répugnance en secouant la tête. Tout ce sang et… le reste. Je ne croyais jamais voir une telle chose.

— Ça, vous pouvez le dire, m'sieur, acquiesça l'homme. Elle a été vidée comme une carcasse de bœuf.

Son regard se perdit dans le vide. Distraitement, il passa la manche de sa chemise sur son front en sueur.

— Pauvre vieille Martha, dit-il avec émotion.

— Vous la connaissiez ? s'enquit aussitôt Joseph, alerte.

Pour toute réponse, les lèvres de l'homme se mirent à frémir tandis que ses yeux fatigués se remplissaient de larmes.

— Qu'est-ce que vous avez ?

L'homme éclata en sanglots.

— J'aurais pu… l'empêcher, bredouilla-t-il. J'aurais dû… Si seulement je n'étais pas si lâche, elle… Elle ne serait pas morte. Tout ce sang… Son sang, à elle… Oh ! Seigneur ! C'est de ma faute. Elle ne méritait pas ça.

Il enfouit son visage dans ses grandes mains râpeuses aux jointures gonflées par l'arthrite. Ses épaules voûtées se mirent à tressauter. Osant à peine croire en sa chance, Joseph le rejoignit.

— Vous voulez dire que vous avez vu quelque chose ?

L'homme releva la tête, renifla et s'essuya maladroitement les yeux avec ses paumes, comme le font les enfants et les hommes peu habitués à pleurer.

— J'ai pas tout vu, m'sieur, répondit-il d'une voix faible, les yeux rivés sur la mare de sang. Mais j'en ai vu un peu, quand même.

— Racontez-moi.

L'inconnu fronça les sourcils, l'air méfiant.

— Vous êtes de la police ? demanda-t-il.

Comprenant que ce n'était pas en assistant à la messe que cet homme avait connu la prostituée assassinée et qu'il préférait sans doute que la nature de leur relation ne vienne pas aux oreilles des autorités, Joseph s'empressa de le rassurer.

— Pas du tout. Je suis journaliste. J'essaie de comprendre ce qui s'est passé ici.

— Pourquoi ?

— Si j'arrive à rassembler suffisamment de renseignements, j'aimerais raconter l'affaire dans le journal pour que les gens sachent au moins que la pauvre fille a existé, lui dit-il sur le ton de la confidence, en jouant la carte de l'empathie.

— Et retrouver son assassin ? ajouta l'individu, avec un espoir dans la voix.

— Je ne me fais pas d'illusions, mais sait-on jamais ?

L'homme soupesa un instant ce qu'il venait d'entendre, puis se décida.

— Je suis Napoléon Archambault, déclara-t-il.

Il tendit la main et Joseph la serra.

— Enchanté, monsieur Archambault. Joseph Laflamme. J'écris dans *Le Canadien*.

— Je... Je ne lis pas beaucoup les journaux, avoua-t-il, penaud.

— C'est sans importance, le rassura Joseph. Racontez-moi ce qui s'est passé.

Ni Joseph ni Archambault ne tenaient à rester plus longtemps que nécessaire sous la porte cochère, près du sang séché. Ils s'empressèrent de s'éloigner pour poursuivre leur conversation rue Vitré. Archambault se mordillait la lèvre inférieure, visiblement au comble de la honte. Joseph ressortit son calepin et y chercha une page vierge.

— Ça ne vous dérange pas si je prends quelques notes ? demanda-t-il. Seulement les faits, rassurez-vous. Votre identité restera confidentielle.

— Si c'est comme ça... Je veux bien.

— Parfait ! s'exclama Joseph en léchant la mine de son crayon. Je vous écoute.

— Euh... Je suis veuf depuis trois ans, mais j'ai encore des... des besoins... Vous comprenez ? dit-il.

— Qui n'en a pas ? rétorqua aussitôt Joseph avec un clin d'œil complice.

— Martha ne charge... euh... ne chargeait pas cher et elle était gentille, reprit Archambault. On pouvait parler avec et elle écoutait... Hier soir, je la cherchais en revenant de mon travail à l'usine. Elle faisait toujours les rues autour d'ici. Je l'ai aperçue de loin, mais je n'allais quand même pas lui lâcher un cri... Je me suis pressé, mais avant que j'aie pu la rattraper, elle s'est engagée sur Vitré. Je l'ai suivie et je l'ai vue s'arrêter devant la porte cochère, juste là. Elle semblait parler avec quelqu'un. J'aurais dû m'en aller, mais ça faisait des semaines que je n'avais pas... J'en avais tellement envie... Je me suis dit que j'attendrais mon tour. Quand on passe juste après un autre, c'est moins cher...

— Et ? insista Joseph.

— Je me suis approché sans faire de bruit, poursuivit Archambault, et… Il y avait un homme avec elle. Je ne voyais que sa silhouette.

Joseph sentit son cœur battre plus vite.

— De quoi avait-il l'air ?

— C'est difficile à dire. Il faisait noir.

— Essayez ?

— Martha était petite et il était plus grand qu'elle. Il devait avoir à peu près ma grandeur et je fais cinq pieds et huit pouces.

Tandis que Joseph notait la taille de l'individu, Archambault se triturait pensivement le menton.

— Pour le reste, euh… il portait un manteau long.

— De quel genre ?

— Eh bien, vous savez, ce genre de manteau long, sans bras, avec comme une cape sur les épaules qui descend jusqu'à la taille ?

— Un macfarlane ?

— Je crois que c'est ça, oui. Et il avait un chapeau haut. Un gibus.

— Autre chose ?

— Il avait une canne ou un bâton de marche… C'est difficile à dire.

— Que s'est-il passé ?

— Martha s'est approchée et le gars l'a contournée. Puis il a fait un geste brusque à la hauteur de sa gorge et j'ai entendu un gargouillis.

L'homme se frotta le visage avec lassitude.

— Le gars l'a déposée doucement par terre et il s'est penché sur elle. Et il… Je ne savais pas que la peau qu'on coupe faisait ce bruit-là. J'ai figé, admit-il d'une voix cassée. Comme un lâche. J'ai eu peur. Quand j'ai fini par me secouer…

— Après combien de temps ?

— Je ne sais pas… Une dizaine de minutes, peut-être cinq, peut-être quinze.

Joseph ne doutait pas de la capacité de cet homme à se déplacer en silence, il en avait lui-même fait l'expérience.

— Je ne voyais pas grand-chose, mais il y avait une forme par terre. C'était Martha, pour sûr. Et le gars se tenait debout devant elle. Il la regardait. J'ai dû faire un bruit, car il s'est raidi et s'est retourné. J'ai vu comme un éclat et j'ai compris qu'il avait une arme dans la main. Une lame, assez longue. J'ai reculé en lui disant que je ne voulais pas de problèmes, qu'il n'avait qu'à s'en aller, que je voulais juste aider Martha. Il a foncé droit vers moi. Je croyais ma dernière heure venue, mais il m'a seulement bousculé. Je me suis retrouvé sur le cul et il s'est enfui.

— Et ensuite ?

Archambault se signa lentement et Joseph nota que sa main tremblait.

— Seigneur… chuchota l'ouvrier. Son visage…

— Vous l'avez vu ? Vous pouvez le décrire ?

— Non.

— Comment cela ? Vous ne l'avez pas bien vu ?

— Il portait un masque. Un visage de femme. Vous savez, comme sur les affiches des théâtres ? C'est ce qui m'a fait le plus peur.

Surpris par cette description, Joseph cessa d'écrire et dévisagea Archambault. D'un geste de la main, il l'invita à continuer.

— Ben, je me suis approché de Martha, dit le vieil homme d'une voix incertaine. Enfin, de ce qu'il en restait. Seigneur…

Ce qu'il décrivit ensuite avec des mots simples correspondait en tout point à ce que le médecin avait évoqué. La gorge ouverte, la poitrine béante, le ventre fendu et les entrailles rabattues sur l'épaule.

— Mon pauvre m'sieur, je me suis vomi les tripes, je n'ai pas honte de le dire.

— Je vous comprends, j'aurais fait pareil. Il y avait autre chose ?

— Le corps… Il était arrangé d'une drôle de manière.

— Que voulez-vous dire ?

— Eh bien… La posture n'était pas… naturelle.

Sans prévenir, Archambault lui arracha des mains son calepin et son bout de crayon. Il tourna la page et se mit à dessiner un croquis un peu maladroit, mais clair.

9

Le journaliste nota l'adresse de l'ouvrier dans son calepin, puis farfouilla dans les poches de sa veste où il trouva un porte-cartes en cuir que lui avait offert Emma pour son vingt-quatrième anniversaire, voilà longtemps, quand il commençait à frayer dans le journalisme. « Pour faire sérieux », lui avait-elle dit. Il en tira l'avant-dernière carte de visite qui s'y trouvait, prit mentalement note qu'il devait en remettre d'autres, et la tendit à Archambault.

— Au cas où vous vous souviendriez d'autre chose. Vous pouvez me rejoindre là la plupart du temps. Sinon, passez aux bureaux du *Canadien*, sur Saint-Jacques ; ils sauront où me trouver.

— Très bien, dit l'ouvrier en tenant la carte à bout de bras pour la lire. Je vois où c'est. Mais je vous ai vraiment tout dit.

— On ne sait jamais. Un petit détail insignifiant pourrait vous revenir et s'avérer très important.

L'homme repoussa sa casquette sur le coin de sa tête et se gratta le front en observant de loin l'espace sombre sous la porte cochère. Puis il essuya à nouveau la sueur sur son visage, qui laissa une trace sombre sur sa manche.

Il se rembrunit distinctement tandis que son expression se durcissait.

— En tout cas, j'espère qu'on pincera le maudit malade qui a fait ça, dit-il, les dents serrées. Je ne suis pas un homme violent, mais je ne serais pas fâché si on lui faisait pire que ce qu'il a fait à cette pauvre vieille Martha.

— Malheureusement, on ne torture plus. Je ne suis pas détective, mais je vais fouiller, je vous le promets. Peut-être que si je fais quelques progrès et que je réussis à les rendre publics, la police se sentira obligée de faire des efforts, ne serait-ce que pour sauver la face.

— Très bien. Vous m'avez l'air d'être un homme de parole, m'sieur Laflamme.

Je suis surtout un journaliste désespéré qui n'a plus rien à perdre et qui n'hésitera pas à presser un meurtre sordide comme un citron pour se faire un nom, songea amèrement Joseph. Les deux hommes échangèrent une poignée de main, se saluèrent de la tête et se quittèrent en prenant des directions opposées.

En se retournant, Joseph se heurta à un homme qui marchait tout en consultant un petit calepin et qui, occupé à en tourner les pages, ne regardait pas où il allait. Vêtu d'un élégant costume de matinée au pantalon ligné et à la veste grise, la cravate parfaitement nouée, le soulier verni, la moustache frisée avec style, les cheveux bruns gominés séparés au milieu, il ne portait pas de chapeau, ce qui était compréhensible avec cette chaleur. La femme qui l'accompagnait, son épouse sans doute, était presque aussi grande que lui. Dans la jeune trentaine, elle était vêtue d'une splendide robe jaune et blanche et coiffée d'un chapeau de paille. Ses cheveux noirs avaient des reflets bleus.

Sous la force du choc, l'homme faillit perdre l'équilibre et eut le réflexe de s'agripper à Joseph pour ne pas tomber tandis que son calepin volait dans les airs. Réagissant rapidement, sa compagne l'empoigna par l'épaule pour le soutenir. Joseph en fit autant et le saisit par la manche de l'autre bras.

— Je m'excuse, dit-il, contrit. Je me suis retourné sans regarder et…

— Ce n'est rien, ce n'est rien, cher monsieur, répondit l'homme hébété avec un fort accent anglais, de ce ton mielleux propre aux Britanniques de la haute société.

Il ramassa son calepin, donna quelques coups secs sur ses poignets de chemise pour les replacer sous les manches de sa veste, puis adressa à Joseph un sourire un peu crispé.

— *It's my fault, really*, déclara-t-il. J'avais la tête ailleurs et je ne regardais pas où j'allais. *Silly me… I do beg your pardon. Are you all right, dear sir** *?*

— Moi ? fit Joseph, étonné par cette sollicitude. Oui, bien sûr.

L'homme inclina légèrement la tête et aurait sans doute poliment soulevé son chapeau s'il en avait eu un.

— *Good day, then***, ajouta-t-il. Encore une fois, mes excuses.

— Bonne journée, répondit Joseph. Et à vous, madame…

— Monsieur, dit celle-ci d'une belle voix un peu rauque, avec un accent similaire, en penchant la tête avec grâce.

Joseph remarqua soudain qu'elle avait un œil bleu et que l'autre était recouvert d'une membrane laiteuse, ce qui lui conférait un regard unique et étrangement

---

* C'est ma faute. Quel imbécile je fais. Je vous demande pardon. Tout va bien, cher monsieur ?

** Bonne journée, alors.

envoûtant. Cette imperfection ne faisait qu'ajouter à sa beauté et il sentit ses jambes ramollir. Résistant à l'envie de replacer ses cheveux et de lisser son costume, il lui adressa un sourire maladroit, puis reprit sa marche.

— *Come, Margaret, my dear*, entendit-il l'homme lancer derrière lui. *We still have much to do*[*].

Perplexe, il les regarda s'éloigner. Il nota distraitement que l'homme boitait de la jambe gauche, ce qui pouvait expliquer son équilibre quelque peu précaire. Qui était-il, avec son calepin? Un concurrent? Il croyait pourtant connaître tous les journalistes de Montréal, tant anglophones que canadiens-français, et jamais il n'avait vu celui-là. Quant à la dame qui l'accompagnait, il avait l'absolue certitude qu'il n'aurait jamais oublié une telle créature, même s'il l'avait seulement entrevue de loin. Il haussa les épaules. Un homme avait le droit de consulter des notes prises dans un calepin. Peut-être était-ce un banquier ou un importateur, tout simplement.

Il se remit en route à son tour. La station de police la plus proche était la n° 2, située au 47, rue Craig, et c'est dans cette direction que Joseph se dirigea. S'il doutait toujours autant que les constables consacrent du temps et de l'énergie à enquêter sur le meurtre d'une prostituée, la découverte du bouton de manchette changeait tout. Il n'allait pas garder pour lui ce qui pouvait s'avérer une pièce à conviction et risquer de se le faire reprocher plus tard.

L'excitation lui faisait oublier la chaleur humide qui, un peu plus tôt, lui avait paru si pénible. Marchant d'un bon pas, il atteignit sa destination en une dizaine de minutes. Sans hésiter, il gravit un escalier de granit menant à une lourde porte en bois. Il tendit la main, mais

---

* Venez, chère Margaret. Nous avons encore beaucoup à faire.

elle s'ouvrit brusquement et il se retrouva face à face avec deux hommes solides, en uniforme bleu foncé, casquette sur la tête, revolver à la hanche et épaisse moustache à la lèvre supérieure. Il s'écarta pour les laisser passer et les deux policiers portèrent poliment la main à leur visière pour l'en remercier.

Il n'avait encore jamais mis les pieds dans une station de police et il lui fallut un moment pour s'orienter. Devant lui se déployait un large couloir où se succédaient des portes, certaines ouvertes, d'autres fermées, et des bancs sur lesquels étaient assis des hommes et des femmes qui semblaient attendre, qui un entretien, qui une libération. Joseph supposa que l'endroit était pourvu de cellules. Il avisa un comptoir à droite, près de l'entrée, derrière lequel se tenait un policier en uniforme, sans casquette, qui s'épongeait le front avec un mouchoir et semblait terriblement souffrir de la chaleur. Il avait les épaules larges et un cou de taureau. La tignasse, la moustache et les favoris roux, le visage pâle couvert de taches de rousseur, les mains aussi grandes que des pelles, c'était le prototype parfait du policier irlandais de Montréal. Joseph se dirigea vers lui et constata que l'agent le dépassait d'une bonne tête. Cet homme lui rappelait Louis Cyr, le célèbre homme fort canadien-français, jadis policier, lui aussi. Une plaque épinglée à sa veste annonçait qu'il se nommait « O'Driscoll, Michael, sergent ».

— Bonjour, dit Joseph.

— Qu'est-ce que c'est ? grommela l'autre.

— Euh… Eh bien, c'est au sujet du meurtre d'hier, coin Vitré et Saint-Dominique.

— La pute ?

— Oui. Enfin, Martha Gallagher.

— Alors ?

— J'ai trouvé quelque chose tout près de l'endroit où elle a été tuée. Je pense que ça pourrait être...

— Vous n'êtes pas policier.

— Euh, non... Je suis journaliste.

— Mais vous enquêtez sur un meurtre... lui lança le sergent d'une voix dégoulinante de mépris.

— Pas vraiment... C'est-à-dire que... je... balbutia Joseph, pris de court. Je voulais seulement... Je voulais raconter l'affaire dans le journal et... quand j'ai trouvé ceci, je me suis dit que mon devoir était d'aider la police.

Il sortit le bouton de manchette et le posa sur le comptoir. Le sergent le saisit de ses gros doigts boudinés et l'examina d'un air critique en le tenant à bout de bras, signe indiscutable qu'il refusait de porter les lunettes dont il avait besoin.

— Bon, marmotta-t-il. Votre nom ?

— Laflamme. Joseph Laflamme.

— Attendez ici.

Le sergent le laissa planté là et disparut dans la pièce d'à côté avec le bouton de manchette. Une minute plus tard, il revint et, de la tête, désigna la porte la plus proche du comptoir d'accueil. Celle-ci s'ouvrit et un homme plus jeune, élégamment vêtu, les favoris épais, la moustache et les cheveux noirs comme les plumes d'un corbeau, apparut.

— Monsieur Laflamme ?

— Oui, confirma Joseph en s'approchant.

— Inspecteur Marcel Arcand, dit-il avec une certaine froideur en lui tendant la main. Entrez, je vous prie.

Ils se retrouvèrent dans un petit bureau sans fenêtre, où régnait une chaleur étouffante qui ne semblait pas incommoder son occupant. L'inspecteur s'installa derrière une table couverte de dossiers, posa le bouton de manchette devant lui et croisa les mains sur son bureau.

— On me dit que vous désirez me voir au sujet du meurtre de la nuit dernière ? demanda-t-il avec une courtoisie toute professionnelle.

— C'est ça, oui.

— Je vous écoute.

Joseph sortit son calepin et, tout en le feuilletant, se lança dans un récit un peu nerveux des dernières heures, du moment où il avait appris le meurtre dans les locaux du *Canadien* jusqu'à la découverte du bijou sur les lieux du crime, en passant par sa visite à l'Hôtel-Dieu et sa rencontre avec Napoléon Archambault, dont il donna l'adresse. Lorsqu'il eut terminé, Arcand le dévisagea longuement.

— Monsieur Laflamme, déclara l'inspecteur avec un calme presque intimidant, je conçois que vous essayiez de faire une histoire de ce meurtre sordide. Mais je vous assure que l'enquête sur cette affaire est menée dans les règles de l'art. Je vous conseille amicalement de vous en tenir au journalisme – que vous pratiquez en dilettante, si je ne m'abuse.

Joseph accusa sans broncher l'insinuation un rien malveillante.

— Mais… je croyais aider…

— Je ne doute pas de votre bonne foi, monsieur Laflamme. Et je vous en remercie. J'ai bien noté les coordonnées de ce M. Archambault et soyez assuré que nous l'interrogerons comme témoin.

L'inspecteur ramassa le bouton de manchette.

— Quant à ceci, reprit-il, je doute fort qu'il y ait un lien avec le meurtre.

— Mais…

— La dame était de petite vertu et je ne crois pas qu'elle ait été du genre à susciter les… envies d'un gentilhomme capable de se payer de telles parures en or. Vous savez, côté filles de joie, il y a beaucoup plus luxueux à Montréal qu'une quadragénaire usée comme cette Gallagher.

Du bout de l'index, il poussa le bijou sur la table en direction de Joseph.

— Reprenez-le. C'est un bien joli bouton de manchette. Dommage que vous n'ayez pas la paire.

— Le *G* pourrait être l'initiale de « Gallagher », insista Joseph.

— Je n'ai encore jamais vu de femme portant des boutons de manchette, qu'elle soit bourgeoise ou catin. Au mieux, elle l'aura volé.

Arcand se leva et, de la main, lui indiqua élégamment la porte restée entrouverte.

— Maintenant, si vous voulez bien m'excuser, monsieur Laflamme, j'ai à faire.

Stupéfait d'être ainsi éconduit, Joseph mit un moment à réagir.

— Mais... Vous allez enquêter ?

— Je vous assure que l'affaire sera traitée avec toute l'attention qu'elle mérite.

— Et dans le manuel du parfait petit policier, une putain assassinée, ça mérite beaucoup d'attention ?

En guise de réponse, Arcand lui désigna à nouveau la porte, en inclinant cette fois la tête pour bien appuyer la directive. Joseph se leva lentement et ramassa le bouton de manchette.

— Une fois de plus, je vous conseille de laisser la police faire son travail.

— Encore faudrait-il qu'elle le fasse, ironisa le journaliste.

Il quitta le bureau en se retenant de claquer la porte derrière lui. Il passa devant les gens qui attendaient et sortit en trombe de la station, les mâchoires crispées par la colère. Il venait d'être renvoyé avec la plus belle courtoisie et s'en trouvait à la fois désorienté et contrarié. Une fois sur le trottoir, il consulta sa vieille montre de gousset qui prenait sans cesse du retard, puis se résolut à rentrer chez lui. Il pouvait bien jouer au détective, mais la fenêtre coincée des Sarrasin ne se réparerait pas toute seule et, aussi longtemps qu'il ne serait pas indépendant de fortune, il ne pouvait pas se permettre d'être négligent.

Montréal bourdonnait autour de lui. Les tramways tirés par des chevaux à l'air fatigué disputaient la place aux charrettes. Des marchandises étaient transportées et livrées, des boutiques recevaient leurs clients, des gens allaient et venaient sur les trottoirs de bois, les auberges et les cabarets commençaient à s'animer.

Il avait de plus en plus soif. Un verre de gin serait le bienvenu. Il suffisait de s'arrêter cinq minutes quelque part. Il pressa volontairement le pas et se raisonna. Il était à peine passé midi et il en avait déjà bu quelques-uns à l'hôtel Saint-Laurent. Cela devrait suffire, sinon Emma allait encore lui reprocher d'empester le fond de bouteille, et elle aurait raison.

La main enfouie dans sa poche de pantalon, il marchait en faisant distraitement tourner le bouton de manchette entre ses doigts. Ses pensées dérivèrent tout naturellement vers la petite Mary. Malgré la chaleur étouffante, il frissonna en songeant qu'elle arpentait à peu près les mêmes rues que Martha et que le sang qui formait une flaque sous la porte cochère, rue Vitré, aurait aussi bien pu être le sien.

* * *

— Un jour, Mary, je te sortirai d'ici et je prendrai soin de toi, dit-il avec conviction en se rhabillant à contrecœur.

La petite n'acceptait pas qu'ils flânent au lit une fois que la transaction était consommée. Avec doigté, elle le pressait un peu afin de passer au suivant. En entendant ces mots, elle eut ce rire cristallin qui lui faisait perdre la tête. Appuyée sur un coude, nue comme au jour de sa naissance et belle comme une statue grecque, elle l'observait d'un air amusé tandis qu'il nouait sa cravate.

— Mon pauvre Joseph, soupira-t-elle avec une affection qui semblait sincère, tout en lui caressant la joue. C'est ce que tu dis toujours… Mais tu n'arrives même pas à subvenir à tes propres besoins.

Il s'interrompit et la regarda.

— Un jour, tu seras à moi, affirma-t-il.

Mary se leva. Sa peau pâle et couverte de taches de rousseur lui fit frémir l'entrecuisse. La lumière de la lampe dessinait ses formes délicates. En apercevant la courbe des seins menus qu'il aimait tant mordiller et les fesses rondes qu'il empoignait quand il jouissait, il eut une puissante envie de recommencer. Le souvenir de son porte-monnaie désespérément vide calma aussitôt ses ardeurs.

Elle passa un peignoir de soie qui ne cachait pas grand-chose et vint se presser contre son dos, puis posa affectueusement la joue contre son omoplate et l'entoura de ses bras délicats.

— Grand fou… soupira-t-elle. Je ne suis pas à toi, ni à personne d'autre. Je suis à tout le monde. Tu le sais bien.

La remarque eut l'effet d'une gifle, mais Joseph ne dit rien. Cette conversation, ils l'avaient eue souvent, et, chaque fois, elle était plus douloureuse. Mary se redressa et l'aida à passer sa veste. L'air joueur, elle le poussa vers la porte.

— Allez ouste ! ricana-t-elle. Le temps de la dame est précieux !

À la porte, il tenta de l'embrasser.

— Tut, tut, tut. La demoiselle n'embrasse pas ses clients, lui rappela-t-elle, l'air coquin, en agitant l'index.

— Mais elle embrasserait son mari.

En descendant, il croisa dans l'escalier un gros porc suant qui allait profiter de Mary exactement comme il venait lui-même de le faire. Joseph sentit alors un immense découragement le gagner et se dirigea droit vers l'hôtel Saint-Laurent. Bientôt, sa peine serait noyée dans le gin. Mieux valait avoir mal à la tête qu'endurer un cœur en morceaux.

10

Jack battit des paupières et inspira profondément, tel un enfant qu'on tire du sommeil en lui secouant doucement l'épaule. Il avait dormi comme une bûche et son esprit embrouillé mit un instant à comprendre qu'il se trouvait chez lui. Il était allongé sur son lit, nu comme un ver sur les draps humides de sueur, lourd, amorphe et satisfait. Il avait bien travaillé et savouré chaque seconde.

Il s'étira langoureusement en retrouvant ses repères. De l'autre côté de la pièce se trouvait la commode surmontée d'un vieux miroir taché suspendu à un mur couvert de papier peint défraîchi. Devant l'unique fenêtre de la chambre, un lave-mains avec un bassin et un pichet, une serviette de lin posée sur la barre. Dans l'autre coin, une vieille garde-robe à deux ventaux dans laquelle il conservait le peu de vêtements qu'il possédait. Depuis des jours déjà, la chaleur qui affectait Montréal s'était logée dans son appartement.

Il porta ses mains à son visage et le frotta énergiquement, abasourdi. Il s'assit sur le bord de son lit et, les coudes sur les cuisses, laissa sa tête pendre dans le vide, puis il se massa les tempes du bout des doigts. Il avait une légère migraine, sans doute provoquée par l'excitation, mais la souffrance du matin était insignifiante comparée aux délices que la chaleur de la chair lui procurait la nuit.

Il releva les yeux et vit ses vêtements, par terre, au centre de la pièce. Il se rappelait vaguement les avoir jetés là, dans l'emportement du moment, avant de se vautrer dans le plaisir. Petit à petit, les événements de la nuit précédente perçaient les brumes de l'alcool qui lui épaississaient encore la cervelle. Des images de ce qu'il avait fait, à la fois troublantes et délectables, lui revenaient dans le désordre.

Il était sorti vers vingt-deux heures. Le temps était mauvais et il pleuvait fort, comme cela arrivait souvent lorsqu'il faisait très chaud dans la journée, mais une fois hors de la voiture, il était resté bien au sec dans son macfarlane. Le tissu imperméable avait aussi l'avantage appréciable de résister aux taches de sang. Il avait accompli sa tâche avec efficacité et rapidité. Soudain, alors qu'il tranchait les chairs et extirpait les organes, tout était devenu clair. Il était né pour ce travail. Sa mission était de purifier Montréal, de nettoyer ses rues de toutes ces femmes qui, pour quelques sous, ouvraient cet endroit sale et puant entre leurs cuisses. Il aurait voulu pouvoir débarrasser la ville de toutes les femmes.

Une fois sa tâche accomplie, il avait vérifié que tout avait été exécuté correctement dans les moindres détails, puis était remonté dans la voiture. Il s'était alors rendu là où il savait qu'il trouverait ce qu'il cherchait. Le reste de la soirée avait été abondamment arrosé et s'était terminé chez lui, dans le plaisir et la douleur, les cris et les râles. Il s'y était abandonné tout entier, sombrant dans le noir et l'oubli. Jusqu'à la prochaine fois. Telle était sa nature, il ne pouvait rien y changer. Être lui-même, il savait à présent ce que cela signifiait.

Il se leva et sa tête se mit à tourner. Il vacilla et agrippa la vieille tête de lit en laiton en attendant que le malaise disparaisse. Les gargouillements de son estomac lui rappelèrent que, s'il avait beaucoup bu, il n'avait pas mangé depuis la veille. Son étourdissement passé, il se dirigea vers le tas de vêtements. Il avait soif. Sa gorge était aussi sèche que du vieux parchemin. Il s'accroupit et tendit la main pour ramasser son macfarlane. Comme il l'avait prévu, la pluie avait en bonne partie nettoyé le tissu imperméable. Il suspendit le manteau à un crochet, près de la porte, puis examina ses vêtements. Il constata avec satisfaction que le macfarlane les avait protégés des éclaboussures, hormis de rares gouttes de sang au bas de son pantalon. Il les fourra tous dans la malle en osier où il mettait ses vêtements sales. À la première occasion, il donnerait le paquet à une voisine, qui faisait sa lessive pour quelques cents. Quant à son gibus, la pluie en avait taché le feutre et il devrait être brossé. De même, ses chaussures avaient besoin d'être cirées.

Il fit un effort pour se secouer. Il ne pouvait pas se permettre d'être en retard. Il se dirigea vers le lave-mains, plongea les mains dans l'eau du bassin, s'aspergea abondamment le visage et le torse, puis se frictionna avec un gros savon brun, se rinça et se sécha à l'aide d'une serviette rêche qui lui rougit la peau. Il se brossa les dents et se rasa devant le petit miroir accroché au mur. Son mal de tête à moitié passé, il enfila son costume habituel, se peigna, ajusta sa cravate et sortit. Il avait une longue journée devant lui et, déjà, il avait trop tardé.

11

En nage, Joseph arriva. Il trouva la maison vide et en fut un peu déçu. Il aurait aimé raconter les événements à Emma, qui était sa fidèle confidente malgré leurs désaccords. Sans doute était-elle partie remettre à la fabrique les vêtements qu'elle avait assemblés. Dans ce cas, elle en reviendrait le plus vite possible avec un nouveau lot et se remettrait aussitôt au travail. Elle n'aimait pas s'éloigner longtemps de chez elle. Il soupira. Sa sœur menait une vie aussi régulière qu'une horloge et n'accordait pratiquement aucune place au hasard et aux impondérables. Tout était organisé et planifié.

Joseph comprenait qu'elle eût besoin d'autant de structure. On ne sortait pas indemne de plus de quinze ans passés dans un orphelinat. Depuis le jour où on les y avait emmenés, après que leurs parents eurent péri d'une de ces fièvres qui frappaient périodiquement les quartiers ouvriers, leur enfance avait été entièrement encadrée. On avait méticuleusement planifié pour eux tout leur emploi du temps : le lever, les classes, les repas, la messe, la confesse, la toilette, les prières, l'étude et le sommeil. Les Sœurs Grises de l'Hospice Saint-Joseph essayaient bien d'y glisser de petites gentillesses, mais en gros, c'était le prix à payer pour ne pas être abandonnés.

Qu'on le veuille ou non, une telle existence, dépourvue de tout souvenir de leurs parents, laissait des marques profondes et indélébiles. Pour Emma, il en avait résulté un sentiment chronique d'insécurité, doublé d'une grande timidité en public, mais aussi un désir plus ou moins conscient de contrôler son environnement. Dès qu'ils avaient quitté l'hospice – il avait alors dix-neuf ans et elle dix-sept –, avec pour seule richesse leur connaissance de la lecture, de l'écriture et du calcul, Emma, qui avait toujours été la plus débrouillarde des deux, avait trouvé cette maison de fond de cour, derrière l'immeuble de Mme Lanteigne. Elle avait déployé une énergie frénétique pour mettre l'endroit à sa main, prenant un plaisir évident à exercer pour la première fois son libre arbitre. Joseph avait toujours soupçonné que c'était autant par crainte que par désir de liberté qu'elle ne s'était jamais mariée. Il la taquinait parfois en lui disant qu'aucun mari ne pourrait survivre à la rigueur qu'elle s'imposait. Puis il se rappelait que, lui aussi, il était célibataire et préférait ne pas s'attarder à en analyser les causes. Sa sœur et lui avaient joué au mieux les cartes que la vie leur avait distribuées, voilà tout.

Sans prévenir, la soif le reprit. Ses yeux repérèrent la bouteille de gin sur le comptoir. Il était surpris qu'Emma ne s'en soit pas débarrassée après son départ. Il secoua la tête et se retint. Il avait déjà avalé plus que sa dose. De l'eau suffirait. Faisant contre mauvaise fortune bon cœur, il prit le pichet et se versa un verre d'eau tiède qui le soulagea partiellement.

Il déposa sa veste sur le dossier d'une chaise, retira sa cravate et ouvrit son col, puis roula ses manches jusqu'au coude. Après s'être aspergé le visage et la nuque au-dessus du bassin, il s'épongea. La migraine du matin était passée, tout comme le malaise qui l'avait saisi dans la rue. Même si un gin aurait été le bienvenu, il se sentait revigoré et fébrile comme cela ne lui était pas arrivé depuis des mois. Sans doute était-ce l'espoir, dont il avait presque oublié le goût.

Il lorgna du côté de l'armoire, où était rangée depuis trop longtemps la Remington No. 2 qu'il avait rachetée à un vieux journaliste malade quelques années auparavant. Les doigts lui démangeaient, tant il brûlait de se mettre au travail. Mais jusqu'à nouvel ordre, il restait un simple journaliste sans emploi. Il ne pouvait se permettre de manquer à l'entente passée avec Mme Lanteigne. Il se résigna à ramasser le coffre à outils qu'il laissait toujours près de l'entrée et partit faire son travail de concierge. Plus vite il aurait décoincé la fichue fenêtre, plus vite il pourrait s'attaquer à son article.

Il traversa la cour et pénétra dans l'immeuble par la porte arrière, puis monta jusqu'au deuxième. Arrivé à l'appartement des Sarrasin, il frappa. Une petite femme courte sur pattes, aux vêtements usés, enceinte jusqu'aux yeux et l'air perpétuellement harassé vint lui ouvrir, un enfant sur la hanche. En le voyant, elle lui sourit.

— Bonjour, dit-il. C'est pour la fenêtre coincée.

— Entrez, m'sieur Laflamme, répondit-elle en replaçant distraitement une mèche qui s'était échappée de son chignon. Vous êtes gentil d'être venu aussi vite. Ça va faire du bien. Avec cette chaleur, sans air, on étouffe.

Elle lui céda le passage et il pénétra dans l'appartement, semblable à tant d'autres occupés par des familles ouvrières canadiennes-françaises, avec ses vieux matelas posés à même le plancher, sur lesquels le père et quelques-uns des enfants déjà employés à l'usine dormaient à tour de rôle pendant que les autres étaient au travail. Deux petits, assis tout nus par terre, le regardèrent sans rien dire, la morve au nez. Une fillette de huit ou neuf ans était installée à la table de la cuisine où, concentrée, fronçant les sourcils et tirant la langue, elle collait avec de l'eau et de la farine des boîtes en carton qu'elle rapporterait à une manufacture d'allumettes en bois.

Il n'eut pas à demander quelle fenêtre était coincée puisque l'appartement, sombre à souhait, n'en possédait qu'une, sur le mur extérieur. Il l'examina, la testa, la tapota et dès qu'elle bougea un peu, régla le problème de quelques coups de marteau bien placés sur un tournevis plat en guise de levier. Il ne se faisait toutefois aucune illusion : elle aurait beau être ouverte, il n'y aurait pas le moindre courant d'air dans l'appartement.

Pour le remercier, Mme Sarrasin lui proposa une tasse de thé, qu'il la savait trop pauvre pour offrir. Il la refusa avec délicatesse et, pour la forme, lui demanda des nouvelles de son mari et de ses autres enfants, dont le nombre semblait augmenter chaque fois qu'il la voyait. Puis il repartit.

À son retour, comme il s'y attendait, Joseph trouva sa sœur dans la cuisine, debout devant la table, en train de classer les morceaux de vestes en serge grise qu'elle avait rapportés de la manufacture : une pile pour les pans, une autre pour les manches, une autre encore pour les cols. Elle les assemblerait le soir même et les rapporterait le lendemain. C'était la vie qu'elle menait sept jours sur sept, et elle en semblait satisfaite, voire heureuse, même si son expression accablée trahissait parfois sa fatigue.

— Alors ? demanda-t-elle sans lever la tête de son ouvrage, sans doute pour masquer un espoir dont elle savait bien qu'il risquait d'être déçu. Rouleau t'a donné du travail ?

— Pas encore, mais si tout va bien, il n'aura peut-être pas d'autre choix, répondit Joseph avec une morgue inhabituelle.

Cette fois, Emma le regarda.

— Comment ça?

— Disons que j'ai eu une matinée… inédite.

Il la rejoignit à la table, tira une chaise et s'y assit à l'envers, les avant-bras appuyés sur le dossier. Tandis que sa sœur, lunettes sur le bout du nez, continuait son tri, il lui raconta sa visite infructueuse au journal, puis la façon dont il avait appris le meurtre de Martha Gallagher.

— Un meurtre? À Montréal? fit-elle, étonnée.

— Mais oui. Ça arrive, tu sais. Et en ce qui me concerne, ça pourrait être une fort bonne chose.

Sans préciser que c'était la peur que la petite Mary O'Gara ait été la victime qui l'avait motivé, il lui relata sa visite à l'Hôtel-Dieu et ce qu'il y avait appris de la bouche même du médecin. Il tira son calepin de sa poche pour consulter ses notes.

— D'après lui, elle a eu la gorge tranchée, l'abdomen ouvert, le cœur et les viscères arrachés. Il paraît aussi que son intestin était drapé sur son épaule gauche.

— Sainte Marie, Mère de Dieu, murmura Emma, qui avait blêmi un peu plus à chaque détail de l'énumération.

— Le tueur semble avoir utilisé quelque chose de plus solide qu'un simple couteau. Peut-être une dague ou une baïonnette. Selon le Dr Hudon, il est possible qu'il voue aux femmes une haine sauvage, ce qui expliquerait une telle violence.

Emma le regardait maintenant avec de grands yeux apeurés.

— C'est horrible, dit-elle d'une voix étouffée en portant les doigts à sa bouche, oubliant les morceaux de vêtements étalés devant elle.

Joseph enchaîna avec le récit de son examen de la scène du crime, rue Vitré, et sa rencontre avec Napoléon Archambault et ce qu'il prétendait avoir vu. Il termina par l'épisode du poste de police.

— De la façon dont je vois les choses, déclara-t-il, l'air satisfait, en se penchant en avant, les doigts entrelacés sur le dossier de la chaise, il semble y avoir un tueur fou dans les rues de Montréal et la police n'a pas l'air de s'en préoccuper, car il n'a pour l'instant assassiné qu'une putain. Je peux faire erreur, mais je pense qu'un dément de cette espèce ne se contentera pas de tuer une seule fois.

Il alla vers l'armoire, se dressa sur la pointe des pieds pour atteindre la tablette la plus haute et y empoigna à deux mains la vieille Remington.

— Si j'arrive à écrire une bonne histoire assez inquiétante, dit-il en revenant avec la lourde machine en fonte, tout Montréal voudra être informé sur le maniaque qui arpente les rues la nuit.

Il posa la Remington sur la table, où Emma avait écarté des morceaux de vêtements pour lui faire de la place.

— Les femmes et les filles auront peur, les maris et les pères s'alarmeront pour elles, insista-t-il. Rien n'est plus rentable que l'inquiétude. Rouleau a beau lever le nez sur le meurtre d'une putain, si ses chiffres de vente augmentent, il m'en redemandera ! Ce pourrait être la chance que j'attendais.

— Tu as sans doute raison, admit Emma en se frottant les bras, frissonnant malgré la chaleur. Et puis, à cheval donné, on ne regarde pas la bride. Mais une sordide histoire de meurtre... Tu ne vas quand même pas répandre pour rien la panique dans la population ?

— Mais non. Je n'y gagnerais rien. En fait, je crois que je possède une piste. Si seulement le tueur pouvait frapper une deuxième fois...

— Jo ! Ne dis pas une chose pareille ! s'insurgea-t-elle.

Il sortit le bouton de manchette de sa poche et le lui montra.

— Je l'ai trouvé par terre, à quelques pieds de l'endroit où la femme a été dépecée.

Il se mit à énumérer, en les comptant sur ses doigts, les hypothèses qu'il avait conçues.

— Soit ce bouton de manchette a échappé à la police, qui a alors bien mal fouillé ; soit il a été perdu ensuite par quelqu'un qui est venu voir les lieux du crime et qui pourrait donc savoir quelque chose ; soit il appartenait au tueur. Si j'arrive à le découvrir, je saurai dans quelle direction enquêter et je te promets que je mordrai dans l'os comme un chien affamé.

Emma replaça distraitement une mèche de cheveux bruns derrière son oreille, comme chaque fois qu'elle réfléchissait. Elle prit l'objet et l'examina. Une moue fit saillir sa lèvre inférieure, et ses sourcils se froncèrent.

— C'est de l'or, constata-t-elle, cachant mal son émerveillement, elle qui n'en avait pas souvent vu de près. Un triangle, un œil, deux colonnes… Tu sais ce que signifient tous ces motifs ?

— Non. À part le *G*, qui pourrait signifier « Gallagher », même si l'inspecteur Arcand m'a pratiquement ri au visage quand j'ai évoqué la possibilité. Mais bon, peut-être qu'il a raison et que ça ne veut rien dire du tout.

— Je serais étonnée que cette lettre ne soit qu'une décoration, déclara Emma.

Joseph remit sa chaise dans le bon sens et s'y assit devant sa machine à écrire. Il introduisit une feuille dans l'engrenage, puis actionna le chariot pour la faire ressortir de l'autre côté.

— Dès que possible, je ferai une tournée des bijoutiers pour voir si quelqu'un reconnaît ce bouton de manchette.

En attendant, je crois bien que j'ai assez de matière pour un premier article qui intéressera M. Rouleau.

— Sinon, tu le proposeras à d'autres, renchérit sa sœur. Il n'y a pas que *Le Canadien* à Montréal.

Tandis que sa sœur s'installait à sa machine et se mettait à coudre deux pans de veste, il fit craquer ses doigts, tel un pianiste sur le point de commencer son concert, et commença à taper sur les touches avec un entrain qu'il n'avait pas connu depuis bien longtemps.

UN TUEUR FOU EN LIBERTÉ DANS
LES RUES DE MONTRÉAL ?

Peu de citoyens de notre belle cité savent que, le 6 août dernier, un peu avant minuit, un meurtre barbare a été commis, à l'angle des rues Vitré et Saint-Dominique. La principale raison pour laquelle l'événement est demeuré pratiquement confidentiel est que la victime est dame Martha Gallagher, âgée de quarante-six ans, et qui pratiquait le plus vieux métier du monde pour pourvoir à ses modestes besoins.

Transportée à l'Hôtel-Dieu de nos bonnes Hospitalières de Saint-Joseph, la malheureuse a été déclarée morte à son arrivée. Elle a été sauvagement égorgée et éviscérée à l'aide d'une baïonnette ou d'une dague, comme l'a confirmé au représentant du journal le Dr Armand Hudon. Poussant l'obscénité jusqu'à l'insoutenable, le tueur lui avait de plus drapé les intestins sur l'épaule. Selon un témoin, rencontré par l'auteur de ces lignes, l'assassin avait aussi pris la peine de disposer le corps de curieuse façon, comme ci-dessous.

Il actionna le chariot à quelques reprises pour laisser un espace blanc sur lequel il reproduisit au crayon le croquis de Napoléon Archambault.

Puis il reprit sa rédaction.

Une visite sur les lieux du crime, rue Vitré, a par ailleurs permis de constater que la victime s'était vidée de son sang sous une porte cochère.

Il s'interrompit, les yeux rivés au plafond. Devait-il mentionner le bouton de manchette ? Il décida de conserver l'information par-devers lui tant qu'il n'aurait pas établi ce qu'il pouvait en tirer.

La bonne société montréalaise ne tient pas à savoir que tout n'est pas propre et pur en son sein. Pourtant, il est capital que les citoyens de Montréal soient avertis de la menace qui plane sur la ville. Certains crieront à l'alarmisme inutile et prétendront qu'il s'agit d'un meurtre ignoble, certes, mais isolé, et qu'une femme pratiquant la profession de la victime s'expose à la colère de clients peu recommandables. Mais quiconque tue avec une telle cruauté ne se contentera pas d'agir une seule fois. Il frappera encore, et sa prochaine victime sera peut-être une dame ou une demoiselle respectable, et non plus une femme de petite vertu.

Il s'arrêta à nouveau, se demandant s'il convenait d'évoquer sa rencontre avec l'inspecteur Arcand. Sa décision prise, il ferma les yeux pour se rappeler les termes exacts de leur conversation. Puis il se remit à taper.

Approché par le représentant du journal, l'inspecteur Marcel Arcand, posté à la station nº 2, a déclaré accorder à l'affaire le sérieux qu'elle mérite (ce qui risque d'être bien peu) et a prié l'auteur de ces lignes, sans équivoque, de ne pas se substituer aux policiers.

Nous ne pouvons qu'espérer que la force constabulaire de la Ville jugera bon d'affecter toutes les ressources nécessaires à cette affaire, afin d'empêcher le tueur de sévir à nouveau.

Joseph Laflamme

Il passa quelques heures à relire, réécrire, raturer, annoter, arracher rageusement la feuille et recommencer, peaufinant jusqu'à plus soif. Emma connaissait bien son frère et ne disait rien. Lorsqu'il écrivait, il ressemblait à un compositeur qui entend la musique dans sa tête et peine à la transcrire sur le papier.

Quand tout fut à son goût, il glissa les deux feuilles dans une enveloppe et songea un instant à aller illico les déposer au *Canadien*. Il se ravisa en constatant que le soir arrivait. Les bureaux du journal étaient fermés, et l'édition du lendemain était déjà sous presse.

Il alla au comptoir de la cuisine, y prit un verre propre et le remplit à moitié de gin. Même le regard sombre que lui adressa Emma ne parvint pas à entamer sa bonne humeur.

12

Montréal, 8 août 1891

Le lendemain matin, Joseph était debout à l'aube, rempli de cette énergie que seul confère l'espoir et qui lui avait terriblement manqué depuis quelque temps. Contrairement aux dernières semaines – pour ne pas dire les derniers mois –, il n'avait pas la gueule de bois. D'excellente humeur et le cœur léger, il fit sa toilette au comptoir et s'habilla en sifflotant. Lorsqu'il revint dans la cuisine en chantonnant et en ajustant sa cravate, il remarqua que sa sœur l'observait, la mine réjouie. Il lui sourit.

— Tu es en forme, dis donc. Tu as faim ? demanda-t-elle.

— Je mangerais un bœuf entier !

— Un bol de gruau, ça ira ?

— Moui... Je suppose, faute de mieux, blagua-t-il.

— Ça vient tout de suite ! ricana Emma.

En un rien de temps, ils se retrouvèrent à table devant un gruau fumant, cuit à point et saupoudré d'un peu de cassonade, et une tasse de thé bien sucré agrémenté d'un soupçon de crème, comme il l'aimait.

— Tu as l'air confiant, dit Emma.

— La vie m'a appris à ne jamais l'être, mais je crois vraiment que je tiens une bonne histoire, répondit-il entre deux cuillerées. La meilleure que j'ai eue depuis un bon bout de temps. Il ne s'agit pas seulement du meurtre d'une prostituée anonyme qui n'intéresse personne, mais d'un assassin complètement désaxé qui, en ce moment même, est libre et se promène dans la ville. Je ne peux pas imaginer qu'il ne recommencera pas.

— Brrrr... fit Emma. Tu me fais peur.

— C'est l'idée. Si tout le monde se met à avoir peur, *Le Canadien* va se vendre comme des petits pains chauds. Et comme l'affaire n'intéresse pas la police, tous les ingrédients sont réunis pour que ce soit un beau gâchis. Il n'y a rien de tel pour un journal que de pouvoir dire qu'il a eu raison de lancer un avertissement. Rouleau serait stupide de se priver de cette occasion. Et s'il ne veut pas de cette histoire, tant pis pour lui, quelqu'un d'autre la prendra.

Emma dévisagea son frère avec un sourire maternel.

— Quoi ? demanda-t-il, la bouche pleine.

— Ça fait du bien de te voir heureux.

Elle se garda bien d'exprimer son inquiétude que ce bonheur soit passager et que, dans quelques heures, son pauvre frère, qui ne demandait qu'à gravir les échelons, revienne à la maison de nouveau abattu ou, pire encore, qu'il rentre en pleine nuit, saoul comme un clochard après avoir noyé sa déception. Elle nota mentalement de dire un chapelet pour lui dès qu'il aurait passé la porte.

Joseph vida son bol avec appétit, s'essuya la bouche, se brossa les dents à la hâte et enfila sa veste. Se rappelant qu'il ne lui restait plus qu'une carte, il sortit d'un tiroir du comptoir la boîte de carton brun qui contenait sa provision. Il en prit une dizaine, remit le reste à sa place et tapota les poches de sa veste.

— Tu as perdu quelque chose ? demanda Emma.

— Le porte-cartes que tu m'as offert. Je l'avais hier.

— Il a dû tomber quand tu as enlevé ta veste. Ne t'en fais pas, je vais te le retrouver.

— Merci. Tu es gentille.

Il rangea son article dans une vieille mallette en cuir aux coins écornés. Il allait ouvrir la porte lorsqu'il s'immobilisa, la main au-dessus de la poignée. Il fit demi-tour, revint sur ses pas et, sans rien dire, posa un baiser sur le front de sa sœur, toujours affairée à la table. Puis il sortit sans savoir que, sitôt la porte refermée, elle tirerait son chapelet de la poche de sa jupe, se signerait et entamerait le *credo*.

L'optimisme de Joseph était tel qu'il décida de faire un geste symbolique pour forcer la main au destin : au lieu de marcher jusqu'à la rue Saint-Jacques dans la chaleur humide qui pesait déjà sur la ville, il utilisa les quelques cents qui lui restaient pour héler un coche qui le conduisit à destination.

Il grimpa les escaliers quatre à quatre et, en entrant dans les bureaux du *Canadien*, il trouva Charles-Edmond Rouleau à sa place, en train de lire l'édition du matin, comme il le faisait chaque jour. Sur un coin de la table étaient empilés les articles prêts pour celle du lendemain. Plus loin, en retrait, Albert Sauvageau dactylographiait quelque chose. En apercevant Joseph, il le salua de la tête sans s'interrompre.

— Laflamme ? dit Rouleau, surpris, en levant les yeux. Écoute, mon vieux, je t'ai dit hier que…

— Je sais ce que vous m'avez dit, coupa Joseph sans se laisser démonter.

Il défit les boucles des deux sangles qui fermaient sa mallette, en tira son article et, l'air au-dessus de ses affaires, le posa sur la pile de textes destinés à la prochaine édition, comme s'il était déjà retenu.

— Je crois que vous voudrez faire une place à ceci, déclara-t-il d'une voix égale, malgré l'anxiété qui lui nouait le ventre.

Rouleau allait protester, mais se tut dès qu'il vit le titre.

— Qu'est-ce que c'est que ça ? grommela-t-il avec une moue contrariée.

— Lisez, vous verrez.

Joseph sentit sa bouche s'assécher et la soif le saisir avec violence. Dans ses poches, il avait croisé les doigts de la main gauche, et il retenait son souffle, tandis qu'il serrait le bouton de manchette dans sa main droite.

Sauvageau se redressa, intrigué, puis ralentit la cadence avec laquelle il tapait sur son clavier et jeta des coups d'œil furtifs dans sa direction. Pendant ce temps, Rouleau parcourait les lignes dactylographiées la veille. À mesure qu'il progressait, la méfiance disparaissait de son visage et faisait place à l'étonnement. Bientôt, il releva le sourcil droit, ce qui était toujours un signe d'intérêt chez lui. Après ce qui parut à Joseph une éternité, le verdict tomba enfin.

— Ma foi, Laflamme, dit l'éditeur adjoint, agréablement surpris, je crois que tu tiens une histoire. Tu sembles être tombé sur un vrai détraqué, espèce de veinard. Tu en as appris beaucoup en peu de temps. Une chose est sûre : tu es en avance sur la concurrence.

En se tapotant la lèvre inférieure avec son index, il reporta son attention sur les papiers et relut l'article en diagonale.

— Oui... Oui-oui-oui...

Il termina sa seconde lecture et considéra l'auteur.

— Évidemment... fit-il avec une moue hésitante.

— Quoi ? demanda Joseph, angoissé.

— Pour l'instant, tout ce que tu as de concret, c'est le meurtre d'une pute. Le reste n'est que spéculations. Je ne veux pas être cynique, mais pour bien faire, il te faudrait au moins une autre victime.

— Ça viendra, l'assura Joseph, en essayant d'avoir l'air plus sûr de lui qu'il ne l'était vraiment.

— Peut-être, peut-être pas…

Soucieux d'entretenir l'enthousiasme de Rouleau, il tira de sa poche le bouton de manchette.

— Ce n'est pas tout. J'ai trouvé ceci près de l'endroit où on a découvert le cadavre, déclara-t-il en le lui tendant. Je préférais garder des munitions pour la suite.

— Ah ?

Intrigué, l'éditeur fit tourner le bijou entre ses doigts pour l'examiner.

— Un œil avec des cils dans un triangle et une espèce de construction autour. Tu as une idée de ce que ça signifie ?

— Aucune. Mais celui qui l'a perdu là le sait sûrement, et j'aimerais bien lui demander ce qu'il faisait là.

— Un monsieur « G », on dirait.

— C'est aussi ce que je me suis dit, quoique le nom de la prostituée était Gallagher.

Après un moment, Sauvageau cessa de dactylographier, se leva et s'approcha.

— Je peux voir ? demanda-t-il.

Rouleau lui tendit le bijou tandis que Joseph masquait de son mieux sa contrariété de le voir se mêler de ce qui ne le regardait pas. Son collègue n'avait pas beaucoup de scrupules et était sans doute capable de lui voler son histoire.

Indifférent au regard noir de Joseph, Sauvageau inspecta à son tour le bouton de manchette avec une moue dubitative, puis le lui rendit avec un sourire crispé. Sans rien ajouter, il retourna s'asseoir et reprit son concert de claquements et de retours de chariot accompagnés de tintements.

Rouleau semblait soupeser l'affaire, et Joseph sentit son cœur se serrer, conscient que son avenir allait en partie se décider dans les secondes qui suivraient.

— Bon, fit soudain l'éditeur.

Il ouvrit un tiroir de son bureau, en tira une petite boîte métallique d'où il sortit deux liasses de billets qu'il donna à Joseph.

— Je t'achète ton article, et voici une avance sur le prochain, annonça-t-il avec un sourire sincère. Au moins un autre. Nous verrons où ça mène. Ça te va ?

— Oui, absolument, répondit Joseph en tentant vainement de maîtriser l'émotion dans sa voix.

Avec davantage de fébrilité qu'il ne l'aurait voulu, il empocha les billets : ils permettraient de payer les prochains loyers. Pour une fois, il allait ramener à la maison autre chose que des miettes, et il en était heureux.

— Comment vas-tu suivre l'affaire ? s'informa Rouleau.

— Je prévoyais de faire le tour des bijouteries pour voir si quelqu'un se souvenait d'avoir vendu ce bouton de manchette.

— Hum. Ce n'est pas une mauvaise idée. Rapporte-moi un autre article le plus tôt possible. Disons demain ou après-demain. Et passe donc à la basilique pour allumer quelques lampions en priant pour que ton fêlé soit bien un tueur en série.

Ne sachant s'il devait s'offusquer d'un tel cynisme ou en rire, il se contenta d'acquiescer.

— Je ferai de mon mieux, monsieur Rouleau, lui promit-il en empochant le bouton de manchette. Je vous tiendrai au courant.

Joseph referma sa mallette, sortit et, tant il était heureux, il dut se retenir de dévaler les marches en gambadant et en chantonnant. Il était presque convaincu que s'il s'était lancé la tête la première dans la cage d'escalier, il aurait flotté sur un nuage jusqu'au rez-de-chaussée.

Dès qu'il fut dehors, il prit Saint-Jacques en direction de l'ouest. Rouleau lui avait fixé une heure de tombée et il n'avait pas une minute à perdre. Il avait l'impression d'être un limier en chasse et marchait d'un pas léger.

Le bouton de manchette étant d'excellente qualité, son plan était de commencer ses recherches dans les bijouteries du Mille carré doré, le quartier où vivaient les gens les plus riches de Montréal. Il devrait sortir son anglais du dimanche, mais cela ne lui poserait pas de problème. Avec un peu de chance, il découvrirait le nom d'un acheteur ou d'un fabricant. Il se promit aussi de recontacter Napoléon Archambault au cas où d'autres souvenirs lui seraient revenus.

Il n'avait pas encore atteint la rue McGill lorsque quelqu'un l'appela.

— Laflamme ! Hé ! Laflamme !

Il grimaça en reconnaissant la voix, puis se retourna et aperçut Sauvageau qui courait vers lui en agitant les bras.

— Attends-moi !

Son collègue le rejoignit en nage et à bout de souffle, visiblement peu habitué à l'exercice physique, même s'il avait seulement couru quelques centaines de pieds sur le trottoir. Arrivé à sa hauteur, il tira un grand mouchoir blanc de sa poche et se mit à s'éponger le visage.

— Que veux-tu ?

— T'aider, dit-il, haletant.

Joseph resta coi et le toisa avec méfiance. Albert Sauvageau était le principal obstacle entre lui et une place au *Canadien*. Si l'histoire du meurtre de Martha Gallagher prenait la tournure qu'il espérait, il en serait le premier menacé.

— M'aider ? finit-il par cracher. Tu veux me piquer mon histoire, oui.

— Sers-toi de ta cervelle, pour une fois, Laflamme, rétorqua Sauvageau avec impatience. Ou est-ce qu'elle est complètement marinée dans le gin ?

Joseph reçut la remarque comme une gifle et ne trouva rien à répondre.

— Si je voulais te la voler, ton histoire, je n'aurais qu'à lire l'article que tu as donné à Rouleau. Je sais déjà ce qu'il y a sur le bouton de manchette. Il me suffirait de poursuivre l'enquête à mon compte, et que le meilleur gagne. Nous sommes d'accord ?

— Oui, balbutia Joseph, proprement remis à sa place.

— Bon, alors je t'aide ou non ?

Ne sachant que répondre, Laflamme haussa les épaules avec résignation.

— Tu peux faire le tour de toutes les bijouteries de Montréal, tu n'arriveras à rien, expliqua Sauvageau. Même si tu tombes sur la bonne, personne ne te donnera la moindre information.

— Pourquoi ?

— Parce que ton bouton de manchette est un bijou maçonnique.

13

Pendant un instant, Joseph crut avoir mal entendu. Pourquoi cet importun aux petits yeux avides évoquait-il la franc-maçonnerie? De nouveau, il le toisa sans chercher à cacher l'antipathie qu'il lui inspirait.

— Comment tu sais ça, toi? s'enquit-il malgré lui, alors que la réponse allait de soi.

Avec une assurance qu'il ne lui avait jamais connue, Sauvageau le regarda droit dans les yeux. Puis, tout en lissant ses cheveux clairsemés sur son crâne humide, tandis que des gouttes de sueur lui coulaient sur les joues, il lui lança d'une voix irritée:

— D'après toi?

— Tu es franc-maçon?

— Bon Dieu, Laflamme, essaie de le dire un peu plus fort! rétorqua Sauvageau, les dents serrées. Je crois que les deux petites vieilles qui marchent, là-bas, près de McGill, ne t'ont pas entendu.

Il finit de s'éponger et rempocha son mouchoir.

— Viens, dit-il en lui prenant le bras. Trouvons un endroit plus discret pour discuter.

Il entraîna Joseph rue Saint-Jacques. Pris au dépourvu, celui-ci le suivit et ils se dirigèrent vers l'ouest d'un pas rapide.

— Tu es certain de ce que tu dis ? Un bouton de manchette maçonnique ? Ça existe, ça ?

— Oh oui ! Les francs-maçons adorent les bijoux et les breloques : boutons de manchette, épingle à cravate, jonc, chevalière, mais aussi des tasses, de la vaisselle...

— Et qu'est-ce que la franc-maçonnerie pourrait avoir à faire avec un meurtre ?

— Patience, Laflamme, patience, fit sèchement Sauvageau.

Joseph s'efforça de mettre un frein à son imagination qui commençait à s'emballer. Si tout le monde avait entendu parler des francs-maçons, rares étaient ceux qui savaient quelque chose de précis à leur sujet. Certes, le Vatican les accusait ouvertement de pervertir les âmes en sapant les bases de la religion et en se livrant à des rites aussi étranges que secrets derrière des portes closes. Si sa mémoire était bonne, l'Ordre avait même été condamné à quelques reprises par le pape. Il était formellement interdit aux catholiques d'y adhérer, sous peine d'excommunication, et les curés relayaient en chaire les avertissements et les anathèmes les concernant. Les Anglo-Saxons de Montréal, en revanche, devenaient francs-maçons dès qu'ils acqueraient un certain statut social, même modeste, ou souhaitaient l'atteindre. On racontait que faire partie d'une loge était pour eux un moyen d'avancement, et que des grosses affaires s'y brassaient. On en voyait même souvent, avec leur tablier et leurs gants, en train de poser la pierre angulaire des fondations d'une maison ou d'un édifice public. Mais, paradoxalement, ils demeuraient d'une extrême discrétion sur ce qu'ils faisaient dans leurs assemblées.

Déjà, Joseph imaginait une série d'articles à sensation qui jetterait la lumière sur cette mystérieuse société secrète à laquelle on attribuait les pires complots. En divulguer les pratiques ferait gonfler le tirage du *Canadien* et le rendrait indispensable.

Il se laissa docilement mener jusqu'à un petit square, non loin de là, à l'angle de William et Inspector. Ils trouvèrent un banc un peu à l'écart, sous un arbre, et s'y laissèrent choir, profitant un moment de la fraîcheur de l'ombre.

— Bon, montre-le-moi, ton bouton de manchette, ordonna Sauvageau, sans préambule, en tendant la main.

Joseph obtempéra et laissa tomber le bijou dans la paume ouverte. Sauvageau l'examina et apprécia visiblement ce qu'il voyait.

— C'est un bel ouvrage, vraiment, décréta-t-il. Tout est finement ciselé.

— Oui, bon, passons sur les considérations esthétiques, si tu veux bien. Que signifient tous ces gribouillis ?

— Ce ne sont pas des gribouillis, pauvre profane ignare, ricana le journaliste en feignant l'indignation. Chaque élément est un symbole maçonnique.

Il considéra à nouveau le bouton de manchette.

— Celui qui le portait est soit un Anglais d'Angleterre, soit un Anglais de Montréal, soit un Canadien français qui fréquente une loge d'Anglais, déclara-t-il après un instant de réflexion.

Constatant la confusion de Joseph, il se lança dans une explication qu'il voulait sans doute simple, mais qu'il aurait tout aussi bien pu déclamer en hébreu.

— Contrairement à ce qu'on croit, la franc-maçonnerie n'est pas monolithique et uniforme. Elle est formée de plusieurs obédiences dont chacune a ses particularités. Certaines sont reconnues par la Grande Loge

Unie d'Angleterre, qui prétend régner sur toute la franc-maçonnerie parce qu'elle a été la première à être formée, en 1717, par quatre loges anglaises, alors qu'il en existait des centaines d'autres. On les appelle les loges « régulières », car elles ne dérogent pas aux Anciens Devoirs des constructeurs de cathédrales du Moyen Âge. Celles qui ne sont pas reconnues sont dites « irrégulières ». C'est le cas du Grand Orient de France, où la foi en Dieu, que les maçons appellent le Grand Architecte de l'Univers, un Dieu anonyme répondant à toutes les confessions, n'est plus obligatoire depuis 1877, ou des loges mixtes françaises au sein desquelles hommes et femmes se réunissent, ce qui est impensable pour un franc-maçon anglais. Tu me suis ?

Joseph se gratta la tête, un peu dépassé. Il était loin d'être certain de tout comprendre, et encore moins de saisir pourquoi tout cela semblait si important.

— Euh… Oui. Non. Je ne sais pas. Continue, on verra.

— Bon. Dans la Province de Québec, la Grande Loge Unie d'Angleterre est la seule obédience. Les soixante-huit loges qui existent lui sont affiliées et les trois mille maçons qui en font partie reconnaissent son autorité.

— Trois… Trois mille ? s'exclama Joseph, sidéré par cette révélation. Vous êtes vraiment trois mille ? À Montréal ?

Sauvageau le regarda tomber des nues et sourit.

— Non, dans l'ensemble de la province.

— Tu veux dire qu'il y en a aussi ailleurs ?

— À Québec, à Trois-Rivières, dans les Cantons de l'Est… Partout où il y a des Anglais, il y a des loges.

— Ça alors… fit Joseph, médusé.

Sauvageau eut un geste d'impatience.

— Oublie ces détails pour le moment, dit-il. Ce qui importe, c'est que toutes les obédiences partagent certains symboles universels comme la pierre brute et la pierre polie, l'équerre et le compas, la lettre *G* ou les deux colonnes. Es-tu déjà passé devant le bâtiment de la Grande loge du Québec, coin Notre-Dame et Place-d'Armes ?

Joseph n'eut pas à fouiller beaucoup sa mémoire. Ses moyens ne lui permettaient généralement pas de prendre un fiacre et, à force de marcher, il connaissait Montréal comme sa poche. Il avait souvent remarqué la plaque de laiton où figuraient une équerre et un compas superposés qui ornait la façade de l'édifice en question. Il avait même aperçu des hommes en costume sombre, mallette sous le bras, y entrer, certains en riant, d'autres avec un air plus grave.

Un détail auquel il ne s'était jamais arrêté auparavant lui revint. Au milieu de l'équerre et du compas figurait la lettre *G*, dont il s'était demandé distraitement ce qu'elle pouvait bien signifier, mais sans vraiment s'y attarder.

On retrouvait la même lettre sur le bouton de manchette, à cette différence qu'elle y apparaissait dans un œil. Il dut résister à l'envie de s'administrer une grande claque sur le front, mais son expression de soudaine compréhension n'échappa pas à son interlocuteur.

— Le *G*... dit-il. J'en conclus qu'il ne signifie pas « Gallagher » ?

Sauvageau s'approcha un peu de lui de sorte qu'ils se retrouvèrent appuyés l'un contre l'autre. Ainsi, ils purent regarder ensemble le bouton de manchette.

— La lettre *G* fait allusion à Dieu, expliqua le franc-maçon. Elle est suspendue au centre de toutes les loges du monde, de quelque obédience qu'elles soient. Il est probable qu'au Moyen Âge, il s'agissait plutôt du *Yod* hébreu, la première lettre du nom ineffable de Dieu, et qu'avec le temps, il y a eu glissement de *Yod* à *God*, puis de *God* à la première lettre du mot. Au fond, symboliquement, c'est la même chose.

Il désigna l'œil de l'index.

— Si les symboles maçonniques sont universels, on les utilise différemment dans les loges anglophones et francophones, ainsi que selon les traditions. C'est le cas de l'œil, qui représente celui du Grand Architecte de l'Univers, qui voit tout et auquel le maçon ne peut rien cacher. Les rayons symbolisent la Lumière qui émane du Créateur. Dans les loges françaises, l'œil est exposé, mais c'est rarement le cas dans les loges anglaises, même si l'on y fait aussi référence verbalement. Dans la loge des Cœurs-Unis, à laquelle j'appartiens, il est à la place d'honneur, à l'Orient, au-dessus du fauteuil du vénérable maître.

— Qui ?

— C'est celui qui dirige la loge. Ne te perds pas dans les détails.

Joseph était à la fois déconcerté et fasciné par le monde de symboles qui se dévoilait à lui et par la philosophie qu'il recelait et dont Sauvageau lui révélait quelques bribes. Une part de lui avait toujours voulu savoir ce qui se tramait dans les loges.

— Tu sais, déclara Sauvageau, comme s'il avait lu dans ses pensées, ce que je te dis là est de notoriété publique.

Tu peux trouver tout ça dans des traités et des encyclopédies. Il suffit d'aller dans une bibliothèque protestante. Évidemment, dans les institutions catholiques, ces ouvrages sont interdits, au point qu'ils ne sont même pas conservés à l'index. Il faut protéger l'âme des fidèles, tu comprends ? Et surtout, les curés veulent préserver le contrôle qu'ils exercent sur leurs ouailles. Imagine l'anarchie s'ils se mettaient à penser librement dans une loge !

Sa tirade terminée, Sauvageau désigna à nouveau le bouton de manchette en l'inclinant pour que la lumière du soleil, qui approchait tranquillement de midi, fasse bien ressortir les fines lignes gravées dans l'or.

— Ce qui compte vraiment, dans ce cas précis, dit-il, ce sont le triangle et l'arche. Leur présence sur ce bijou révèle que celui qui le portait chemine dans la maçonnerie traditionnelle anglaise et qu'il a atteint les degrés de l'Arche royale.

— Ah ? fit Joseph, qui se sentait complètement perdu. Et pourquoi ça ?

— La franc-maçonnerie comporte trois degrés : apprenti, compagnon et maître maçon. Celui qui les a tous atteints peut décider d'en rester là ou de poursuivre son cheminement au fil d'autres degrés, dont ceux de l'Arche royale. Dans un de ces degrés, le triangle représente la divinité et la trinité, et l'arche, pourvue d'une clé de voûte, est soutenue par deux colonnes. Le tout symbolise un édifice solide. En principe, c'est l'Arche d'alliance de l'Ancien Testament qui devrait se trouver dessous, mais ici, pour une raison que j'ignore, c'est le triangle.

Il rendit le bouton de manchette à Joseph, qui le regarda comme s'il le voyait pour la première fois.

— Bref, le propriétaire est franc-maçon et anglais. Sinon, c'est un Canadien français qui fraye avec les Anglais.

— C'est ça, confirma Sauvageau.

— Tout ça est instructif, mais je ne suis pas beaucoup plus avancé. Dommage qu'il n'ait pas fait graver son nom et son adresse au dos, l'imbécile, maugréa Joseph.

— Justement, il y a peut-être un moyen de le retrouver.

— Comment ?

— Une seule bijouterie à Montréal vend ce genre de chose.

14

La chaleur empirait à mesure que midi approchait et aucun des deux journalistes n'avait envie de marcher. Ils convinrent donc de partager le coût d'un fiacre, ce que Joseph fit à contrecœur, désireux qu'il était de ne pas dilapider l'argent fraîchement gagné, lui qui en avait rarement. Il tira tout de même une certaine fierté de pouvoir se permettre une chose aussi simple.

Albert Sauvageau se révélait fort différent de l'idée que Joseph s'était faite de lui, ne fût-ce que par son appartenance insoupçonnée à la franc-maçonnerie. Il se montrait aidant, amical et même jovial.

— Tu sais, dit le franc-maçon à brûle-pourpoint, si tu en étais, ça t'aiderait.

— Si j'étais quoi ?

— Franc-maçon.

— Moi ? Franc-maçon ? Tu veux rire ?

— Tu as peur des curés ?

— Non. Je me fiche de leur opinion. Ma sœur et moi avons grandi à l'orphelinat. La plupart des aumôniers faisaient de leur mieux, et je n'ai rien à leur reprocher, mais certains d'entre eux ont plus qu'assez gâché ma vie.

Joseph chercha un instant les mots qui traduisaient le mieux ses sentiments.

— En fait, reprit-il, l'idée d'appartenir à un groupe qui cultive le secret et le mystère, et dont les membres s'entraident en secret me répugne. Il y a quelque chose de… de suspect là-dedans. Sans compter que personne ne sait ce qui se passe derrière les portes closes de vos loges.

— Rien de bien méchant, je te l'assure, ricana Sauvageau. En gros, nous nous engageons à agir correctement et nous traitons toutes les religions avec un égal respect. Pour le reste, les rituels ne sont que des moyens de mettre en lumière de grands principes moraux, comme la droiture ou le respect des engagements, que nous rappellent certains symboles particuliers.

— Que tu dis…

— Libre à toi de croire ce que tu veux, Laflamme, rétorqua Sauvageau en haussant les épaules avec indifférence. Mais le travail viendrait à toi plus souvent et plus régulièrement si tu étais des nôtres.

— Tu vois ? C'est exactement ce genre de copinage qui m'agace.

Il se réfugia un moment dans un silence songeur, essayant de trouver un sens à ce qu'il venait d'apprendre. Il avait l'impression d'avoir été projeté dans un monde dont il ignorait tous les codes.

— Si l'assassin est un de tes petits copains maçons, demanda-t-il, pourquoi t'en mêles-tu ? Ne faites-vous pas tous le serment de vous entraider ? Tu devrais être en train de le protéger, pas de le traquer. Ou y a-t-il quelque chose que je n'ai pas bien compris ?

Sauvageau regardait défiler les rues de Montréal par la fenêtre de la portière. Il soupesa longuement sa réaction.

— Tout maçon jure solennellement de respecter les lois du pays et celles de Dieu, déclara-t-il, sous peine d'encourir le déshonneur et d'être rejeté par ses frères. Celui qui ne le fait pas doit être dénoncé et expulsé, comme une infection qu'on éradique avant qu'elle ne se répande dans le reste du corps et ne le gangrène. Même si sa faute était involontaire ou s'il a été contraint de la commettre. Si le meurtrier est franc-maçon, il a cessé de se conduire comme tel et s'est déshonoré lui-même. Il ne mérite plus d'être un frère, ni d'appartenir à une loge.

Sauvageau se tut, ce qui convenait parfaitement à Joseph, et ils firent le reste du trajet dans un silence gêné que ni l'un ni l'autre n'eurent envie de rompre.

Une trentaine de minutes plus tard, ils se tenaient devant la porte d'une bijouterie en apparence tout à fait banale, sise au sous-sol d'un immeuble de bureaux, en bordure du square Dominion. La vitre de la porte, au pied d'un escalier de quelques marches, était ornée d'une simple inscription en lettres dorées si discrète que personne, hormis ceux qui la cherchaient, ne devait remarquer sa présence : « J. Withers, Masonic Supplies and Regalia*. »

— C'est ici ? demanda Joseph, sceptique. Je me serais attendu à quelque chose de plus... sinistre.

Sauvageau entra et il le suivit, mal à l'aise à l'idée de pénétrer dans un endroit où il n'était pas à sa place. La porte fit sonner une clochette. À l'intérieur, trois messieurs élégants et assez âgés se penchaient sur les comptoirs vitrés qui longeaient trois des quatre murs, tandis que le dernier, à droite, était couvert du plancher au plafond de tablettes remplies de livres. Ils levèrent les yeux et, d'un air un peu guindé, saluèrent de la tête les nouveaux venus. Tous trois étaient tirés à quatre épingles

---

* Articles maçonniques et regalia.

et Joseph comprit, sans qu'un seul mot fût échangé, qu'il se trouvait vraisemblablement en présence de membres de la bonne société anglaise de Montréal dont, tout le monde le savait, la plupart appartenaient à une loge.

Sauvageau se mit à inspecter la marchandise et, faute de mieux à faire, Joseph l'imita. Comme son collègue le lui avait dit, les vitrines contenaient une quantité étonnante de montres en or et en argent, de bagues, d'épingles à cravate, de médaillons et de boutons de manchette, ainsi que d'autres ornements dont l'utilité lui semblait obscure, mais qui, tous, étaient à l'évidence d'une grande qualité.

Debout derrière son comptoir, le commis attendit quelques instants avant de s'adresser à eux. Son costume austère, sa chevelure grise et ses favoris touffus lui donnaient des airs de notaire dans son cabinet. Il remonta son pince-nez sur son long nez d'aigle et vint les rejoindre.

— *Good day, sir. Are you a mason** *?* s'enquit-il du tac au tac, d'un ton enjoué et rempli de bonhomie qui tranchait avec son air sévère.

— Mes frères me reconnaissent comme tel, répondit Sauvageau d'un air énigmatique qui eut l'heur d'irriter Joseph.

— *Which lodge do you belong to, my brother*** *?*

— Cœurs-Unis.

— *Ah! Yes, of course, the french lodge!* s'exclama le commerçant ravi, avant de désigner les vitrines. *Beautiful stuff, is it not**** *?*

* Bonjour, monsieur. Êtes-vous maçon ?

** À quelle loge appartiens-tu, mon frère ?

*** Ah oui ! Bien sûr ! La loge française ! Nous avons de belles choses, n'est-ce pas ?

L'air d'un enfant dans une boutique de jouets, Sauvageau acquiesça de la tête.

— Jonathan Withers. Je suis le propriétaire de cette modeste boutique, annonça l'homme, avec un fort accent anglais, en lui tendant la main.

— Albert Sauvageau. Et voici mon collègue Joseph Laflamme.

Tandis qu'ils échangeaient des poignées de main, la clochette de la porte tinta de nouveau. Un homme très élégant, dans la quarantaine, grand et mince, les cheveux encore presque noirs, entra en s'appuyant sur une canne tel un dandy.

— Alors, que puis-je faire pour toi ? reprit le vendeur avec un doigté tout britannique. *A fourteenth degree ring, maybe ? Or a new apron ? Embroidered white gloves ? A specific jewel** ? Des livres ?

— Je cherche surtout une information, répondit Sauvageau.

— *Of course. Anything for a brother in need***, rétorqua-t-il à la blague.

Au signal de son collègue, Joseph sortit le bouton de manchette en or et le tendit au commis.

— Je constate que vous avez plusieurs modèles de boutons de manchette, dit-il. Avez-vous vendu celui-ci récemment ?

Le marchand ne parut pas surpris à la vue du bouton. D'un air précieux, il l'examina puis retourna derrière son comptoir et, ayant fixé une grosse loupe à son œil droit, il l'inspecta plus en détail. Une fois satisfait, il retira la loupe de son œil et rendit le bijou à Joseph.

---

* Un anneau du quatorzième degré ? Ou un nouveau tablier ? Des gants blancs brodés ? Un bijou particulier ?

** Bien sûr. On ferait tout pour un frère dans le besoin.

— *Oh dear, yes*, dit-il enfin. *It's a model from England. We've only had it for three months. I sold all five sets to the same man*[*].

— Qui était-ce ? demanda sèchement Sauvageau.

Un peu surpris par le ton pressant, Withers eut un léger mouvement de recul et haussa les épaules en ouvrant les mains en signe d'impuissance.

— *A gentleman from Toronto, a few weeks ago. He said he liked the model very much and wanted to bring them back as gifts to lodge brethren*[**].

— Connais-tu son nom ? insista Sauvageau, avant même que Joseph ne puisse ouvrir la bouche.

— Je... Non, je n'ai pas demandé...

— Il avait l'air de quoi ?

— *Oh, you know... Just a middle-aged gentleman. Neither tall, nor short. Neither big, nor skinny... Grey hair...* Une moustache et des favoris... Un beau costume... *Very classy man... Nothing special about him*[***].

Déçus, Joseph et Sauvageau le remercièrent pour son aide. Ce dernier promit de visiter la loge du marchand et ils prirent congé.

Une fois sur le trottoir, ils se firent face tandis qu'à l'intérieur, le vendeur était déjà retourné à ses clients. Joseph tendit la main à Sauvageau.

— Je ne t'ai pas formellement remercié pour ton aide.

— Ce n'est rien, vraiment. Entre collègues, il faut se donner un coup de main. Et puis, contrairement à ce que

---

* Seigneur, oui. C'est un modèle qui vient d'Angleterre. Nous ne l'avons eu que pendant trois mois. J'ai vendu les cinq ensembles au même homme.

** Un homme de Toronto, voilà quelques semaines. Il a dit qu'il aimait beaucoup le modèle et qu'il voulait en faire cadeau à des frères.

*** Oh, tu sais... Un homme d'âge moyen... Ni grand, ni petit... Ni gros, ni maigre... Cheveux gris... Un homme qui avait de la classe. Il n'avait rien de particulier.

tu peux croire, je serais ravi que Rouleau t'engage. Tu as du talent et le *Canadien* serait meilleur avec toi.

— Mais... Je n'ai jamais cru que... bredouilla Joseph, tout à la fois flatté et embarrassé.

Sauvageau consulta sa montre de gousset et fit une petite grimace avant de la remettre en place dans sa veste.

— Je dois y aller, sinon Rouleau va commencer à se demander ce que je fais, même si je lui ai dit en partant que j'avais un tuyau pour toi. De toute façon, je t'ai dit tout ce que je savais.

— Et moi, je crois que grâce à toi, j'ai un deuxième article à écrire, renchérit Joseph avec un air espiègle.

— Tu me tiens au courant ?

— Bien sûr.

— Et, euh... je ne voudrais pas que mes accointances soient connues. Tu comprends ? Je te fais confiance.

— Considère-toi désormais comme une source anonyme, déclara Joseph en souriant.

Ils se séparèrent. Alors qu'il rentrait chez lui, Joseph se demandait si sa chance ne venait pas enfin de tourner. Tout le monde ne pouvait pas se vanter de voir un franc-maçon lui tomber du ciel quand il en avait besoin. Ce lien avec la franc-maçonnerie était une piste nouvelle et excitante à souhait, mais qui promettait d'être très difficile à suivre et n'offrait aucune garantie de résultat. L'assassin était peut-être anglais ; ou alors il fréquentait une loge anglaise. Autrement dit, il parlait anglais, ce qui signifiait qu'il appartenait aux sphères supérieures de la société. Un banquier ? Un riche homme d'affaires ? Un médecin ? Un avocat ? Un notaire ? Ou peut-être s'agissait-il d'un subalterne, voire d'un domestique, d'un Anglais ? Comment savoir ?

Il consulta sa montre et constata avec surprise qu'il était presque quatorze heures. Il crevait de faim et, déjà, les doigts lui démangeaient furieusement à l'idée de l'article qu'il pouvait commencer à écrire et qui, assurément, ferait grand bruit.

Il s'était à peine remis en marche quand quelque chose attira son attention. Sous un arbre, dans le square, en biais de la bijouterie, il repéra deux silhouettes. Il mit un moment à replacer l'homme, mais c'était bien celui qu'il avait manqué d'envoyer choir sur son séant en quittant les lieux où Martha Gallagher avait été assassinée. Il se rappelait l'avoir pris pour un concurrent. À sa gauche se tenait la femme qui l'accompagnait alors, grande et droite comme un chêne. À cette distance, il ne pouvait pas distinguer ses yeux si particuliers, mais c'était bien ses cheveux, si noirs qu'ils brillaient au soleil. Cette fois, l'homme et la femme étaient vêtus en ouvriers pauvres sortant de l'usine, comme s'ils cherchaient à passer inaperçus, mais leur port altier et la beauté de l'inconnue aux cheveux noirs les trahissaient.

Malgré lui, Joseph s'arrêta, soudain méfiant devant ce qui avait peu de chances d'être une coïncidence. Que faisaient-ils là ? Leurs regards se croisèrent. Les deux Anglais le toisèrent calmement, sans avoir l'air de le reconnaître. Puis la femme se tourna vers son compagnon et lui dit quelque chose. L'homme acquiesça de la tête avec une moue songeuse.

Tandis que les deux inconnus reportaient effrontément leur regard sur Joseph, une voiture tirée par deux chevaux bruns surgit dans la rue pavée et bloqua brièvement la vue du journaliste. Quand elle fut passée, ils avaient disparu.

15

Il restait un seul client dans la boutique. Tous les autres étaient partis après avoir fait de nombreux achats. Jonathan Withers avait envie de se frotter les mains tant il était ravi, et il l'aurait sans doute fait s'il avait été seul. Il aimait par-dessus tout ces frères de passage, pour des raisons d'affaires ou en simple visite, qui fréquentaient les loges montréalaises et tenaient à rapporter chez eux un souvenir maçonnique. Chaque gentleman était reparti avec un paquet bien rempli et bien ficelé, ainsi qu'un porte-monnaie proportionnellement plus léger. En moins d'une heure, il avait vendu des tabliers de différents degrés, des bijoux, des médailles, des gants, un nœud papillon et une dizaine de livres. Une très bonne journée qui risquait d'être meilleure encore si son dernier client se décidait enfin.

Appuyé sur une magnifique canne à pommeau d'argent, l'homme était penché sur les vitrines depuis de longues minutes. Comme tout bon touriste, il musardait sans se presser, au gré de sa curiosité, inspectant les objets dans les moindres détails. Au fil de sa carrière, Withers était passé maître dans l'art de repérer les acheteurs enthousiastes, même lorsqu'ils feignaient bien l'indifférence. Pourtant, il ne savait pas vraiment où classer celui-là. Il choisit de l'encourager sans le bousculer.

— *See anything interesting, sir ?* s'enquit-il en sortant de derrière le comptoir pour le rejoindre. *Have you noticed our new selection of real lambskin aprons ? We have Entered Apprentice, Fellowcraft and Master Mason, naturally, as well as Royal Arch*[*].

L'homme se redressa, le regarda et hocha la tête.

— *Interesting, indeed*[**], répondit-il.

D'un pas nonchalant, il se dirigea vers la porte de la boutique et Withers crut avoir laissé échapper un client. Au lieu de tourner la poignée, l'homme tira la toile vers le bas pour masquer la fenêtre, puis fit pivoter le loquet pour la verrouiller avant de revenir vers le commerçant, qui sentit son sang se glacer en voyant la cruauté du regard qui se posait sur lui.

— *Wh-what is the meaning of this*[***] *?* balbutia-t-il.

Lorsqu'il vit l'inconnu tirer d'un coup sec un long stylet de sa canne, il essaya de reculer, mais buta contre le comptoir et réalisa, étouffant de panique, qu'il n'avait nulle part où aller. L'homme le toisa un moment et lui adressa le sourire le plus terrifiant qu'il eût jamais vu.

— *Get in there*, ordonna-t-il calmement en désignant de la tête la porte de l'arrière-boutique.

Tremblant de tous ses membres, le marchand contourna le comptoir et, à reculons, en bredouillant confusément des supplications auxquelles son agresseur

---

* Vous voyez quelque chose d'intéressant, monsieur ? Avez-vous remarqué notre nouvelle sélection de tabliers en vraie peau d'agneau ? Nous avons ceux d'apprenti, de compagnon et de maître maçon, naturellement, en plus de l'Arche royale.

** Intéressant, en effet.

*** Qu'est-ce que ça signifie ?

était indifférent, il trouva la poignée et la tourna pour ouvrir la porte.

— *Go on*[*], insista l'homme.

Withers obtempéra.

— *Please… No…* plaida-t-il en vain en levant les mains. *Take anything you want*[**].

— *You don't happen to have anything orange, by any chance*[***] ? demanda l'homme juste avant que sa lame ne fende l'air.

---

[*] Allez.

[**] Prenez tout ce que vous voulez.

[***] Vous n'auriez pas quelque chose d'orange, par hasard ?

16

Joseph Laflamme se hâta de rentrer chez lui, insensible à la chaleur toujours étouffante. Il avait l'impression de tenir le meilleur filon qu'il ait eu depuis longtemps. Avec un peu de chance, il en tirerait plusieurs bons papiers.

Seule ombre au tableau, la présence des deux inconnus au square Dominion le turlupinait. Quelles étaient les chances qu'ils croisent sa route deux fois en si peu de temps, et chaque fois dans un endroit lié à l'enquête sur le meurtre de Martha Gallagher ? Si on lui avait dit qu'ils le suivaient, il n'aurait pas été particulièrement surpris. Mais si tel était le cas, qui étaient-ils et à quel titre s'intéressaient-ils à l'affaire ? Après avoir retourné un moment ces questions dans son esprit, il perdit patience et les chassa, résolu à ne pas gâcher lui-même son plaisir en imaginant un complot qui n'existait sans doute que dans son imagination enfiévrée.

Arrivé avenue De Lorimier, entre Mignonne et Sainte-Catherine, il accéléra, pressé de tout raconter à Emma. La pauvre s'en faisait tant pour lui. Elle serait heureuse d'apprendre la bonne nouvelle. Il fit irruption dans la maison avec un tel empressement que sa sœur, en plein travail à la table de cuisine, sursauta et se piqua le doigt avec l'aiguille qu'elle était train d'enfiler, les bras tendus et les lunettes sur le bout du nez. Elle porta son doigt à sa bouche, en maugréant. Ignorant la contrariété de sa sœur, le visage fendu par un large sourire, Joseph traversa la pièce à grandes enjambées, la prit par la taille, l'arracha à ses guenilles, la souleva d'un trait et la fit tournoyer dans les airs comme une petite fille jusqu'à ce qu'elle s'esclaffe d'un rire qui franchissait ses lèvres beaucoup trop rarement.

— Rouleau l'a acheté ! s'écria-t-il, incapable de contenir sa joie. Et il m'a même versé une avance pour le prochain ! Ça débloque enfin, petite sœur !

— Jo ! s'écria Emma en riant. La tête me tourne !

Il finit par la déposer, essoufflé par l'effort, mais riant toujours comme un enfant. Le frère et la sœur se regardèrent un moment sans rien dire, souriant à pleines dents.

— Assieds-toi. Je vais nous faire du thé et tu me raconteras tout, dit-elle en se dirigeant vers le comptoir.

Elle puisa de l'eau chaude dans le réservoir du gros poêle en fonte avec lequel ils se chauffaient l'hiver, la versa dans une théière en porcelaine et y jeta quelques feuilles de thé. Elle posa ensuite sur la table un bol de cassonade, deux tasses et deux soucoupes, ainsi qu'un pot de crème qu'elle prit dans la glacière. Puis elle alla chercher la théière et lui indiqua sa chaise.

— Laisse-moi faire, dit-il, tout à son bonheur.

En sifflotant, il remplit les deux tasses à ras bord d'un thé bien fumant et les prépara comme chacun les aimait : noir et à peine sucré pour elle, avec de la crème et de la cassonade en abondance pour lui. Il retira sa veste et la jeta sur le dossier d'une chaise, ôta sa cravate, puis son collet, dont le carton amidonné lui irritait toujours la peau du cou, et déboutonna le premier bouton de sa chemise.

Une fois à l'aise, il entreprit de lui raconter en détail les événements qui s'étaient succédé depuis son départ, tôt le matin, et son passage au journal. Lorsqu'il mentionna l'origine maçonnique du bouton de manchette, que lui avait révélée Sauvageau, puis leur passage à la bijouterie, qui l'avait confirmée, le visage d'Emma se crispa légèrement.

— Je n'aime pas ces gens qui font Dieu sait quoi derrière des portes closes, déclara-t-elle. Si les francs-maçons n'avaient rien à cacher, ils ne prendraient pas la peine d'agir en secret. Et puis, ce sont des affaires d'Anglais protestants, pas de bons catholiques.

— On croirait entendre une sœur de l'orphelinat, la taquina-t-il.

— Elles nous ont élevés dans la foi, rétorqua-t-elle, vexée.

— Si tous les bons catholiques ressemblent aux aumôniers qui veillaient sur nous la nuit… persifla-t-il avec une moue dégoûtée.

Joseph se renfrogna et ne termina pas sa phrase. C'était superflu. Sa sœur connaissait les mots qu'il ne prononçait pas. Ayant refoulé ses souvenirs, il reprit :

— Je suis journaliste, pas évêque. Moi, un meurtrier, franc-maçon par-dessus le marché, ça fait mon affaire. Même dans mes rêves les plus fous, je n'aurais jamais osé imaginer ça. Tu te rends compte ? Un meurtre sordide, plusieurs si j'ai de la chance, et une mystérieuse société secrète ! C'est le mélange parfait.

— Tu n'as aucune preuve qu'il soit franc-maçon, rétorqua Emma, qui était invariablement la plus réaliste des deux.

— C'est vrai, admit Joseph, mais il est absolument certain qu'un franc-maçon s'est trouvé sur les lieux du crime. Reste à déterminer si c'était avant, pendant ou après, et ce qu'il fichait là.

— As-tu ne serait-ce qu'une piste pour l'identifier ?

— Euh... non, concéda-t-il, nullement démonté. Mais, avec un peu de chance, ce meurtre ne sera bientôt qu'un prétexte pour parler des francs-maçons. Les bons catholiques les craignent comme la peste, mais ils en sont tous secrètement curieux. C'est un peu comme avoir l'occasion de regarder par le trou de la serrure la voisine qui se déshabille. Ça se vendra comme des petits pains chauds, et Rouleau me fera un pont d'or.

Des deux mains, il traça devant lui les contours d'un journal imaginaire.

— Imagine les premières pages : « Un assassin franc-maçon ! » – « Les francs-maçons démasqués ! Notre enquête sur la manière dont ils influencent la politique et les affaires ! » – « Dans le secret des loges maçonniques de Montréal ! » – « La franc-maçonnerie : un repaire de criminels ? » Tout Montréal saura enfin ce qu'est ce groupe de drôles en tablier.

— Tu ne sembles pas t'embarrasser beaucoup de la vérité, remarqua Emma.

— Tu défends les francs-maçons, maintenant ?

— Je te défends toi contre un excès d'enthousiasme qui pourrait ternir ta réputation. Prends au moins la peine d'obtenir leur point de vue, sinon ton enquête, si elle se concrétise, n'aura aucune crédibilité.

— Tu es sage, comme d'habitude, petite sœur.

Joseph vida sa tasse et se leva d'un bond.

— En attendant le succès, mon article paraît demain et j'ai déjà la suite à écrire. Ce ne sera pas aussi long que le premier, mais ça retiendra l'attention d'ici à ce que j'aie plus de matière.

Il tira la vieille Remington de l'armoire et la posa sur la table – pour la deuxième fois en peu de temps, songea-t-il avec satisfaction, alors qu'elle avait accumulé la poussière depuis des mois. Il sortit son carnet et son crayon de sa poche, puis s'installa devant la machine à écrire tandis qu'Emma, négligeant exceptionnellement sa couture, remplissait sa tasse de thé et se plaçait derrière lui, de façon à pouvoir lire par-dessus son épaule pendant qu'il écrirait.

— Tiens, tes scrupules se sont envolés ? dit-il avec un sourire ironique. En lisant mon texte sur l'affreuse franc-maçonnerie, tu n'as pas peur pour le salut de ton âme ? Ou est-ce que toi aussi, tu veux écornifler par le trou de la serrure ?

Elle lui tira la langue en riant, mais ne bougea pas. Il fit craquer ses jointures et se mit à jouer sur les touches. Le titre lui vint tout seul.

LE TUEUR DE MONTRÉAL : UN FRANC-MAÇON ?

Trente-six heures après le meurtre de Martha Gallagher, à l'angle des rues Vitré et Saint-Dominique, alors que l'enquête policière semble se dérouler au ralenti, le représentant du Canadien a pu apprendre que l'affaire est intimement liée à l'univers ombrageux et fermé de la franc-maçonnerie.

Peu de bons catholiques savent en quoi consiste vraiment cette société secrète, hormis ce qu'on leur en a dit en chaire pour les prévenir contre elle ou ce qu'en révèlent des ouvrages publiés ces dernières années pour la dénoncer. Nous ne prétendons pas en connaître beaucoup plus long, sinon qu'il est de notoriété publique que ses membres prononcent des serments terribles et remplis de menaces après avoir été soumis à des rituels inconnus, et qu'ils s'engagent solennellement à se venir en aide.

Il s'interrompit en se remémorant ce que Sauvageau lui avait dit quant au comportement irréprochable que les maçons promettaient d'adopter. Mais il chassa aussitôt ses scrupules en se disant qu'il s'en tenait aux faits. Il reprit sa rédaction.

Nous poursuivrons notre enquête sur ce sujet plus qu'hermétique et nous révélerons en temps opportun ce que nous aurons appris.

En se tortillant maladroitement sur sa chaise, il parvint à saisir le bouton de manchette qui se trouvait dans la poche de son pantalon et le déposa sur la table afin de l'avoir sous les yeux en écrivant. Ses doigts reprirent leur danse sur les touches.

Un objet dont, par précaution, nous nous abstiendrons pour le moment de préciser la nature a été retrouvé sur les lieux du crime par le journaliste du _Canadien_. Appartenait-il à l'assassin ou à un témoin important ? Nous ne saurions le dire dans l'immédiat.

Nous avons montré l'objet en question à la police, mais son représentant, inspecteur de son état, a décrété qu'il était sans intérêt.

— Tu ne vas quand même pas provoquer inutilement ton inspecteur ? s'inquiéta Emma, qui lisait toujours par-dessus son épaule. Ce n'est jamais une bonne idée d'indisposer la police.

— Je ne le nomme pas, et puis, ce n'est quand même pas le seul inspecteur à Montréal, rétorqua Joseph. Chaque station de police est bourrée d'inspecteurs et de sergents. C'est à se demander ce qu'ils font tous. Il devrait plutôt me remercier de faire son travail à sa place.

— Si tu le dis.

Tout en se tapotant les lèvres avec son index, il réfléchit brièvement à la façon dont il allait suggérer ce que signifiait le bouton de manchette sans tout dévoiler immédiatement. Puis il se remit à la tâche.

À notre avis, cet objet s'avère capital pour l'avancement de l'enquête et pourrait bien mener tout droit à l'assassin. En effet, selon deux francs-maçons consultés par le journal et tout à fait compétents en ces matières, il ne fait aucun doute que celui qui l'a perdu était lui-même franc-maçon.

— Tu vas donner le crédit à Sauvageau pour l'information qu'il t'a fournie ? demanda Emma. Si tu sais tout ça, c'est quand même grâce à lui.

— C'est vrai, mais il n'apprécierait pas que je révèle qu'il est franc-maçon. Il m'a demandé de garder le secret.

Il est aussi fort probable que cet individu soit de langue anglaise. Sinon, il fréquente une loge maçonnique où cette langue est d'usage. C'est donc dans cette direction, assurément, que la police devrait orienter son enquête, si tant est qu'elle en fasse une.

Cette fois, Emma lui posa fermement la main sur l'épaule.

— Non. Tu ne gagneras rien à ridiculiser la police.

— Bon, bon, maugréa-t-il en raturant la fin de sa dernière phrase.

Quiconque dispose d'informations concernant cette affaire est invité à contacter l'auteur aux locaux du Canadien et sera traité avec toute la discrétion requise.

Joseph Laflamme

D'un geste brusque conclu par d'élégantes fioritures, il retira la feuille du chariot et la tendit à sa sœur.

— Voilà ! Relis-le et dis-moi ce que tu en penses.

Tandis qu'il avalait une gorgée de thé, tiède à présent, Emma se plongea dans l'article. Mais à peine avait-elle lu les premières lignes que quatre coups secs retentirent à la porte. Tous deux sursautèrent et Joseph manqua de renverser son thé sur la table. Il reposa sa tasse et lécha ses doigts mouillés.

— J'espère que ce n'est pas encore Mme Lanteigne avec quelque chose à faire réparer, ronchonna-t-il en secouant la tête. Je n'ai vraiment pas le temps.

Sa sœur allait lui rappeler que quelques articles achetés ne représentaient aucune garantie et qu'ils devaient respecter leur part de l'entente pour garder un toit au-dessus de leurs têtes, mais il s'était déjà levé pour aller ouvrir.

17

Devant la porte, Napoléon Archambault triturait la casquette qu'il tenait des deux mains, dévoilant la calvitie avancée qu'elle avait dissimulée lors de leur première rencontre. De grosses gouttes de sueur lui coulaient sur le crâne et les tempes. Il avait changé de chemise et de pantalon, mais ceux qu'ils portaient étaient pratiquement aussi usés que les autres. Il ne s'était toujours pas rasé et, si c'était possible, il paraissait un peu plus voûté que la veille, comme s'il portait sur les épaules un poids plus lourd encore.

— Monsieur Archambault ? s'exclama Joseph, incapable de cacher sa surprise.

— Bonjour, m'sieur Laflamme, dit Archambault, les yeux rivés au sol, visiblement embarrassé de se présenter ainsi chez le journaliste. Vous aviez dit que… que si je me souvenais de quelque chose, je devais vous contacter.

Revenant de sa surprise, Joseph s'écarta pour céder le passage à son visiteur impromptu.

— Mais bien sûr ! Entrez, dit-il avec empressement. Entrez. Voudriez-vous du thé ?

— Oh, ce ne serait pas de refus, m'sieur Laflamme. Merci, répondit l'ouvrier en esquissant un sourire timide.

Il était tout juste entré quand il aperçut Emma.

— Bonjour, m'dame, fit-il, pris de court. Je suis désolé d'arriver comme un cheveu sur la soupe. Si j'avais su…

— Je vous présente ma sœur, Emma Laflamme, dit Joseph.

— Mademoiselle, corrigea-t-elle, comme elle le faisait toujours, assumant avec une fierté quasi agressive son statut de femme célibataire.

— Je m'excuse, mademoiselle.

— Il n'y a pas de mal, répondit-elle en souriant. Assoyez-vous.

Elle écarta les morceaux de vêtements qu'elle avait laissés sur la table, prit une tasse dans l'armoire, puis revint la remplir avec la théière.

— Crème ? Cassonade ?

— Merci bien, mademoiselle, dit Archambault en posant sa casquette devant lui. Je le prends noir et fort. Ça réveille avant le travail, et l'hiver, ça réchauffe.

Tandis qu'Emma servait son frère, le vieil ouvrier saisit maladroitement la tasse dans ses grosses mains, aspira bruyamment deux gorgées et claqua la langue de satisfaction.

— Il est très bon, mademoiselle, dit-il avec timidité, ce qui lui valut un sourire reconnaissant.

Joseph ramassa son calepin et son crayon sur la table.

— Alors, vous vous êtes rappelé quelque chose ? s'enquit-il lorsqu'il fut prêt à prendre des notes.

— Oui, je pense. Vous vous souvenez que je vous ai dit que le gars m'avait bousculé quand je l'ai surpris et que je me suis retrouvé sur le cul ?

Il sembla soudain se rappeler la présence d'une dame.

— Excusez-moi, mademoiselle…

Le journaliste l'encouragea d'un hochement de la tête.

— Eh bien, pendant que je me relevais, j'ai entendu ses pas dans la rue. Il courait, pour sûr. Mais ensuite, il y a eu le bruit d'une voiture qui se mettait en marche et qui s'éloignait. Ça m'est revenu ce matin. Vous savez, comme les souvenirs sortent tout seuls, des fois, quand on ne pense à rien ? C'était comme ça. Aussitôt que mon *shift* a été terminé, à midi, je suis retourné chez moi chercher le papier avec votre adresse dessus et... me voilà.

Joseph mesurait la portée de ce qu'il venait d'entendre.

— Vous êtes certain de ce que vous dites ? demanda-t-il d'une voix grave.

— Aussi vrai que j'ai un nez dans le visage, rétorqua Archambault sans hésiter. Ça ne m'a pas semblé important sur le coup, avec la pauvre Martha qui était par terre. Mais j'ai entendu le bruit de roues ferrées et des sabots de deux chevaux sur les pavés. Je m'en souviens bien parce que je me suis dit que la pluie avait presque cessé. J'en mettrais ma main au feu.

L'esprit de Joseph menaçait de s'emballer comme un pur-sang. Ce n'était peut-être qu'une coïncidence, mais la présence d'une voiture pouvait signifier que quelqu'un avait attendu l'assassin pendant qu'il massacrait Martha Gallagher. Auquel cas le fou avait un complice, ce qui était une possibilité aussi inédite que troublante. Avaient-ils agi à deux ? Avaient-ils collaboré pour dépecer la prostituée ? Joseph pouvait à peine imaginer qu'on pût partager de telles perversions. Si, plus vraisemblablement, il s'agissait d'un simple cocher qu'un client avait payé pour attendre sans poser de questions pendant qu'il s'absentait dans la rue sombre, avec un peu de chance, il serait possible de le retrouver. L'individu se souviendrait assurément d'un passager qui lui avait fait une demande si particulière en pleine nuit.

— Avez-vous vu la voiture? demanda Joseph sans trop y croire.

— Non. Il faisait noir et elle était loin. Sur Craig, je dirais.

— Pouvez-vous dire dans quelle direction elle s'est éloignée?

— Non plus. Aussitôt debout, je me suis précipité vers Martha et ensuite, je n'ai plus porté attention à quoi que ce soit d'autre.

— Je comprends. Vous avez averti la police?

— Pas encore. Je… je vous fais plus confiance à vous.

— Je vous remercie, monsieur Archambault.

L'ouvrier hocha la tête, vida sa tasse et ramassa sa casquette.

— Bon, je vais y aller, alors.

Ils se levèrent tous et Joseph le reconduisit à la porte tandis qu'Emma desservait la table.

— Merci d'être venu. Ce que vous m'avez dit pourrait être très utile.

Archambault dévisagea Joseph avec un drôle de rictus.

— Il y a autre chose?

— Je crois que je perds un peu la tête, m'sieur Laflamme, chuchota l'ouvrier en remettant son couvre-chef sur le coin de sa tête. Toute cette histoire m'a remué. Je m'imagine sans doute des choses.

— Dites toujours.

L'homme gratta machinalement son front dégarni.

— Eh bien, dit-il d'un ton hésitant, depuis hier matin, j'ai l'impression qu'on me suit.

Le ventre de Joseph se serra.

— Un moustachu élégant qui boite un peu et une splendide créature, grande, avec des cheveux noirs et un drôle d'œil. On dirait qu'il a été crevé. Mais ça ne la gâche pas du tout. Ça fait deux ou trois fois que je les aperçois. Encore tantôt, en m'en venant ici, je les ai vus.

Joseph sentit son sang se glacer dans ses veines. Si Archambault avait vu les deux inconnus, lui aussi, alors il n'avait pas rêvé. Ils semblaient espionner tous ceux qui s'intéressaient de près ou de loin à l'affaire. Ce qui voulait dire qu'ils y étaient eux-mêmes mêlés. Mais comment ? Étaient-ce les tueurs ? Un véritable couple maudit, voué à l'enfer ?

L'envie de reculer le saisit sans prévenir. De toute évidence, il avait mis les pieds dans une histoire qui le dépassait. Se faisant violence pour ne pas trahir la peur qui était sur le point de le gagner, il serra la main d'Archambault en le remerciant une fois de plus et, dès que celui-ci fut sorti, il verrouilla la porte à double tour sans trop avoir l'air d'y porter attention.

Il se força à sourire à Emma, rangea la Remington et ramassa les feuillets où il avait tapé l'article du lendemain. Il considéra un instant aller le déposer immédiatement au *Canadien*, même si l'heure de tombée était passée, puis consacrer la soirée à chercher un cocher qui aurait attendu un client la nuit du meurtre, mais il se ravisa aussitôt. Tout à coup, l'idée de laisser sa sœur seule en pleine nuit ne lui souriait pas du tout.

18

La soirée était déjà bien avancée, et rien ne semblait venir à bout de l'humidité collante qui imbibait tout. Madeleine Boucher avait sué toute la journée sous son épaisse robe de laine, mais les clients qu'elle attirait habituellement ne se formalisaient guère des odeurs intimes. Certains semblaient même les apprécier. Il fallait de tout pour faire un monde et, comme ses collègues, elle en voyait le pire et le plus étrange.

Elle fit une pause, soupira et s'essuya le front avec la manche de sa blouse. Il se faisait tard et elle en avait assez. Ses pieds enflés, serrés dans leurs bottillons de cuir, avaient trop marché et la faisaient horriblement souffrir. Elle savait qu'en les retirant, elle découvrirait non seulement ses bas troués, mais de belles ampoules suintantes qu'il lui faudrait continuer à endurer pendant des jours.

Cherchant ses repères dans le noir, elle détermina qu'elle était rue Dorchester, entre Sainte-Élizabeth et Sanguinet. Après ce qui était arrivé à la pauvre Martha, elle était nerveuse de se trouver là, seule, comme la plupart des autres filles. Elle s'était juré de ne pas traîner plus que nécessaire et, de toute façon, elle avait déjà assez gagné aujourd'hui pour payer sa chambre pour les deux prochains jours. Il valait mieux rentrer. Ainsi, elle aurait le temps de laver ses vêtements de corps et de les étendre dans sa petite chambre pour qu'ils sèchent durant la nuit. Ensuite, elle ferait tremper ses pauvres pieds dans l'eau tiède en buvant un verre de gin.

Elle hâta le pas vers Saint-Laurent, ignorant ses pieds douloureux et faisant de son mieux pour ne pas boiter comme une vieille.

— Psst ! fit une voix dans une ruelle sur sa droite.

Quand elle entendit l'appel discret, sa première réaction fut de l'ignorer et de poursuivre son chemin. Mais une fille comme elle, même lasse, ne pouvait pas se permettre de refuser un client, à moins qu'il soit crasseux ou malade – et encore, tout était question de degré. À contrecœur, elle s'immobilisa donc et fouilla la pénombre du regard.

— Tu es où ? demanda-t-elle avec une pointe d'impatience due à la fatigue et à la douleur.

Un homme se profila dans l'ombre et fit un pas dans sa direction avant de l'appeler d'un signe de la main. Elle soupira et s'accrocha un sourire aguicheur sur le visage. Un dernier client. Elle ferait vite.

— Il ne fait pas un peu chaud pour être habillé comme ça ? roucoula-t-elle en pénétrant dans la ruelle, roulant lascivement des hanches, tandis que l'homme l'attendait sans bouger. Tu me laisses t'en enlever quelques morceaux, dis ?

Elle vit l'éclair qui fendait vivement la pénombre, puis sentit quelque chose de chaud qui se répandait sur sa poitrine. Elle porta ses mains à sa gorge et voulut crier, mais sa voix semblait l'avoir abandonnée, et seul un râle sans force lui échappa. Elle crut qu'elle tombait, mais n'en était pas certaine. Elle avait froid. Si froid. Un étrange engourdissement l'enveloppait. Elle réalisa qu'elle ne sentait plus ses jambes, mais la douleur qui lui fouilla le ventre n'en fut pas moins vive. Réduite au silence, elle comprit qu'on lui ouvrait l'abdomen. Un écœurant gargouillement liquide monta jusqu'à ses oreilles. Un voile noir s'abattit devant ses yeux. Elle eut juste le temps de demander à Dieu d'avoir pitié d'elle, puis la vie la quitta.

19

Assis sur le bord de son lit, Jack attendait, fébrile. Il était nu et résistait difficilement à l'envie de se toucher et de se donner lui-même le plaisir qu'il désirait tant. Son sexe dressé et parcouru de pulsations le suppliait de le soulager, mais il savait être patient. La jouissance, aiguillonnée par l'anticipation, n'en serait que plus forte. D'ici là, il se plaisait à imaginer la bouche, les mains et les fesses dans lesquelles sa semence jaillirait, mais aussi les cris et les gémissements qui accompagneraient son extase. Autour de lui, tout était prêt. Les sangles, les chaînes, les bracelets, les bâillons, les fouets et les godemichés étaient alignés sur la table, prêts à servir. Ce plaisir, il en avait attisé les braises en accomplissant son travail. Grâce à lui, les rues de Montréal étaient débarrassées d'une autre créature immonde. Et il continuerait à les nettoyer. C'était sa mission, sa raison d'être, sa destinée.

Il leva les mains devant son visage et les regarda comme si elles appartenaient à un autre. Les doigts étaient longs et élégants, les ongles bien coupés. Sa peau était encore exempte de ces taches brunes qui trahissent l'âge. Des mains faites pour caresser, pour écrire, pour jouer du piano, pour peindre. Ou pour tailler la chair des femmes. L'art était partout, pour qui savait le voir.

Ses passions inavouables, il les détestait et les chérissait tout à la fois. Longtemps, il s'était efforcé de ne pas les ressentir. Il avait prié, s'était mortifié, avait nié, mais en vain. Il en était venu à admettre qu'elles faisaient partie de lui ; sans elles, il était diminué. Elles le définissaient et faisaient de lui l'être unique qu'il était. Ironiquement, grâce à ses désirs pervers, il avait trouvé la sérénité. Il saisit la coupe qui se trouvait là et but une gorgée du vin rouge, riche et fruité, qu'il y avait versé. Puis il la finit d'un coup. Par terre, la bouteille était vide.

Il sursauta quand on frappa à la porte. Trois coups, puis deux, tel que convenu. Son cœur fit un bond dans sa poitrine. Il sourit et sentit l'excitation monter en lui. Sans s'en rendre compte, il se pourlécha comme un animal affamé, tandis que sa respiration devenait saccadée.

Il se leva, passa une robe de chambre et se rendit dans l'autre pièce.

— Qui est-ce ? s'enquit-il à travers la porte.

— L'agréable compagnie que tu as demandée, mon chou, répondit une voix de fausset.

Il déverrouilla de ses mains impatientes les trois loquets qui le protégeaient de l'extérieur et ouvrit. Devant l'embrasure se tenait un tout jeune homme aux cheveux blonds et bouclés, juste assez longs pour lui donner un air légèrement efféminé. Exactement comme il les aimait. Celui-là, il l'avait repéré sur Saint-Laurent après être descendu de voiture et l'avait tout de suite désiré. Malgré sa jeunesse, il avait cette moue arrogante et coquine que seule procure l'expérience. Il suffisait de voir comme il se déhanchait pour imaginer la volupté que promettaient ses deux petites fesses fermes. Une fois la transaction conclue, le jeune homme lui avait dit qu'il le rejoindrait une heure plus tard à l'adresse convenue.

Le garçon lui adressa un sourire enjôleur, dont il avait sans doute souvent éprouvé l'efficacité, et fit battre ses longs cils. Il portait un costume gris fer et, au lieu d'une cravate, un foulard aux couleurs chatoyantes.

— Alors, tu me laisses entrer, hmm ? demanda-t-il en lui passant lascivement l'index sur la joue.

Jack sourit à son tour et s'écarta. Le garçon entra en roulant des fesses comme une demoiselle. Dès que la porte fut refermée, il l'embrassa avec tendresse et commença à le déshabiller.

20

Montréal, 9 août 1891

Il pleuvait sur Montréal et personne ne s'en plaignait. Rien ne valait quelques heures de pluie pour dissiper l'humidité étouffante qui enveloppait la ville depuis plusieurs jours. Les gens l'oubliaient souvent, mais Montréal était construite sur une île et l'air sec y était rare. Les vêtements collaient à la peau et on avait toujours le visage un peu moite : pour les étrangers, il était difficile de s'habituer à cette sensation poisseuse. Il était encore plus ardu de s'imaginer comment tous les religieux qui pullulaient dans cette ville parsemée de clochers faisaient pour survivre à la chaleur sous leurs soutanes et leurs lourdes robes.

Il était très tôt, mais les sept hommes étaient debout depuis l'aube. Engoncés dans des costumes trois pièces sombres, portant un col rigide orné d'une cravate rayée et sobre, les chaussures cirées comme des miroirs, ils s'apprêtaient à assister à une de ces réunions d'affaires qui servaient de prétexte à leurs rencontres et occupaient leurs journées depuis leur arrivée à Montréal.

Ils se trouvaient dans un des salons privés du luxueux hôtel Windsor, rue Saint-Jacques, en face du square Dominion, qui avait la réputation, entièrement justifiée, d'être le meilleur établissement au Canada. Tout n'y était que marbre, laiton et boiseries, colonnes soutenant des plafonds hauts aux moulures spectaculaires, et grands escaliers majestueux. Les hauts fauteuils de cuir étaient confortables et le thé impeccable, tout comme l'avaient été l'omelette, le bacon et les rôties dont les restes jonchaient la table ronde autour de laquelle ils avaient pris place. Ils en étaient maintenant au café, que plusieurs accompagnaient d'un cigare ou d'une pipe, dont la fumée bleutée s'accumulait déjà sous le plafond.

L'un d'entre eux, le seul qui comprenait assez bien le français, avait posé devant lui, à la première page, l'édition toute fraîche du *Canadien* et traduisait l'article qui les intéressait. Ils l'écoutèrent attentivement sans trahir la moindre émotion jusqu'à ce qu'il ait terminé.

— Messieurs, dit le vénérable maître, songeur, en frottant sa barbe soigneusement taillée, les choses prennent une tournure inattendue.

— Qu'on parle de l'affaire, c'est précisément ce que nous souhaitons, intervint le secrétaire. Ce journaliste sert nos intérêts en publicisant le meurtre. S'il continue, tant mieux. Il amplifiera la portée des événements et leur écho à Londres n'en sera que plus bruyant. Il ne doit pas être empêché de faire son travail. Au contraire, il faut l'aider à ameuter la population jusqu'à ce que les autres journaux emboîtent le pas au *Canadien*.

— Ce Laflamme connaît les moindres détails du meurtre, jusqu'à la posture de la victime, mais au fond, il ne révèle rien de nouveau, remarqua calmement le maître adjoint. Il a mené une enquête brève et efficace auprès de la police et d'un médecin. Ce qui est inquiétant, c'est plutôt l'existence d'un témoin. En la révélant, il trahit surtout son inexpérience.

— Un témoin pourrait faire déraper l'opération, nota le tuileur, ce que tout le monde savait déjà.

Le vénérable maître se tourna vers leur agent à Montréal, qui semblait être le seul d'entre eux à se sentir mal à l'aise dans le somptueux décor du Windsor.

— Que savons-nous sur lui ? s'enquit-il.

L'homme tira un calepin de la poche de sa veste et fit tourner les pages jusqu'à trouver celle qu'il cherchait. Puis il se mit à lire.

— Napoléon Archambault, déclara-t-il. Fin de la cinquantaine. Simple ouvrier. Nous savons où il habite. Il vit seul depuis la mort de sa femme. Il a rendu visite à Laflamme hier soir. Par contre, la police ne l'a pas encore rencontré, ce qui est surprenant si l'on considère ce qu'il pourrait avoir vu.

— Bien, fit le maître. Voyez à ce que ce monsieur trop bavard se taise.

— Entendu, maître, répondit celui qui avait partagé les informations en rempochant son calepin. Il en sera fait selon vos ordres. Rien d'autre ?

— Non, vous pouvez disposer.

L'homme se leva d'un trait et, après avoir salué ses collègues d'un mouvement sec de la tête, il sortit d'un pas énergique. Lorsqu'il fut parti, le secrétaire consulta une magnifique montre en or attachée à une chaînette du même métal.

— À l'heure qu'il est, si ce n'est déjà fait, on va bientôt découvrir le cadavre de la deuxième putain et les choses vont s'accélérer.

Le trésorier leva l'index pour demander la parole, qui lui fut accordée par le vénérable maître.

— Pour ma part, j'ai réglé le cas du marchand de babioles maçonniques, annonça-t-il. Il risquait de nous compromettre.

— Tu as bien fait, mon frère.

Les discussions se poursuivirent un moment et, lorsque tout fut dit, le vénérable maître conclut leur rencontre informelle de la manière habituelle.

— *God save the Queen, Great Britain and Ireland, and our Order.*

21

Il était à peine passé huit heures. La pluie avait lavé les rues de Montréal et assaini l'air, mais le répit serait bref. Déjà, le ciel se dégageait et le soleil perçait les nuages. En chemin, Joseph avait acheté un exemplaire du *Canadien* à un jeune vendeur qui s'époumonait au coin d'une rue. En apercevant son article sur une demi-colonne en première page, il n'avait pu s'empêcher de sourire un peu niaisement, tandis que sa raison lui répétait que ce petit succès n'allait pas nécessairement durer et qu'il fallait garder les pieds bien plantés sur le plancher des vaches. Le deuxième article, qui se trouvait dans sa mallette, risquait de déterminer s'il était sur une bonne lancée ou si ce n'était qu'un feu de paille.

Tandis qu'il se dirigeait vers la rue Saint-Jacques, il nota que beaucoup plus de gens que d'habitude lisaient *Le Canadien*. Mieux encore, la plupart étaient plongés dans la première page et plusieurs avaient même des conversations animées et inquiètes. Il eut envie de s'arrêter, de leur taper sur l'épaule et de leur annoncer, avec fausse modestie, qu'il était l'auteur de ces lignes et qu'il leur en apprendrait davantage dans l'édition du lendemain. Il se sentait utile et la sensation était suave. Il se demanda fugitivement si la petite Mary verrait son article, elle qui doutait de sa capacité à se tailler une place dans la vie. L'image de la rousse lui vint à l'esprit, avec son air enfantin et perpétuellement espiègle, mais vêtue comme une dame respectable.

Lorsqu'il arriva aux locaux du journal, il s'étonna de ne pas ressentir l'angoisse qui l'habitait habituellement. Pour une fois, il n'allait pas comparaître devant Rouleau pour mendier du travail, mais bien pour remplir un mandat légitime. Le sourire aux lèvres, il entra et gravit les escaliers sans hésiter, la jambe leste et l'esprit clair, réalisant avec bonheur que, sans même y penser, il n'avait pas bu une seule goutte d'alcool depuis plus d'une journée.

Dans les bureaux, il trouva Rouleau à sa place habituelle, le nez plongé dans des feuillets qu'il corrigeait au crayon gras. Quant à Sauvageau, il était en train de dactylographier quelque chose. Tous deux levèrent la tête en l'apercevant.

— Laflamme ! Tu as vu ton article en première ? s'écria le patron sans lui laisser le temps de répondre. Hein ? Tu as vu ? Nous sommes le seul journal à parler du meurtre. Et de quelle façon ! Sauvageau m'a dit qu'il t'avait donné un petit coup de main.

— Un gros, admit volontiers Joseph, en adressant à son confrère un hochement de tête reconnaissant. Il m'a mis sur une bonne piste.

— J'espère que tu as autre chose.

— Oui, ici.

Joseph sortit de sa mallette les feuillets dactylographiés la veille, franchit les quelques pas qui séparaient la porte du bureau de Rouleau, et les lui tendit. L'éditeur les saisit avec avidité et se mit à lire sans porter la moindre attention à leur auteur. Comme à son habitude, il relut plusieurs fois le texte en grommelant des approbations et des réserves, tandis que son visage se froissait et se défroissait au fil de ses réactions. Quand il eut terminé, il dévisagea Joseph avec une expression de petit garçon qui vient de réussir un mauvais coup. Il posa les papiers sur le bureau, les lissa presque amoureusement.

— Un franc-maçon ? s'exclama-t-il, la mine réjouie. Un de ces drôles en tablier qui font on ne sait quoi dans leurs réunions ? Vraiment ? C'est trop beau pour être vrai !

— Et pourtant... fit Joseph en haussant les épaules, souriant lui aussi.

— Il n'y a rien de plus payant que de parler de ce dont les curés ne veulent pas qu'on parle ! reprit l'éditeur. Tout ça grâce au bouton de manchette que tu m'as montré ?

— Et à ce que Sauvageau a pu en tirer, reconnut Joseph. Il... s'y connaît en la matière.

Sans lui laisser le temps de l'interroger sur les accointances particulières de son collègue, Joseph rapporta à son patron sa conversation de la veille avec Napoléon Archambault.

— Pourquoi tu n'inclus pas cette histoire de voiture dans ton papier ? s'enquit Rouleau.

— Je préfère la vérifier avant. C'est peut-être le moyen de transport du tueur, mais ça peut aussi être une simple coïncidence. Je pensais faire le tour des cochers qui travaillent dans le quadrilatère autour des lieux du meurtre. S'il me reste du temps, j'essaierai de me renseigner un peu plus sur la franc-maçonnerie. Il paraît qu'il existe plusieurs livres en anglais sur le sujet.

— Tant que tu me rapportes d'autres papiers de ce genre, tu peux procéder comme tu l'entends, je m'en fiche. Donne-moi du vrai et du vérifié, mais ne néglige pas le spectaculaire.

Rouleau tira sa petite caisse de son tiroir, en sortit quelques dollars qu'il lui tendit.

— Le solde pour ton deuxième article, expliqua-t-il. C'est de l'argent bien investi. Allez, va interroger tes cochers et reviens avec du sensationnel ! Je te paierai les autres articles à la pièce.

Joseph empocha l'argent et jeta à Sauvageau un regard qui devait être chargé de culpabilité, car celui-ci lui adressa en retour un sourire compréhensif qui lui soulagea la conscience.

Le cœur léger, son porte-documents sous le bras, les poches pleines comme elles ne l'avaient pas été depuis des années, il se mit en route vers ce quartier qu'on commençait à appeler le *Red Light* en raison de la lumière rouge qui traversait les rideaux des maisons de débauche. En redescendant Saint-Jacques vers l'est, il ne put s'empêcher d'inspecter discrètement les alentours, à la recherche du couple qui s'intéressait manifestement au meurtre et à ceux qui y étaient associés. Deux fois, il s'arrêta même devant la vitrine d'une boutique et, feignant de regarder la marchandise, lorgna dans le reflet de la vitre ce qui se passait derrière lui. Soulagé, il n'aperçut personne.

Parvenu rue McGill, il tourna à gauche puis, au carrefour suivant, prit à droite, sur Craig. Après quelques minutes, alors que le soleil avait définitivement vaincu les nuages et que Joseph recommençait à suer, il s'arrêta à la hauteur de Saint-Dominique. Tout en s'épongeant le front avec son mouchoir, il fit le point sur la façon dont il allait procéder. Il décida tout simplement de se concentrer sur les grandes artères, les seules qu'arpentaient les cochers à la recherche de clients. Si une voiture avait attendu le tueur, ce n'était pas dans la rue étroite où il avait assassiné Martha Gallagher.

Il aperçut une voiture qui, débouchant du boulevard Saint-Laurent, venait de tourner rue Craig, et décida de se mettre à la tâche. Il s'approcha du bord de la rue et la héla avec de grands gestes. Le cocher l'aperçut, tira sur les rênes et arrêta le véhicule à sa hauteur.

— Bonjour m'sieur ! s'exclama-t-il en touchant poliment le rebord de son couvre-chef. Montez ! Ce sera pour où ?

— En fait, je me demandais si…

Avant qu'il puisse compléter sa phrase, une voiture noire tirée par quatre chevaux passa près d'eux dans un vacarme assourdissant en soulevant un nuage de poussière. Elle était conduite par un policier en uniforme, et Joseph eut le temps d'en apercevoir quelques autres dans la cabine.

— Qu'est-ce qui se passe ? demanda-t-il, perplexe, en toussotant.

— Ça doit être pour le meurtre, sans doute, dit le cocher.

— Le meurtre ? fit Joseph, soudain en alerte.

— Oui. Vous ne savez pas ?

— Savoir quoi ?

— Le tueur du *Canadien*, ce matin. Paraît qu'il a assassiné une autre pauvre femme cette nuit, sur Dorchester, entre Sainte-Élizabeth et Sanguinet. C'est là que va la police, j'imagine.

Pendant une seconde, le journaliste resta sans voix. Puis il ouvrit la portière de la voiture et bondit dans la cabine.

— On va où ? s'écria le cocher.

— Dorchester, entre Sainte-Élizabeth et Sanguinet !

22

Il n'eut pas à chercher longtemps après avoir payé sa course. Non loin de là, près de la voiture noire qu'il avait vu passer en trombe, un attroupement lui indiqua sa destination. Il s'approcha et se fraya tant bien que mal un passage entre les badauds, serrés les uns contre les autres, qui discutaient à voix basse d'un ton horrifié. Çà et là, des femmes sanglotaient, couvrant de leur main leurs lèvres tremblantes, tandis que quelques hommes n'en menaient pas beaucoup plus large. Tous étaient blêmes, et il se demanda pourquoi ces gens s'entêtaient à rester si ce qu'ils voyaient les troublait à ce point.

Lorsqu'il eut franchi le barrage humain, en jouant du coude et en s'excusant à profusion auprès de curieux bien décidés à conserver leur vue avantageuse, il parvint au premier rang et faillit heurter l'imposante personne du sergent O'Driscoll, qu'il avait déjà rencontré à la station nº 2. Les bras croisés sur la poitrine, dans une pose rappelant celle des hommes forts sur leurs affiches, suant dans son uniforme de laine, la casquette vissée sur le crâne, le colosse roux et trois de ses collègues d'un gabarit comparable formaient une barrière que, de toute évidence, il valait mieux ne pas essayer de traverser. Joseph tenta néanmoins sa chance.

— On peut voir ?

— Non, grommela le sergent.

— Qu'est-ce qui s'est passé ?

— Rien.

— Ah ? Vraiment ?

— Vraiment.

— Que regardent ces gens, alors ? Le dos des policiers ?

— C'est ça.

Il tendit le cou et, entre deux paires d'épaules, aperçut plusieurs hommes en uniforme accroupis près d'une bâtisse, à gauche d'une galerie, qui semblaient contempler quelque chose par terre tout en discutant. Joseph considéra O'Driscoll, qui le toisait avec un air mauvais en serrant les mâchoires, et jugea qu'il était préférable de ne pas insister. Il examina les environs et repéra bientôt une solution satisfaisante.

Il regagna sa place parmi les curieux, puis contourna le groupe sur la gauche. Une fois devant l'édifice voisin, il avança et, mine de rien, se mit à gravir l'escalier en colimaçon qui menait au balcon du premier étage, où deux portes voisines donnaient accès à autant d'appartements sombres et étroits. Il posa sa mallette et, après avoir testé la solidité du garde-fou en fer forgé, il se pencha en avant. Comme il l'avait imaginé, il avait une vue imprenable sur la scène qui se déployait plus bas. Il comprit pourquoi les curieux étaient si consternés.

De son perchoir, il pouvait apercevoir, entre le mur du bâtiment et les trois policiers en uniforme qui l'examinaient, le corps d'une femme. Lui qui n'avait jamais vu de cadavre de sa vie, il sentit que la tête commençait à lui tourner et recula de quelques pas pour ne pas tomber dans le vide, le temps que son malaise se dissipe. Puis, essuyant les sueurs froides sur son front et se maudissant d'être aussi impressionnable, il se pencha à nouveau.

Il n'aurait pas pu dire quel âge avait la fille tant elle était couverte de sang. Ce qu'il restait de ses vêtements en était imbibé et elle reposait dans une flaque sombre. Il se rappela ce que lui avait dit le Dr Hudon à l'Hôtel-Dieu. *La pauvre femme a été littéralement mutilée. Le tueur lui a tranché la gorge d'une oreille à l'autre. Comme si cela ne suffisait pas, il lui a ouvert la poitrine et a… arraché le cœur. Puis il l'a éviscérée. Le policier qui accompagnait le cadavre a affirmé que son intestin avait été drapé sur son épaule gauche.*

C'était là très exactement ce qu'il avait sous les yeux, au moindre détail près. La blouse et la robe de laine de la victime avaient été fendues et rabattues sur les côtés. Son ventre était ouvert du sternum jusqu'au pubis et des tas de matière informe étaient répandus autour d'elle. Joseph eut un haut-le-cœur en comprenant qu'il s'agissait de ses viscères. Le cœur devait s'y trouver, mêlé au reste. Comme l'avait décrit le médecin, l'intestin encore attaché dans la cavité abdominale était jeté sur l'épaule gauche comme une écharpe. La gorge était béante et donnait l'impression obscène que la victime avait un deuxième sourire.

Il se redressa, s'adossa contre le mur de brique de la maison et avala bruyamment sa salive. Les faits le frappaient comme la foudre. Même s'il avait surtout recherché à faire de l'effet avec l'article paru le matin, il avait eu raison de soulever la possibilité qu'un tueur en série erre dans les rues de Montréal. Soudain, sous le coup de la panique, son souffle s'accéléra. C'était une chose de fanfaronner dans un article, c'en était une autre de se retrouver face à une réalité qui le dépassait. Il se força à se calmer et à se servir de sa tête. Si ce qu'il avait prophétisé s'était concrétisé aussi vite, c'était qu'il avait bien analysé la situation. Sa crédibilité en serait décuplée. Au lieu de perdre ses moyens, il devait saisir l'occasion. Il n'en aurait jamais de meilleure.

Il secoua sa torpeur et tira son calepin de sa mallette. Ayant retrouvé le croquis que Napoléon Archambault y avait dessiné, il le compara à ce qu'il voyait en contrebas. Aucun doute n'était possible : la disposition du cadavre était la même. Il nota frénétiquement ses observations, ne négligeant aucun détail, si macabre fût-il, tandis que la voix du Dr Hudon tournoyait dans sa tête. *Pour accomplir de telles choses aussi vite, le tueur a assurément utilisé quelque chose de plus puissant qu'un simple couteau. Une dague, peut-être. Ou une de ces baïonnettes que les soldats fixent au bout de leur fusil. Une arme très tranchante, en tout cas, et dont il sait se servir.*

Il allait redescendre lorsqu'il aperçut sur la galerie de l'immeuble voisin, du côté droit de la scène du crime, l'inspecteur Arcand, calepin et crayon en mains, en train de discuter avec deux femmes manifestement ébranlées. L'une, courte et robuste, était âgée et avait les cheveux blancs remontés en chignon. Celle qui l'accompagnait était un peu plus grande, les cheveux châtains, mais pareillement bâtie, et avait le bras passé autour des épaules de la première, dans une attitude qui visait à la fois à la protéger et à la réconforter. Toutes deux, loin d'être belles, avaient en commun un menton fuyant et un nez retroussé. Il ne pouvait s'agir que de la mère et de la fille.

Le fait que ces femmes aient l'air secoué et soient interrogées par Arcand ne pouvait signifier qu'une chose. Joseph eut un sourire satisfait, ramassa sa mallette et descendit. Une fois au pied de l'escalier, il approcha en catimini, mais demeura à l'écart en attendant que la conversation se termine.

Arcand rangea enfin son calepin et, quand les trois se séparèrent, Joseph s'avança.

— Inspecteur ! appela-t-il.

Le policier, qui rejoignait les autres, ralentit le pas, se raidit puis s'immobilisa et tourna la tête. En apercevant celui qui l'avait interpellé, il lui décocha un regard sombre et irrité.

— Tiens, persifla-t-il sans chercher à cacher son dédain, si ce n'est pas le journaliste de l'heure.

Les mains dans les poches, la moue méprisante et l'air buté, il attendit que Joseph approchât. La colère faisait frémir sa moustache et briller ses yeux noirs, qu'il braquait sur son interlocuteur comme deux revolvers dont il rêvait de presser la détente. Joseph prit bonne note de l'animosité dont il faisait l'objet et jugea qu'il valait mieux aller droit au but.

— C'est le même tueur que la première fois, n'est-ce pas ? s'enquit-il sans préambule. Et la victime est encore une prostituée ?

— Puisque vous savez tout, pourquoi ne me le dites-vous pas ? rétorqua Arcand avec fiel.

— Allons, allons, inspecteur, vous faites votre métier et moi le mien. Ce n'est pas une raison pour être désagréable. Et puis, dois-je vous rappeler que j'ai pris la peine de vous dévoiler tout ce que j'avais appris avant de le publier ? C'est vous qui n'avez pas jugé bon de vous y intéresser.

— Je l'ai lu, votre article.

— J'espère qu'il vous a plu.

Arcand fit brusquement un pas en avant et se planta devant lui. Joseph sentit que si l'inspecteur avait donné libre cours à ses sentiments, il se serait sans l'ombre d'un doute retrouvé sur le derrière, saignant du nez.

— Comprenons-nous bien, monsieur Laflamme, cracha le policier sans desserrer la mâchoire, en s'approchant si près de lui que Joseph sentit son haleine de café fade. Personne ne peut vous empêcher de rapporter un meurtre qui a eu lieu, même dans ses détails les plus sordides, si cela vous chante. Mais ne vous substituez pas à la police. Ce qui se passe est dangereux et, en menant votre propre enquête, vous courez un risque inutile. Surtout, en publiant tout ce qui vous passe par la tête pour faire vendre du papier, vous informez le tueur.

— Tiens ? Vous admettez donc que j'ai vu juste ?

— Et vous donnez le mode d'emploi à tous ceux qui voudraient l'imiter, poursuivit Arcand sans répondre.

— Ah non ! s'insurgea Joseph, piqué au vif. Vous n'allez quand même pas m'épingler la mort de cette pauvre femme sur le paletot ! Le tueur a agi cette nuit, plusieurs heures avant que le *Canadien* paraisse. S'il a procédé de façon identique, c'est qu'il s'agit du même homme, et c'est sur lui que vous devriez concentrer vos efforts, au lieu de blâmer un modeste journaliste qui vous a devancé parce que le meurtre d'une simple putain ne vous intéressait pas.

Arcand fut pris de court par cette tirade, et avant qu'il ait pu retrouver sa superbe, Joseph poussa son avantage. Il désigna du menton l'endroit où deux policiers venaient de déposer une civière pour emporter la morte dans la voiture. Une idée folle lui était venue.

— Je parierais ma chemise que vous avez trouvé un bouton de manchette identique à celui que je vous ai montré, dit-il en tentant sa chance.

Déjà déstabilisé, Arcand resta coi, mais pendant une seconde, son regard quitta celui de Joseph, ce qui lui confirma qu'il avait visé juste.

— C'est bien ce que je pensais. Peut-être auriez-vous dû vous y intéresser plus sérieusement. Si jamais vous voulez la paire, faites-moi signe, je vous rapporterai l'autre, lança-t-il d'un ton ironique avant de tourner les talons, sonné d'avoir frappé dans le mille.

Joseph prit un plaisir presque pervers à laisser l'inspecteur planté là, avec son arrogance et sa colère. Du regard, il chercha les deux femmes qu'Arcand avait interrogées et les repéra un peu plus loin dans la rue, marchant côte à côte, la plus jeune soutenant toujours l'autre. Sans hésiter, il s'élança à leur poursuite et, en quelques enjambées, les rejoignit.

— Excusez-moi, mesdames, dit-il avec politesse.

Les deux femmes, qui avaient visiblement les nerfs à fleur de peau, sursautèrent.

— Je suis désolé de vous avoir fait peur, s'empressa-t-il d'ajouter pour les rassurer. Je m'appelle Joseph Laflamme, journaliste au *Canadien*. Je vous ai vu discuter avec l'inspecteur Arcand. Dois-je comprendre que c'est vous qui avez eu le malheur de trouver la victime ?

La plus jeune acquiesça sans mot dire, tandis que les yeux de sa compagne se remplissaient de larmes et qu'elle portait à sa bouche un mouchoir chiffonné.

— Puis-je vous poser deux ou trois questions ? demanda-t-il en tirant son calepin de sa poche pour les placer devant le fait accompli.

À l'unisson, elles firent oui de la tête.

— Vous êtes mesdames… ?

— Annette Lafortune, dit la plus jeune. Et voici ma mère, Georgina.

— Mère et fille ? Je vous croyais sœurs ! mentit Joseph pour les amadouer, tout en notant leurs noms.

La stratégie, pour racoleuse qu'elle était, eut le succès escompté et, malgré la gravité de la situation et les émotions qui les habitaient, les deux femmes rougirent comme des jouvencelles.

— Racontez-moi ce qui s'est passé, mes pauvres dames, roucoula-t-il.

— Ma mère et moi habitons sur Logan, tout près d'ici, expliqua la fille. Nous allions chercher du linge à laver à la blanchisserie. C'est comme ça que nous survivons, en faisant des lavages. Nous nous rendons toujours très tôt, à l'aube, pour en avoir beaucoup. Souvent, nous croisons Madeleine qui revient de sa nuit de… travail.

— C'est une fille perdue, vous comprenez, mais elle a bon cœur, la pauvre, renchérit la mère.

— Madeleine ? Vous connaissez son nom ?

— Bien sûr. Elle s'appelait Madeleine Boucher.

Joseph nota soigneusement l'information.

— Poursuivez, je vous écoute.

— Comme bien des femmes de son genre, elle avait un penchant pour la bouteille, reprit la plus jeune. Un gros penchant, même. Quand nous sommes passées, nous l'avons aperçue allongée par terre et nous avons cru qu'elle cuvait encore son vin. Nous avons voulu la réveiller et… Mon Dieu…

Le menton de la jeune femme se mit à remuer.

— On aurait dit que le carcajou lui était passé dessus, renchérit sa mère en reniflant.

— Quelle heure était-il ?

— Peut-être cinq heures trente ? Le soleil n'était pas encore levé.

Joseph affecta un air détaché.

— Vous avez alerté la police ?

Toutes deux acquiescèrent de la tête pendant que Joseph notait leur réponse.

— Une dernière question, si vous me permettez. Auriez-vous entendu une voiture qui s'éloignait ?

— Je suis dure d'oreille, expliqua la mère.

— Moi si, dit sa fille. Enfin, je crois bien. J'étais très énervée...

Avant que Joseph puisse pousser l'entrevue plus loin, une main se posa lourdement sur son épaule droite.

— L'inspecteur Arcand vous demande de partir, monsieur le journaliste, dit une voix graveleuse et profonde.

Il tourna la tête et trouva un des policiers qui avaient formé un cordon devant la scène du crime. Il était presque aussi costaud que le sergent O'Driscoll et son expression ne laissait planer aucun doute sur la fermeté de ses intentions. Habituées à ne pas contrarier les policiers, les deux femmes déguerpirent sans hésiter un instant.

— Ah? rétorqua Joseph, crâneur. Il y a une loi qui interdit de discuter avec ses concitoyens, maintenant?

L'agent, nullement décontenancé, accrut un peu la pression sur son épaule et lui adressa un sourire menaçant sous sa grosse moustache.

— Bien sûr que non, monsieur le journaliste, dit-il, dégoulinant d'ironie. Par contre, il y en a plusieurs qui interdisent le désordre sur la voie publique et l'entrave à la justice.

— Vous auriez beaucoup de mal à faire coller ces accusations parce que je discutais avec deux dames.

— Peut-être, mais ça vous occuperait un petit moment. Allez, circulez. Et qu'on ne vous revoie plus rôder autour d'un cadavre, espèce de charognard.

— Ah? Vous anticipez d'autres meurtres?

Le policier fit une moue exaspérée qui découvrit ses petites dents jaunies et inégales. S'il ne s'éclipsait pas séance tenante, Joseph sentit qu'il allait avoir de sérieux problèmes. Il se rappela qu'il avait une enquête à poursuivre: enfermé dans une cellule, il ne ferait aucun progrès.

— La force constabulaire de notre ville ne cesse de m'impressionner par ses manières, railla-t-il néanmoins avant de s'en aller.

En s'éloignant, Joseph dut se rendre à l'évidence : son premier article lui avait attiré l'inimitié de la police. Et la parution du deuxième, le lendemain, n'arrangerait rien.

23

Midi approchait et l'étau de chaleur humide et étouffante se refermait de nouveau sur la ville. Encore troublé par la vue du cadavre et la menace à peine voilée du policier, Joseph essayait de faire le lien entre les dernières informations glanées et celles qu'il possédait déjà. L'envie de se jeter à corps perdu dans un nouvel article était presque irrésistible, mais il se raisonna : mieux valait procéder méthodiquement.

Ce second meurtre confirmait qu'un tueur était en liberté à Montréal. Les prostituées, dont le travail exigeait précisément qu'elles accompagnent de parfaits inconnus dans des coins sombres, représentaient des cibles faciles pour un fou qui prenait plaisir à dépecer sauvagement ses victimes. Et, d'après ce que Joseph avait pu entrevoir du haut de son balcon, il avait suivi le même *modus operandi* dans les deux cas, non seulement la manière dont il avait éventré la pauvre fille, mais la posture dans laquelle il l'avait laissée.

La présence d'un autre bouton de manchette près de la seconde victime accréditait aussi la thèse selon laquelle il s'agissait du même tueur. Sinon, plus d'un assassin partageaient des motifs bien précis qui allaient au-delà d'un banal meurtre sadique. Aux yeux de Joseph, cet objet volontairement abandonné passait un message. La discussion qu'il avait eue avec Sauvageau l'avait quelque peu éclairé sur la franc-maçonnerie, mais elle lui avait surtout appris que tous les francs-maçons partageaient un langage symbolique hermétique et inaccessible aux profanes. Comme ils étaient les seuls en mesure de le comprendre, c'était donc forcément eux que l'assassin interpellait. Mais que leur disait-il ? Leur lançait-il un appel à l'aide ? Était-ce plutôt une menace ? Ou voulait-il attirer l'attention sur les francs-maçons afin de lancer la police sur une fausse piste ? Pour les incriminer ? les trahir ? se venger d'eux ? Ou encore son esprit dérangé était-il à ce point obsédé par les francs-maçons qu'il avait signé ses crimes en recourant à leurs symboles ? Autant de conjectures entre lesquelles il ne pouvait trancher, faute d'en savoir assez.

En frappant une seconde fois, le tueur avait prouvé que le premier assassinat n'était pas le fruit d'un geste spontané, d'une colère incontrôlée. Au contraire, il planifiait soigneusement avant d'agir, et le traitement qu'il infligeait à ses victimes avait quelque chose de rituel. Point n'était besoin d'être policier ou psychiatre pour comprendre qu'un tel homme ne s'arrêterait pas là. Il serait aussi incapable de cesser de tuer que d'arrêter de respirer. Il tuerait encore. Les policiers devaient partager cette conviction, ce qui expliquait sans doute l'attitude belliqueuse de l'inspecteur Arcand, qui l'avait quasiment accusé d'avoir encouragé le tueur.

Fort heureusement, comme il venait à peine de remettre son deuxième article à Rouleau, le troisième ne serait publié au plus tôt que le surlendemain. Il disposait donc d'au moins une journée pour se renseigner et le fignoler. Le résultat n'en serait que meilleur. En attendant, ce dont il avait un besoin urgent, c'était d'informations, et Sauvageau lui avait indiqué où les trouver.

Après s'être arrêté à l'ombre, sous un arbre, le temps de noter dans son calepin les questions et les corrélations possibles qui lui venaient en tête, il se remit en route, mallette au poing, vers le square Dominion. En chemin, il repensa au mystérieux couple qui avait semblé l'observer après qu'il fut sorti de la boutique d'articles maçonniques, l'endroit même où il retournait à présent. Les événements s'étaient tellement bousculés ces dernières heures qu'il les avait presque oubliés, ces deux-là.

Il était presque midi lorsqu'il arriva devant la boutique. Il s'arrêta net en voyant la porte vitrée : la toile qui la masquait n'avait pas été relevée. Tout en se disant que Jonathan Withers avait peut-être un horaire irrégulier, il descendit les marches en quête d'un écriteau qui préciserait les heures d'ouverture, mais n'en trouva aucun. Par acquit de conscience, il fit jouer la poignée avant de repartir. À son étonnement, elle tourna librement.

La porte s'ouvrit en grinçant et en faisant tinter la sonnette. Joseph s'arrêta dans l'embrasure. Il attendait que le propriétaire émerge de l'arrière-boutique, mais personne ne vint. Se sentant tout à coup nerveux, il referma la porte et fit remonter la toile pour y voir plus clair. Il s'avança et ses pas produisirent un écho sinistre qui lui donna l'impression de se trouver dans un mausolée.

— *Mister Withers ?* appela-t-il dans son anglais du dimanche en constatant que sa voix chevrotait.

N'obtenant aucune réponse, il se rendit lentement jusqu'au comptoir du fond et posa sa mallette sur la vitre.

— *Mister Withers ?* dit-il de nouveau, plus fort cette fois.

Il prit appui sur le comptoir pour regarder s'il y avait quelqu'un derrière. Mais avant même qu'il ait pu se pencher, sa main toucha quelque chose d'humide et de gluant. Son cœur faillit s'arrêter et il dut faire appel à tout son courage pour baisser les yeux et constater ce qu'il avait déjà compris. Il retourna sa main et observa ses doigts tremblants maculés de sang poisseux.

Son instinct lui hurlait qu'il devait s'enfuir, qu'il n'avait pas besoin d'aller plus loin, que ce n'était pas à lui de découvrir ce qui se trouvait immanquablement tout près, qu'il était journaliste, pas policier. Mais ses jambes refusèrent de lui obéir. Il se pencha par-dessus le comptoir et, avec un détachement surréel, contempla la scène : le plancher de bois, usé d'avoir été foulé pendant des décennies, était imbibé de liquide, et il en émanait une odeur cuivrée identique à celle qu'il avait sentie sous la porte cochère. Du sang. Une traînée s'étirait depuis la flaque jusqu'à la porte de l'arrière-boutique.

Dans un état second, il contourna le comptoir, évitant de son mieux de marcher dans le sang qui n'était certainement pas encore sec. Les jambes raides, il alla jusqu'à la porte et saisit la poignée.

— *Mister Withers, are you there**? fit-il, la joue appuyée contre la porte, tout en sachant que cela était futile.

Il rassembla tout son courage, avala sa salive, tourna la poignée et entrouvrit. L'arrière-boutique était dénuée de fenêtre, mais la lumière du jour y pénétrait suffisamment pour en éclairer l'intérieur. Il voulut ouvrir entièrement la porte, mais celle-ci buta contre un pied immobile. Dégoûté, Joseph la poussa un peu plus.

Jonathan Withers gisait par terre, sur le dos, les bras le long du corps, au milieu d'étagères remplies de boîtes, de marchandises et de babioles qui couvraient les murs jusqu'au plafond. Ses yeux écarquillés au regard fixe et sa

---

* Êtes-vous là ?

bouche béante lui donnaient un air hébété, presque ridicule. Il portait le même costume que la veille. Sa veste et sa chemise étaient imbibées de sang sur l'abdomen.

Joseph s'accroupit et, du bout du doigt, écarta un peu la veste. La chemise était trouée à la hauteur du sternum. Il n'était pas nécessaire d'être médecin pour comprendre qu'une lame y avait pénétré. Sans doute avait-elle remonté pour transpercer le cœur. Surmontant sa révulsion, il approcha la main du visage cireux et le toucha de l'index. Withers était froid.

Joseph eut l'impression qu'un serpent glacé lui remontait le long du dos pour se lover entre ses omoplates. Il dut s'appuyer contre le chambranle pour ne pas tomber. Il se sentait fébrile et la sueur lui mouillait le visage et le torse. Il avait du mal à respirer. Lui qui n'avait jamais vu de cadavre de sa vie, voilà qu'il en croisait deux en quelques heures à peine. Un haut-le-cœur le prit au dépourvu, et il eut à peine le temps de se tourner de côté pour ne pas souiller la dépouille.

Lorsque ses entrailles furent bien vides, il se releva, haletant et moite, et s'essuya la bouche avec sa manche, évitant d'utiliser ses mains ensanglantées. Puis il sortit à reculons, incapable de détacher son regard horrifié du cadavre. Ses fesses butèrent contre le comptoir et il eut si peur qu'il cria presque comme une fillette. Tétanisé, il le longea et continua à reculer jusqu'à la porte de la boutique. Il allait sortir lorsqu'un vague souvenir le ramena à la raison. L'information. Il était venu ici pour acheter un livre. La situation dégénérant à vue d'œil, il devenait plus essentiel que jamais d'en apprendre le plus possible sur la franc-maçonnerie.

Il examina à la hâte les volumes qui se trouvaient sur les tablettes, craignant à tout moment qu'un client arrive inopinément et le trouve là. Il aurait beaucoup de mal à expliquer ce qu'il faisait à bouquiner, du sang sur les mains, tandis que le propriétaire gisait, assassiné, à quelques pas de lui. Il repéra deux volumes en anglais qui semblaient répondre à ses besoins. Il les prit et les fourra dans sa mallette.

Le souffle court, évitant de regarder en direction de l'arrière-boutique, il était sur le point de déguerpir quand il se ravisa encore une fois. Retournant vers le comptoir, il y trouva un torchon que Withers utilisait probablement pour essuyer les marques de doigts sur la vitre. Il se nettoya les mains du mieux qu'il put, jeta le linge par terre et se dirigea vers la porte. Il prit la peine de redescendre la toile, replongeant la boutique dans la pénombre où il l'avait trouvée et qui lui semblait plus appropriée. Il ouvrit, sortit et referma doucement.

Il gravit les marches et, une fois au niveau de la rue, se mit en route sans attendre. Il n'avait pas fait dix pas qu'il aperçut un policier en uniforme qui faisait lentement sa ronde et approchait en sifflotant, faisant tournoyer sa matraque en bois à l'aide de la lanière de cuir qui en prolongeait le manche. Son premier réflexe fut de le héler pour le prévenir de ce qu'il venait de découvrir dans la boutique. Son deuxième fut de n'en rien faire.

Dans sa cervelle paniquée, tout se mit à tourner à grande vitesse. S'il donnait l'alarme, le policier exigerait certainement qu'il reste là jusqu'à ce qu'on l'interroge. On lui demanderait qui il était et ce qu'il faisait là. On s'apercevrait peut-être qu'il avait un peu de sang sous les ongles. On trouverait l'empreinte de ses chaussures dans le sang sur le plancher. On découvrirait dans sa mallette les livres qu'il n'avait pas payés. La police, qui ne le portait déjà pas dans son cœur, serait trop heureuse de lui causer tous les désagréments dont elle était capable, et il serait bien en peine de trouver des explications crédibles. Avec un frisson d'appréhension, il se rendit soudain compte que la distance qui le séparait de la prison s'était considérablement réduite.

Ravalant sa panique, il se convainquit qu'au nombre de francs-maçons qui fréquentaient la boutique, quelqu'un trouverait bientôt le cadavre de Withers sans qu'il ait à s'en mêler. Il se composa de son mieux une mine insouciante, serra le poing sur la poignée de sa mallette, enfouit son autre main dans la poche de son pantalon, ralentit le pas pour ne pas avoir l'air pressé et esquissa même un sourire lorsqu'il croisa le policier.

— Bonjour, monsieur l'agent, dit-il avec une amabilité presque excessive.

— Monsieur, rétorqua gravement le policier en touchant d'un geste élégant la visière de sa casquette.

Ils poursuivirent leur route dans des directions opposées. Joseph priait pour que l'homme ne soit pas franc-maçon, auquel cas l'envie aurait pu le prendre d'entrer dans la boutique dont il venait lui-même de sortir. Lorsqu'il eut le courage de se retourner, il vit que le policier s'éloignait en sifflant, sa matraque tournoyant toujours. Il laissa échapper un long soupir de soulagement et accéléra le pas. Jamais il n'avait eu aussi hâte d'être de retour dans la petite maison qu'il n'aimait pas vraiment.

24

Dès qu'il eut refermé la porte, Emma, qui était assise à la table devant une pile de linge et une tasse de thé, écarquilla les yeux.

— Qu'est-ce que tu as ? s'enquit-elle aussitôt avec inquiétude. On dirait que tu viens de voir un mort.

Il laissa tomber sa mallette et s'adossa contre la porte. Les yeux clos et le teint cireux, il prit une profonde inspiration et déglutit difficilement. Il avait presque couru depuis le square Dominion, mais la sueur sur son visage et ses vêtements était bien plus le fruit de la peur que de la chaleur.

— C'est exactement ce qui vient de se produire, répondit-il d'une voix apeurée. Et je ne veux plus en voir d'autres.

Sur le chemin du retour, il s'était demandé comment il s'était fourré dans une affaire pareille. Tout ce qu'il avait voulu, c'était frapper un grand coup pour se faire un nom. Il désirait un emploi, mais pas ceux de policier, de détective ou de redresseur de torts. Certes, des meurtres étaient des choses sérieuses, mais jamais il n'avait soupçonné un instant qu'il allait découvrir lui-même des cadavres. Or, si l'assassinat des prostituées n'avait aucun lien direct avec lui, il ne pouvait en dire autant de celui de Jonathan Withers. Le pauvre marchand d'articles maçonniques avait été tué peu après qu'il fut passé à sa boutique en compagnie de Sauvageau. Était-ce un hasard? Il ne voulait pas le savoir. Il en avait assez. Il tenait au succès, mais plus encore à la vie.

— J'abandonne, lâcha-t-il d'une voix à peine audible où pointaient la déception et la défaite.

Emma se raidit.

— Que s'est-il passé?

D'un pas traînant qui trahissait une lassitude pire que de la simple fatigue, Joseph s'éloigna de la porte et se dirigea vers le comptoir. Il trouva sa bouteille de gin et remplit un verre à ras bord. Sa sœur allait protester lorsque la vue de ses mains tremblantes l'incita au silence. Il vida son verre en trois grandes gorgées. Le feu s'alluma dans son œsophage et descendit lentement pour se loger dans son estomac. Retrouvant un peu son calme, il s'appuya sur le comptoir et ferma les yeux pour jouir pleinement de cette sensation de bien-être.

— Il se passe que je suis embourbé dans une histoire qui me dépasse complètement, répondit-il enfin en se retournant vers sa sœur, qui braquait toujours sur lui un regard inquiet.

— Viens, dit celle-ci en tapotant la table. Raconte-moi.

Il se versa un deuxième verre.

— Tu n'as pas besoin de ça, lui reprocha-t-elle.

— Oh, si...

Il hésita un instant et décida d'emporter la bouteille avec lui. Il la déposa sur la table, s'assit face à Emma, posa ses mains à plat pour qu'elles restent immobiles et, pendant une longue minute, se contenta de regarder ses ongles, sous lesquels un peu de sang séché s'était logé, ce que sa sœur ne remarqua pas.

— Une autre prostituée a été assassinée cette nuit, annonça-t-il gravement avant d'avaler une gorgée qui le fit grimacer. Exactement de la même façon que la première : égorgée, les intestins sur l'épaule, les entrailles arrachées, le cœur aussi. La posture était identique.

— Alors tu avais raison, admit-elle, livide. Il y a bien un tueur fou en liberté à Montréal.

— Un ou plusieurs...

Il but à nouveau pour se donner le courage de relater la façon dont le marchand avait été assassiné et les circonstances dans lesquelles il avait découvert son cadavre. Puis il lui révéla ce qu'il lui avait caché et qui l'avait frappé comme la foudre sur le chemin du retour.

— Hier, devant la boutique, expliqua-t-il, après le départ de Sauvageau, j'ai aperçu un homme et une femme dans le square. Ils me regardaient. Je les avais déjà vus avant, en quittant l'endroit où la première putain a été tuée. Je n'en ai pas fait grand cas sur le coup.

— C'est sans doute une coïncidence, suggéra Emma d'une voix qui trahissait son anxiété.

— C'est ce que je me suis dit. Sauf qu'Archambault les a vus, lui aussi. Il me l'a confié avant de partir. Il avait l'impression qu'ils le suivaient.

— Et tu crois que...

— Je ne sais plus ce que je crois, Emma, laissa-t-il tomber avec lassitude. En plus, le marchand n'a pas été tué comme les deux femmes. On lui a donné un coup de couteau en plein cœur.

Il avala ce qui restait dans son verre et le remplit une troisième fois.

— Alors, oui, je me demande si cet homme et cette femme s'intéressent à l'affaire au point de tuer de sang-froid ceux qui s'en mêlent. Ou sinon, comment ils sont impliqués dans tout ça.

Il prit une gorgée et reposa lentement le verre sur la table, puis posa ses mains de chaque côté et soupira longuement.

— Je ne comprends pas ce qui se passe, mais je sais que c'est devenu beaucoup trop sérieux pour moi. Je n'ai pas envie d'être le prochain, ajouta-t-il, les yeux baissés. Et je m'en voudrais à mort s'il t'arrivait quelque chose. Alors ma décision est prise : l'article de demain matin sera le dernier. Sauvageau pourra reprendre l'affaire s'il le veut, je la lui laisse. Quant à moi, si Rouleau ne me propose rien d'autre, tant pis. Je finirai à l'usine.

Lorsqu'il leva enfin les yeux, sa sœur y lut tout à la fois de la déception, de la résignation, de l'amertume et un peu de honte.

— Je serai un raté, mais un raté vivant, murmura-t-il. Ça vaudra toujours mieux qu'un héros mort.

Le cœur brisé, Emma ne trouva rien à répondre. Elle se contenta de le regarder vider son troisième verre et s'en verser un quatrième.

25

Afin de fuir la réalité, Joseph avait vaillamment tenté d'atteindre le fond de la bouteille et il y était presque arrivé. Quand il fut complètement ivre, Emma l'aida à gagner sa chambre et, dégoûtée, l'abandonna sur son lit, habillé et chaussé. Il se mit aussitôt à ronfler comme une locomotive. Elle le regarda un moment, partagée entre la tendresse, la tristesse et le dépit. Joseph était la seule personne qu'elle avait. Il avait toujours eu trop d'ambition et de rêves pour son propre bien. Quand on avait été élevé à l'orphelinat, on était né pour un petit pain et il valait mieux l'admettre que de lutter contre le destin comme il le faisait. Elle-même avait accepté son sort depuis longtemps et ne s'en portait que mieux. Elle finirait sa vie vieille fille, à coudre les vêtements des autres, voilà tout. Quant à Joseph, à chaque échec, il avait tenté de noyer un peu plus profondément son amertume dans le gin. La débauche avait naturellement suivi la boisson, et chaque nouvelle gorgée avait contribué à l'éloigner encore plus de ses illusions.

Elle soupira, soudain remplie d'une lassitude qui lui donna l'impression d'avoir trente ans de plus. Non contente de les maintenir tous les deux à un cheveu de la misère, la vie poussait la cruauté jusqu'à lui faire miroiter, même fugitivement, l'existence qu'il avait toujours désirée, mais pour la lui reprendre aussi vite, comme une mégère arrachant un bonbon à un enfant pauvre et affamé.

Elle le regarda dormir sur le dos, en travers de son vieux lit, les bras en croix, la tête renversée vers l'arrière, la bouche béante, pathétique et brisé. D'un doigt rageur, elle essuya la larme qui perlait à son œil. Elle détestait pleurer. Les larmes ne servaient à rien. Elles ne changeaient rien. Rien ne changeait jamais. Leur vie était ce qu'elle était, rien de plus et rien de moins.

Elle se rendit dans la cuisine ramasser la mallette de son frère, ainsi qu'un vieux bassin en tôle rouillée qu'elle gardait pour les travaux malpropres, et retourna le déposer par terre, près du lit de Joseph. Elle le plaçait toujours au même endroit. S'il se réveillait pour vomir, il le trouverait. Puis elle le regarda une dernière fois, se demanda si elle ne devrait pas au moins lui retirer ses chaussures, décida que non, et referma la porte sans chercher à atténuer le claquement. Dans l'état où il se trouvait, un coup de canon tiré près de sa fenêtre ne le réveillerait pas.

Triste et découragée, elle s'assit à la table et avisa le paquet de linge qu'elle avait ramené le matin. Il était plus petit qu'à l'habitude. Les temps étaient durs et les gens achetaient moins. La manufacture, lui avait-on expliqué, avait du mal à écouler ses stocks auprès des boutiques et devait ralentir sa production. Dans l'immédiat, elle devrait se contenter de la moitié de son travail habituel, qui était déjà maigre. Et encore, lui avait appris le contremaître, c'était parce qu'elle était fiable et appréciée. Plusieurs des couturières n'avaient pas eu sa chance et étaient reparties les mains vides.

Elle soupira en se mordillant la lèvre inférieure. D'abord elle, puis Joseph. Un pas en avant, deux pas en arrière. Décidément, le pain pour lequel ils étaient nés, tous les deux, n'était pas seulement petit, mais rassis et sec. Immangeable.

Emma regarda la bouteille de gin. Il restait encore deux doigts de boisson que son frère n'était pas parvenu à finir malgré tous ses efforts. Elle en remplit une tasse. La première gorgée la fit grimacer. La deuxième passa plus facilement.

* * *

Le dortoir des grands était toujours si sombre. Il ne s'y trouvait qu'une veilleuse, posée sur une table, à chaque extrémité de la longue pièce remplie de lits alignés contre les murs. Dans chacun dormait un garçon qui avait l'âge où l'on quitte l'enfance pour devenir un homme. La nuit, ils étaient surveillés par des frères qui s'installaient dans la petite pièce du fond et faisaient des rondes. Et souvent, au matin, un des garçons avait honte. Il suffisait de voir la façon dont il baissait les yeux pour le savoir. Personne ne disait rien. Tout le monde comprenait. Tout le monde avait eu honte au moins une fois.

La porte du surveillant grinça et la lumière qui éclairait la petite pièce se répandit dans le dortoir. Comme les autres, Joseph, crispé par l'angoisse sous ses couvertures, fit semblant de dormir en se concentrant pour respirer lentement.

Dans la nuit, à travers les ronflements et les marmottements de ceux qui dormaient vraiment, les talons résonnaient. Le frère surveillant avançait sans se presser. Bientôt, le frottement de sa soutane sur ses jambes devint perceptible. Joseph se fit violence pour ne pas bouger d'un poil, terrorisé, priant le petit Jésus de faire qu'il passe son chemin. Les sœurs ne cessaient de répéter qu'il entendait les prières des enfants. Il allait bien entendre la sienne ?

Les pas ralentirent, puis s'arrêtèrent. Le cœur de Joseph faillit en faire autant, puis s'emballa comme un attelage de chevaux apeurés. Les yeux fermés, le corps désormais figé par la peur, il implora Dieu avec encore plus de ferveur. Les pas s'approchèrent sur sa gauche. Son matelas grinça alors que le frère surveillant s'y assoyait. Joseph sentit une main froide se poser sur son mollet, puis remonter le long de sa cuisse.

* * *

Joseph se redressa brusquement dans son lit, le cœur battant la chamade, la bouche ouverte comme s'il se noyait, les yeux écarquillés de panique, le visage luisant de sueur. Un indéfinissable sentiment de honte l'assaillait. Il ne se rappelait jamais le cauchemar qui lui faisait cet effet, mais le dégoût et l'humiliation qu'il engendrait lui collaient à la peau pendant de longues minutes. Il faisait noir. Depuis qu'il était tout petit, il n'avait jamais aimé le noir. Sans doute cela venait-il du fait qu'à l'orphelinat il s'y était senti abandonné, surtout dans le dortoir qu'il partageait avec les autres garçons.

Désorienté, il essaya de se souvenir comment il était arrivé là, mais seules quelques bribes des événements de la veille lui revinrent. Le cadavre de Withers, dans sa boutique. Son retour à la maison. La peur qui lui sciait le ventre. La bouteille.

Un élancement lui vrilla le crâne et la nausée le prit. Une fine couche de sueur froide se forma sur son front. Il inspira profondément à quelques reprises, espérant que le malaise passerait sans qu'il ait à vomir. Sinon, il ne pourrait plus s'arrêter jusqu'à ce qu'il ne reste qu'une bile amère dans son estomac.

En se passant les mains dans les cheveux, il tenta de se remémorer le mauvais rêve qui revenait le hanter une ou deux fois par mois avec la régularité d'un métronome.

Mais alors même qu'une part de lui cherchait à le saisir, une autre le repoussait. Il allait se laisser retomber sur le dos et poser sa pauvre tête sur l'oreiller lorsqu'un choc sourd et métallique lui fit rouvrir les yeux. Puis des voix lui parvinrent. Des voix de femmes.

Il ne lui en fallut pas plus pour se retrouver instantanément réveillé. La peur, provisoirement engourdie par le gin, l'étreignit de nouveau, plus vive encore qu'avant. Il se leva et, sans bruit, alla jusqu'à la porte de sa chambre. Il resta là un moment, tendant l'oreille, la respiration frémissante, à l'affût du moindre bruit suspect. Cette fois, il entendit plus clairement la voix d'Emma. Sa sœur était tendue, sur la défensive. Puis une autre femme à la voix rauque lui répondit sèchement des mots qu'il ne parvint pas à distinguer.

Une chose était certaine : une étrangère se trouvait dans la maison et sa sœur en avait peur. Cherchant en vain quelque chose dans sa chambre qui pût lui tenir lieu d'arme, il dut se résoudre à sortir les mains vides. Il entrouvrit la porte, se glissa dans le couloir et longea le mur. Une lampe était allumée dans la cuisine, ce qui voulait dire qu'il avait cuvé son gin quelques heures tout au plus et qu'il n'était pas encore très tard. Sur la pointe des pieds, il avança, et les voix devinrent intelligibles.

— Que voulez-vous ? demanda Emma.

— Parler à Joseph Laflamme, lui répondit la femme avec un fort accent anglais. Je vous assure, madame, que nous ignorions qu'il ne vivait pas seul.

Joseph fit trois pas de plus et s'arrêta net, tétanisé par la terreur et l'impuissance. Emma se tenait non loin de la porte, tenant à deux mains la poignée d'une lourde poêle à frire en fonte. Par terre, en travers de la porte, un homme gisait sur le ventre, assommé ou raide mort. Relevant les yeux, Joseph aperçut dans l'embrasure une femme très grande, les cheveux noirs en chignon, vêtue d'une robe brune attachée jusque sous le menton et chaussée de bottillons de cuir, un petit sac pendant à son avant-bras. Elle pointait un revolver en direction d'Emma. Incrédule, Joseph demeura pantois. Comme si elle était douée d'un sixième sens, l'inconnue parut sentir sa présence avant même de l'avoir aperçu.

— Monsieur Laflamme, déclara-t-elle sans la moindre nervosité. Approchez, je vous prie.

Elle se tourna et posa sur lui un œil d'un bleu magnifique, et un autre crevé.

26

Joseph regarda le revolver que tenait la femme, puis la poêle que brandissait sa sœur avant de comprendre, encore un peu abruti par le gin, qui était l'individu étendu dans l'entrée de la cuisine.

— Vous ? cracha-t-il, décontenancé, en reconnaissant la femme mystérieuse qu'il avait déjà croisée deux fois. Que voulez-vous ? Que faites-vous ici ?

Du menton, l'inconnue désigna son compagnon à ses pieds.

— Si vous voulez bien traîner mon collègue jusqu'à une chaise, je pourrai entrer et refermer, dit-elle, imperturbable. Les gens sont si indiscrets de nos jours, même en pleine nuit… Ensuite, je répondrai à vos questions.

Le visage crispé, mais plus par l'indignation que par la peur, le dos droit comme un manche de balai, les lèvres pincées, Emma Laflamme posa sèchement sa poêle sur le comptoir, puis alla empoigner un bras de l'homme qu'elle avait assommé avec une redoutable efficacité. Joseph le prit par l'autre bras et, ensemble, ils le traînèrent jusqu'à la table. Une fois là, ils le prirent à bras-le-corps et le déposèrent lourdement sur une chaise.

Joseph reconnut sans étonnement l'homme qu'il avait involontairement bousculé en quittant la scène du premier meurtre. Cette fois, il portait un costume sombre bien coupé. Sa cravate s'était déplacée dans le transport. Ses cheveux avaient été dépeignés par le coup qu'il avait reçu et lui pendaient sur le front. Sa moustache, par contre, était restée impeccablement frisée. Le menton reposant mollement sur la poitrine, l'inconnu inspira profondément et grommela quelque chose d'incompréhensible. Il dodelina, essaya de relever la tête et en fut incapable.

— Vous me l'avez bien assommé, madame, déplora la femme qui les tenait toujours en joue, debout devant la porte qu'elle venait de refermer. Vous avez la main ferme.

— Mademoiselle, corrigea machinalement Emma d'un air mécontent.

Le regard de l'intruse parcourut la cuisine et se fixa sur le pichet posé sur le comptoir.

— Mademoiselle, veuillez préparer une compresse d'eau fraîche et l'appliquer sur la tête de mon compagnon, ordonna-t-elle avec une politesse désarmante.

Emma s'exécuta, tandis que Joseph restait près de l'homme inconscient, se demandant s'il ne pourrait pas s'en servir comme bouclier pour retourner la situation à son avantage. Puis il nota que l'œil valide de la femme allait et venait sans cesse de lui à sa sœur, ne s'arrêtant jamais plus d'un instant sur l'un ou sur l'autre, et il comprit qu'il valait mieux ne rien tenter. Qui qu'elle fût, il était clair que l'inconnue avait l'habitude de tenir des gens en joue. Il était illusoire d'espérer pouvoir profiter d'une seconde d'inattention de sa part.

Ulcérée, Emma revint avec un bassin et une serviette qu'elle y trempa avant de la tordre, en répandant de l'eau partout, et de la poser sans ménagement sur l'occiput de l'homme. Celui-ci grogna de douleur, puis se calma. Malgré son envie évidente de lui asséner un coup de bassin plutôt que de le soigner, la menace du revolver convainquit Emma de renouveler l'opération.

Au bout de plusieurs minutes, l'homme finit par reprendre connaissance et aperçut sa compagne.

— *What the hell happened, Margaret*[*] *?* maugréa-t-il, la bouche pâteuse, en massant sa nuque douloureuse.

— *She smacked you with her frying pan*[**], expliqua la femme borgne, en contenant un sourire amusé.

— *Well, that would explain the juicy lump and the splitting headache*[***].

Sur la table, il aperçut la bouteille qui contenait encore un fond de gin.

— Je peux ? demanda-t-il comme s'il allait de soi d'être si courtois dans de telles circonstances.

— Faites comme chez vous, grinça Joseph.

Le blessé se versa un doigt d'alcool dans le verre qu'Emma avait laissé là. Il le vida d'un trait et se mit péniblement debout. Il s'appuya sur la table, le temps que le sol se stabilise sous ses pieds. Lorsqu'il se sentit plus solide, il se redressa, ajusta son nœud de cravate, lissa ses cheveux et frisa les extrémités de sa moustache. Il tira sur le bas de sa veste, en épousseta les pans et considéra Emma avec dignité.

— *Good God*, vous tapez fort, madame, dit-il tout bonnement, avec une pointe d'admiration et un sourire espiègle.

— Mademoiselle, reprit Emma. Qui êtes-vous ? Que faites-vous ici ?

---

* Que diable s'est-il passé, Margaret ?

** Elle t'a frappé avec sa poêle à frire.

*** Eh bien, ça explique la vilaine bosse et le mal de tête.

— Nous ne vous voulons pas de mal, l'assura l'homme. Nous…

— C'est curieux, le revolver pointé sur nous me donne une tout autre impression, coupa Joseph.

L'inconnu sembla évaluer la situation, puis fit la moue et acquiesça de la tête. Il se tourna vers sa compagne et, de la main, lui fit signe de baisser son revolver.

— *Put your weapon down, Margaret, my dear*[*], ordonna-t-il calmement.

— *But*[**]… fit celle-ci, visiblement en désaccord.

— *Please. These people are no enemies of ours*[***].

Sceptique, la femme jeta un regard vers la poêle en fonte, toujours sur le comptoir, parut estimer qu'elle se trouvait à une distance suffisante d'Emma, puis haussa les sourcils et baissa son arme, sans toutefois la ranger dans son petit sac.

L'homme fourra la main dans la poche intérieure de sa veste et en tira un étui en cuir contenant une pièce d'identité qu'il tendit à Joseph.

— George McCreary, dit-il comme s'il se présentait à un collègue. Et voici ma partenaire, Margaret Smith.

Joseph écarquilla les yeux en consultant la carte.

— Scotland Yard ? s'exclama-t-il, incrédule. Et moi, je suis nonce apostolique délégué par Sa Sainteté Léon XIII.

McCreary haussa les épaules pour signifier qu'il ne pouvait rien faire de plus pour le convaincre. Sa compagne fouilla dans son sac et en tira une carte identique qu'elle lui tendit à son tour.

---

* Baisse ton arme, ma chère Margaret.

** Mais…

*** Je t'en prie. Ces gens ne sont pas nos ennemis.

Médusé, le journaliste dévisagea tour à tour la grande femme aux cheveux noirs et l'élégant moustachu. S'ils étaient vraiment des agents de Scotland Yard, ils ne pouvaient avoir assassiné Withers, comme il en avait formulé l'hypothèse. Mais alors, pourquoi s'étaient-ils introduits chez lui en pleine nuit comme deux cambrioleurs ? Et pourquoi les avaient-ils menacés d'une arme ?

Il passa les deux pièces d'identité à sa sœur, qui les examina avec le même air abasourdi avant de les rendre à leurs propriétaires. McCreary rangea la sienne dans sa veste, puis se mit à tâter ses poches. Ayant trouvé ce qu'il cherchait dans celle de droite, il en sortit un objet qu'il donna à Joseph d'un air penaud.

— Je vous demande pardon. Nous devions savoir qui vous étiez et où vous viviez, expliqua-t-il avec une contrition qui semblait sincère.

— Quand je vous ai bousculé… fit Joseph, stupéfait, en reconnaissant le porte-cartes qu'il avait égaré. Vous…

— C'est plutôt moi qui vous ai bousculé, corrigea McCreary.

Il avisa Emma.

— Et vous êtes ? s'enquit-il avec politesse.

— Emma Laflamme, coupa Joseph. Ma sœur.

— Enchanté, miss Emma. Je suis terriblement désolé de vous avoir fait peur. Nous croyions que votre frère vivait seul.

— Oui, on me l'a déjà dit.

L'homme frotta distraitement la bosse sur sa nuque.

— Maintenant que les présentations sont faites, si nous nous assoyions ? suggéra sa compagne. Nous avons à parler de choses sérieuses.

Joseph et Emma se consultèrent du regard, puis prirent place à la table. Les intrus firent de même. La femme posa son revolver à plat devant elle, à un endroit où elle pouvait s'en saisir rapidement. McCreary fit jouer son cou douloureux en grimaçant et croisa les mains sur la surface de bois patiné par les ans. Puis il adressa à Emma un sourire enjôleur.

— Miss Emma, serait-ce abuser de votre bonté que de vous demander du thé malgré l'heure tardive ? roucoula-t-il avec une assurance de gentilhomme. Il se fait tard et j'ai un terrible mal de tête.

Emma le dévisagea, parvenant à peine à croire qu'on lui formule une telle demande en pareilles circonstances. La situation était si absurde qu'elle haussa les épaules avec résignation. Elle se mit en frais de préparer le thé comme si les agents de Scotland Yard étaient de simples visiteurs. Pendant qu'elle s'affairait, McCreary s'intéressa de près à ses doigts qui tambourinaient sur la table. Il semblait tout à fait à l'aise d'attendre ainsi dans un silence oppressant aux côtés de gens qui l'avaient assommé et que sa compagne avait menacés de son arme. Joseph, qui l'observait sans chercher à masquer son animosité, se dit que, n'eût été sa migraine, l'homme se serait sans doute mis à siffloter.

Emma revint bientôt avec un plateau chargé de tout l'attirail nécessaire.

— Merci, dit McCreary, avec une extrême courtoisie, alors qu'elle le posait au centre de la table.

Chacun se servit à tour de rôle une tasse fumante préparée à son goût, comme s'il s'agissait des préliminaires d'une partie de bridge ou de la réunion mensuelle d'une quelconque œuvre de charité. McCreary reposa sa tasse dans la soucoupe après avoir bu une gorgée et dévisagea les Laflamme avec intensité.

— Vous avez compris, je suppose, que Margaret et moi nous intéressons aux meurtres.

— L'idée m'avait traversé l'esprit, oui, ironisa Joseph.

— Et pourquoi donc ? demanda brusquement Emma.

McCreary et Smith échangèrent un regard entendu, puis la femme hocha imperceptiblement la tête.

— Avez-vous déjà entendu parler de Jack l'Éventreur, miss ? demanda gravement l'agent de Scotland Yard.

27

Il fallut un moment à Joseph pour retrouver, dans sa mémoire encore embrouillée et, surtout, bousculée par tout ce qui venait de se produire, les quelques informations qu'il avait entendues au sujet du dénommé Jack l'Éventreur.

— C'était un assassin de Londres, non ? fit-il en réalisant avec déplaisir que ses instincts de journaliste prenaient malgré lui le dessus sur le bon sens qui aurait exigé qu'il jette ces gens dehors. Il me semble avoir lu un entrefilet ou deux dans les journaux, voilà quelques années.

— En réalité, il s'agissait de bien plus que des entrefilets, le corrigea aussitôt McCreary. La *Montreal Gazette* et le *Montreal Daily Star* en ont parlé régulièrement pendant plusieurs mois. Les journaux de langue française, par contre, ont été plus pudiques et l'ont pratiquement ignoré.

Se remémorant les scrupules de Charles-Edmond Rouleau à propos du meurtre de Martha Gallagher, Joseph ne fut pas surpris outre mesure de l'apprendre. Il avait fallu que miroite l'appât du gain pour qu'il soit autorisé à publier son premier article, et seules les ventes accrues du journal avaient assuré la parution du suivant.

D'un signe de la tête, McCreary invita sa compagne à poursuivre. Celle-ci lui répondit par un bref sourire et tout son visage s'en trouva aussitôt illuminé. Malgré les circonstances, Joseph fut une fois de plus frappé par sa beauté sombre et un peu sauvage, que même son œil crevé n'arrivait pas à altérer. Elle porta sa tasse à ses lèvres et, avec une élégance toute britannique, prit une gorgée avant de la reposer dans la soucoupe. Puis elle fouilla dans son sac et en tira des photographies qu'elle posa devant elle face contre table. Lorsque ses idées furent organisées, elle regarda solennellement les Laflamme avant d'entamer son récit d'un ton égal et si dénué d'émotion qu'il en était déconcertant.

— On attribue à *Jack the Ripper*, comme le tueur a vite été surnommé, le meurtre de plusieurs prostituées entre août et novembre 1888 à Londres, plus précisément dans le quartier de Whitechapel. Certains croient qu'il a continué à tuer jusqu'à la fin de 1889, mais George et moi savons que c'est faux.

Elle prit la photographie qui se trouvait sur le dessus de la pile et l'examina un moment. Une ombre passa sur son visage, et elle serra les lèvres imperceptiblement.

— Sa façon de tuer dénote une escalade de violence à mesure qu'il gagnait en expérience, expliqua-t-elle. De toute évidence, il trouvait dans ces meurtres une satisfaction toujours plus grande.

Elle considéra la photographie un instant encore, exhala longuement, comme si elle se résolvait à ce qu'elle devait faire, puis la retourna sur la table et la fit glisser vers Emma, qui la ramassa.

— La première victime a été Martha Tabram, trente-sept ans, tuée le 7 août 1888, dit-elle froidement, comme si elle avait répété ces mots des dizaines de fois. Elle a reçu trente-neuf coups de poignard à l'abdomen, au cou et… dans les parties intimes. La photo a été prise avant l'autopsie.

Emma pâlit en la voyant. Elle porta la main à sa bouche, et ses yeux devinrent ronds. À tâtons, elle chercha sa tasse et avala une gorgée de thé. Puis elle passa la photographie à son frère. Bien qu'il ait vu à peu près la même chose le matin même, Joseph sentit son ventre se serrer quand il découvrit l'image couleur sépia d'une femme nue et bien en chair couverte des blessures décrites par l'agente du Yard.

Sans attendre, Smith tendit une deuxième photographie post-mortem à Emma.

— Mary Ann Nichols, quarante-deux ans, tuée le 31 août 1888. Tabram avait sans doute été un coup d'essai pour Jack car, à partir de cette victime-ci, son *modus operandi* de base est établi. Elle a eu la gorge tranchée d'une oreille à l'autre avec une telle force que même son épine dorsale a été sectionnée. Sa tête ne tenait plus que par un lambeau de chair. Jack lui a aussi ouvert l'abdomen jusqu'au pelvis et l'a éviscérée avant de lui poignarder le sexe. Par la suite, il n'a fait que perfectionner ce modèle, si je puis dire.

Pendant que la photo suivait le même chemin que la première et se retrouvait entre les mains d'Emma, Smith en tendit une nouvelle à Joseph, en poursuivant ses explications sur le même ton monocorde et détaché.

— Annie Chapman, quarante-sept ans, assassinée le 8 septembre 1888. Jack lui a tranché la gorge, lui a ouvert le ventre et en a retiré les viscères, comme à Nichols. Mais il a ajouté un raffinement en lui retirant la peau de l'abdomen, l'utérus, une partie du vagin et de la vessie pour les emporter.

Emma était déjà trop horrifiée pour pouvoir blêmir davantage. Elle ouvrait des yeux grands comme des soucoupes et tout son visage trahissait le sentiment d'horreur qui l'habitait. Elle encaissait les images et les détails comme un boxeur sonné qui ne sent plus les coups. Smith poursuivit sur sa lancée.

— Elizabeth Stride, quarante-quatre ans, tuée le 30 septembre 1888. Gorge tranchée comme les autres, mais soit notre homme était pressé, soit il a été interrompu, car il n'a pas poussé plus loin l'amusement.

Elle fit immédiatement suivre une cinquième image.

— Peut-être est-ce pour cette raison que, le même soir, il a assassiné Catherine Eddowes, quarante-trois ans. Comme vous pouvez le constater, il a redoublé d'ardeur : gorge tranchée, larynx sectionné, presque décapitée. Il l'a aussi ouverte du sternum au pubis, puis du vagin au rectum, avant de retirer les intestins pour les étendre sur l'épaule droite. Il lui a retiré le rein gauche et une partie de l'utérus, qui n'ont pas été retrouvés sur place. Vous noterez la rage particulière avec laquelle il lui a mutilé le visage, au point de la rendre méconnaissable : portion du nez coupée, lobe de l'oreille gauche tranché, coupure profonde sur la paupière gauche et sous chaque œil, coupure de l'arche du nez jusqu'à la mâchoire droite, lèvre supérieure fendue en deux, jusqu'à la gencive et l'incisive, coupure parallèle à la lèvre inférieure, coupure sur les deux joues formant un rabat de peau triangulaire… Et ce ne sont là que les principales mutilations. Le rapport d'autopsie en dresse la liste complète.

En apparence insensible, Smith tendit méthodiquement la dernière photographie.

— Et finalement, la pièce de résistance : Mary Jane Kelly, vingt-cinq ans, tuée le 9 novembre 1888. Égorgée de la même manière que les autres, le nez, les joues, les sourcils, les lèvres et les oreilles partiellement coupées, l'abdomen écorché, tout comme les cuisses. La cavité abdominale a été vidée, ses seins ont été tranchés, ses organes disposés un peu partout autour d'elle ou brûlés dans la cheminée de la chambrette où elle a accompagné son meurtrier.

Elle dévisagea brièvement Emma et son frère.

— Quand Jack l'a enfin lâchée, précisa-t-elle, il ne restait plus de la pauvre fille que le squelette et les muscles. Comme il l'a tuée dans une chambre, et non dans une ruelle comme les autres, il a pu travailler en paix aussi longtemps qu'il le voulait.

Quand la photographie eut fait le tour de la table, elle la replaça sur le dessus du paquet. Joseph fut soulagé de ne pas avoir à en regarder d'autres. Il n'était pas du tout certain qu'il aurait pu en endurer une de plus. Quant à sa sœur, elle était aussi blême que lui. Il posa la main sur la sienne, dans un geste de réconfort quelque peu futile. Un silence gêné pesait sur la cuisine de la petite maison.

— J'espère qu'on a jeté la clé de sa cellule dans la Tamise, déclara enfin Emma d'une voix pleine d'indignation.

— Si seulement les choses étaient aussi simples, déplora McCreary. Malheureusement, *Jack the Ripper* semble s'être volatilisé. Malgré une enquête d'une ampleur sans précédent, ni la City of London Police ni Scotland Yard n'ont réussi à lui mettre la main au collet. Après tout ce temps, on ne sait pas qui il était, pourquoi il a tué ces pauvres femmes, ni pourquoi il a soudain cessé de frapper pour s'évanouir dans le brouillard de Londres. Pour autant qu'on le sache, il est toujours en liberté et se la coule douce quelque part.

— Mais… Comment est-ce possible ? s'enquit Emma.

— Nous en sommes venus à croire que quelqu'un en haut lieu ne souhaitait pas que l'Éventreur soit identifié. Mais qui ? Pourquoi ? Nous n'en avons aucune idée.

Il fit une courte pause pour permettre à sa déclaration de faire son effet, lissa sa moustache, puis s'expliqua.

— Croyez-moi, miss Emma, dit-il avec un regret et une frustration palpables, Scotland Yard a tout fait pour percer le mystère. Des centaines d'interrogatoires ont été menés, des expertises à la fine pointe de la science ont été réalisées, d'innombrables boîtes de notes ont été remplies, des récompenses extravagantes ont été offertes, des dizaines de suspects ont été questionnés, des fouilles ont été faites partout dans la ville. Nous avons pratiquement retourné un à un tous les pavés des rues de Whitechapel, sans aucun résultat tangible.

— C'était comme si un mur invisible avait été érigé autour de l'affaire, renchérit sombrement Smith.

McCreary avisa sa compagne et confirma ses dires d'un hochement de la tête. Il inspira lentement et profondément.

— Dès le début, tout a été de travers, reprit-il. Les obstacles se sont accumulés. En l'espace de quelques semaines, la police s'est retrouvée inondée de lettres et de cartes postales prétendument signées par Jack, mais dont un enfant de dix ans aurait pu constater qu'elles avaient été écrites par autant de mains différentes. Leurs auteurs étaient parfois instruits, parfois illettrés. Plusieurs étaient à l'évidence l'œuvre d'illuminés sincèrement convaincus d'être le *Ripper*, mais d'autres semblaient avoir été conçues méthodiquement pour confondre les enquêteurs. Les pistes se sont multipliées et tout le monde s'est mis à chercher le meurtrier partout à la fois. On a arrêté des médecins, des bouchers, des ivrognes, des vagabonds, des barbiers, et j'en passe. Les pièces à conviction se sont même mises à disparaître.

McCreary secoua la tête avec dépit et se frotta le menton. Le récit qu'il venait de faire le contrariait visiblement beaucoup.

— Officiellement, le dossier est clos, expliqua Smith, mais officieusement, le Yard demeure aux aguets.

Joseph regarda à tour de rôle la belle femme borgne et l'élégant moustachu, anticipant déjà ce qui allait suivre.

— Et ? fit-il.

— Selon toute vraisemblance, dit McCreary, Jack l'Éventreur est maintenant à Montréal et il a recommencé à tuer.

28

Même si, à ce point de la conversation, l'affirmation de George McCreary ne constituait plus vraiment une surprise, un silence consterné l'accueillit. Certes, Joseph avait déjà compris que le tueur qu'il traquait avait l'esprit dérangé. C'était lui qui avait tiré la sonnette d'alarme dans le *Canadien*. Dans quelques heures à peine, son nouvel article allait encore aggraver l'affaire et nul doute que tout Montréal en parlerait – surtout les Canadiens français qui ne connaissaient rien à la franc-maçonnerie.

Alors même qu'il essayait de donner un sens à ce qu'il venait d'apprendre, son premier réflexe fut de céder à la colère confuse qui sourdait en lui, de se lever et d'ordonner aux deux Anglais de s'en aller. Le revolver près de la main de Margaret Smith lui rappela que, malgré l'apparente civilité de la conversation, elle reposait sur un rapport de forces qui ne penchait pas en sa faveur et qu'il n'était pas libre de choisir d'entendre ou non la suite de ce que les agents de Scotland Yard tenaient à lui dire.

L'idée que l'assassin des deux prostituées montréalaises puisse être Jack l'Éventreur, le tueur en série qui avait terrorisé Londres trois ans auparavant, lui causait un désagréable frisson d'appréhension. Elle le confortait aussi dans sa décision de laisser tomber cette enquête avant d'être avalé par elle. Sans compter qu'à cause de lui, la pauvre Emma se retrouvait désormais empêtrée dans une histoire avec laquelle elle n'avait rien à voir.

Embarrassé, il jeta un coup d'œil à sa sœur, sur sa gauche. Elle était livide. Il la connaissait comme le fond de sa poche et savait très bien qu'elle était à la fois terrifiée par ce qui lui arrivait et scandalisée par la présence de ces intrus dans le seul vrai chez-soi qu'elle avait jamais eu après l'orphelinat. Elle bouillait intérieurement et, tôt ou tard, elle rugirait comme une lionne pour défendre son territoire.

Dans la cervelle fiévreuse du journaliste, les dernières vapeurs d'alcool s'étaient prestement dissipées sous le coup de la peur et de l'énervement. Les dépouilles qu'il avait vues sur les photographies de Smith et du corps mutilé de Madeleine Boucher se superposèrent dans son esprit : le ventre ouvert du sternum au pubis et vide ; les viscères empilés autour de la victime ; l'intestin encore attaché dans la cavité abdominale et drapé sur l'épaule gauche ; la gorge béante. Aucun doute n'était possible. Les similitudes étaient trop grandes. Joseph eut l'impression qu'une main glacée lui remontait lentement le long du dos tandis que la chair de poule se formait sous les manches de sa chemise.

— Bon Dieu... chuchota-t-il, consterné, d'une voix cassée. Soit il s'agit du même tueur, soit quelqu'un à Montréal a décidé de l'imiter.

— C'est le même, affirma tranquillement Smith.

— Comment pouvez-vous en être si sûrs ?

— Scotland Yard s'est réservé quelques moyens infaillibles pour séparer le vrai du faux, reprit McCreary. Ainsi, même si la rumeur en a vite circulé dans les rues de Londres et dans les journaux, nous n'avons jamais confirmé publiquement le lien évident entre les meurtres et la franc-maçonnerie. Plus précisément, le tueur laissait délibérément un certain objet près de chacune de ses victimes. J'imagine que cela ne vous étonne pas outre mesure ?

Sonné, Joseph ne put que secouer la tête en silence. Jusqu'à ce que paraisse son prochain article, le lendemain matin, personne à part lui, Albert Sauvageau, Charles-Edmond Rouleau et l'inspecteur Arcand ne pouvait connaître l'existence du bouton de manchette. Le fait de l'entendre de la bouche de McCreary prouvait incontestablement qu'il était bien l'homme qu'il prétendait être et connaissait l'affaire sous toutes ses coutures.

Joseph le toisa comme s'il avait été une apparition. Il se leva et, d'un pas raide d'automate, gagna sa chambre. Quelques instants plus tard, il en ressortait et, sans un mot, posait devant les deux agents le bouton de manchette en or qu'il avait ramassé sous la porte cochère où Martha Gallagher avait été assassinée.

— Il y en avait un pareil près du corps de Madeleine Boucher, ce matin, précisa-t-il. Je ne l'ai pas vu, mais la réaction de l'inspecteur Arcand quand j'y ai fait allusion valait amplement un aveu.

McCreary et Smith échangèrent un regard lourd de sens. La borgne ramassa le bijou et, ensemble, ils l'examinèrent rapidement.

— C'est exactement le même, déclara enfin McCreary.

Il le remit sur la table et, du bout de l'index, joua avec, songeur.

— Scotland Yard a pris grand soin de ne jamais ébruiter la présence des boutons de manchette maçonniques près des cadavres. Ainsi, nous pouvions distinguer avec un minimum de certitude les éventuels imitateurs fêlés du vrai Jack. Même trois ans plus tard, la chose demeure secrète et seuls quelques agents sont au courant.

— Eux et le *Ripper*, cela va de soi, renchérit Margaret Smith.

Les yeux rivés sur sa tasse à moitié pleine de thé tiède, elle prit le relais.

— Nous avons pris note du contenu de votre article de ce matin, dit-elle de sa voix rauque qui avait quelque chose d'hypnotique. Comme vous l'avez vous-même compris, les blessures de Martha Gallagher sont très semblables à celles infligées aux prostituées de Londres. La posture dans laquelle son corps a été retrouvé, par contre, est nouvelle. Il s'agit là d'une autre référence évidente à la franc-maçonnerie.

Voyant l'air perplexe de Laflamme, McCreary posa la main sur l'avant-bras de sa collègue pour l'interrompre.

— À la tête que vous faites, je comprends que vous n'êtes pas vous-même maçon ?

— Non, admit Joseph. Voilà vingt-quatre heures, je n'y connaissais rien de plus que le commun des mortels.

— Alors laissez-moi vous expliquer un peu, reprit-il. La franc-maçonnerie est une société secrète reposant sur la fraternité. Officiellement, depuis la création de la Grande Loge d'Angleterre en 1717, mais en réalité depuis des siècles avant cela, elle propose à ses membres un code moral découlant de celui des constructeurs de cathédrales du Moyen Âge. Sa philosophie s'inspire du récit légendaire d'un personnage mineur de l'Ancien Testament, Hiram, de la tribu de Nephtali, qu'elle désigne sous le nom de Hiram Abif.

Il s'interrompit et but une gorgée de thé, comme s'il ne faisait que participer à une conversation mondaine, puis poursuivit.

— Dans le premier Livre des Rois, au chapitre 7, on raconte que le roi de Tyr envoya Hiram auprès du roi Salomon pour couler les colonnes d'airain qui devaient orner l'entrée du temple qu'il construisait. Selon la légende que les francs-maçons perpétuent depuis au moins le XIIIe siècle, alors que la construction allait bon train, Hiram, qui était responsable de tout le chantier, fut accosté par trois ouvriers qui voulaient lui arracher le secret du maître maçon, au lieu de le mériter par un travail bien fait. Il refusa de le leur révéler, préférant mourir plutôt que de trahir le secret qu'on lui avait confié. Les trois ruffians, nommés Jubela, Jubelo et Jubelam, le tuèrent à coups d'outils avant de prendre la fuite. Ils furent ensuite retrouvés par les hommes de Salomon.

McCreary fit une brève pause pour indiquer que ce qui allait suivre était particulièrement important.

— Pour les mettre à mort, poursuivit-il en appuyant chaque mot, on leur trancha la gorge d'une oreille à l'autre, puis on leur ouvrit la poitrine pour en arracher le cœur et les entrailles et les offrir en pâture aux oiseaux et aux bêtes sauvages. Enfin, on jeta leurs intestins pardessus leur épaule. En souvenir de la mort héroïque du maître Hiram, chaque nouveau franc-maçon jure de garder les secrets de l'ordre et s'engage à subir le même châtiment s'il les trahit.

Joseph sentit le sang quitter son visage. Cette description correspondait exactement à la façon dont les deux prostituées de Montréal avaient été tuées.

— Bon Dieu… murmura-t-il, secoué. La gorge, les entrailles, l'intestin, le cœur…

— Bref, à Montréal comme à Londres, la manière de tuer est, elle-même, une allusion claire au mythe maçonnique, pour qui sait la comprendre, déclara Smith. Mais il y a plus.

Elle fouilla dans son sac et en sortit une page de journal qu'elle déplia et lissa sur la table. Joseph reconnut aussitôt la première page du *Canadien* où figurait son article du matin. Du doigt, elle tapota le croquis qui figurait sous le texte.

— La posture de la morte était vraiment celle-ci ? l'interrogea-t-elle.

— Dans le cas de Martha Gallagher, j'ai recopié le dessin du témoin qui a vu le cadavre, mais ce matin, j'ai vu de mes propres yeux que le corps de Madeleine Boucher était dans la même position, confirma Joseph.

Elle se pencha au-dessus de la table.

— En êtes-vous absolument certain ? insista-t-elle.

— Oui.

— Cet aspect est inédit. À Londres, Jack abandonnait simplement ses victimes après les avoir mutilées. Comme des déchets. Ici, il fait dans la dentelle, si je puis m'exprimer ainsi.

— Le fait que le *Ripper* prenne désormais la peine de disposer les corps de cette manière précise est très significatif, ajouta McCreary. Notez que les deux bras et les deux jambes sont pliés de manière à former des angles droits.

— Et alors ?

— Alors, un angle droit est une équerre – un des deux principaux symboles de la franc-maçonnerie avec le compas. Vous l'avez déjà vu, j'imagine ?

Joseph hocha la tête.

— Les francs-maçons attribuent une signification morale aux outils de constructeur comme l'équerre, le compas, le niveau, le fil à plomb, le maillet ou le ciseau. Au degré de compagnon, lorsque le vénérable maître demande rituellement au second surveillant ce qu'est une équerre, celui-ci lui répond « un angle de quatre-vingt-dix degrés ou le quart du cercle ». Pour les maçons, elle représente la rectitude et les bonnes mœurs qu'ils doivent tous adopter, mais aussi la matière, incarnée dans une pierre cubique, dont les constructeurs vérifiaient la perfection avec l'équerre.

— Vous êtes maçon ? demanda Joseph.

— Non, mais à force de fouiller et de questionner, j'ai fini par en apprendre beaucoup.

— Si Jack a pris le temps de disposer les membres des deux mortes en équerre, accroissant ainsi le risque de se faire surprendre, renchérit Smith, c'était forcément pour envoyer un message. S'adresse-t-il aux francs-maçons eux-mêmes ou le message est-il destiné à quelqu'un d'autre ? Telle est la question. Nous n'avons pas réussi à établir si Jack est un ennemi des francs-maçons qui cherche à les incriminer, ou s'il est lui-même un franc-maçon qui a perdu l'esprit.

Joseph les regarda longuement sans rien dire, stupéfait. Sauvageau lui avait indiqué un lien avec la franc-maçonnerie, et il avait eu l'occasion de l'approfondir par lui-même dans la boutique de Jonathan Withers. Jamais, cependant, il n'avait soupçonné qu'il pût avoir une telle envergure.

Ne sachant comment occuper autrement son esprit, il se leva et allait servir du thé à tout le monde lorsqu'il se ravisa. La situation exigeait quelque chose de plus réconfortant. Comme McCreary avait fini le gin un peu auparavant, il alla fouiller dans l'armoire sous le comptoir et revint avec une bouteille pleine et quatre verres propres. Personne ne refusa la rasade qu'il versa.

Emma ne lui fit même pas les gros yeux, occupée qu'elle était à avaler une gorgée en grimaçant pour calmer ses nerfs.

Joseph soupesa la situation, puis décida de sauter dans le vide et de faire confiance à ces deux inconnus.

— Mon second article, qui paraîtra demain, traite précisément du lien avec la franc-maçonnerie, dévoila-t-il. Si j'avais su ce que je sais maintenant, j'aurais cadenassé ma machine à écrire et cassé ma plume.

— Qu'avez-vous écrit ? demanda Smith.

Il résuma rapidement le contenu de son papier qui, en comparaison de ce qu'on venait de lui apprendre, lui paraissait bien anodin.

— Et il y a autre chose, dit-il.

— Je vous écoute ? insista McCreary.

— Eh bien, le vendeur de babioles maçonniques, M. Withers, dont la boutique semblait beaucoup vous intéresser hier...

— Quoi donc ?

— Il a été assassiné, laissa tomber Joseph. Je l'ai trouvé mort dans son arrière-boutique cet après-midi. On lui a planté un couteau en plein cœur.

— *What ?* s'écrièrent simultanément McCreary et Smith.

— *Good God*[*] *!* fit l'agent lorsqu'il fut un peu remis du choc.

— *That's very odd*, renchérit sa collègue. *Why would Jack kill someone so closely associated with freemasonry*[**] *?*

Perplexe, McCreary écarta les mains en signe d'incompréhension.

---

* Bon Dieu !

** C'est très bizarre. Pourquoi Jack tuerait-il quelqu'un associé de si près à la franc-maçonnerie ?

— À Londres, expliqua Smith, la dimension rituelle des assassinats de Jack a fait porter les soupçons sur les francs-maçons. Ils ont été surveillés de près, même espionnés, mais rien de concret n'en est ressorti. D'après ce que Scotland Yard savait, l'Ordre était blanc comme les gants que portent tous ses membres durant leurs tenues.

— Mais jamais Jack ne s'est attaqué ouvertement à la franc-maçonnerie, insista McCreary. Ça, c'est tout à fait nouveau.

Emma renversa la tête et vida son verre d'un trait avant de le reposer sèchement sur la table. Puis elle soupira et dévisagea les deux Anglais d'un regard fulminant qui aurait flétri une plante.

— Je suppose que, d'une manière tordue, tout cela vous paraît fascinant, leur dit-elle d'une voix glaciale, la mâchoire serrée par l'exaspération. Mais pour expliquer que deux agents de Scotland Yard s'introduisent dans notre maison en pleine nuit, revolver au poing, et finissent par prendre tranquillement le thé dans notre cuisine en nous racontant d'innommables horreurs, vous admettrez que c'est un peu court. Je constate que, par hasard, mon frère s'est intéressé à la même histoire que vous, mais j'apprécierais beaucoup que vous me disiez ce que vous lui voulez au juste. Il se fait tard et, pour tout vous dire, j'aimerais aller me coucher, en espérant que demain, à l'aube, ma vie sera redevenue ce qu'elle était avant. Alors, au risque de manquer d'hospitalité, je vous demande d'abréger et de repartir d'où vous venez. Pour de bon, si possible.

Visiblement pris de court par cette sortie, McCreary mit quelques instants avant de répliquer.

— Votre frère, miss Emma, est l'appât dont nous avons besoin pour mettre Jack l'Éventreur hors d'état de nuire une fois pour toutes.

29

Emma dévisagea longuement McCreary avec une expression de complète incrédulité. Joseph savait fort bien que le ton froid et neutre qu'elle venait d'employer cachait une colère de proportions homériques sur le point d'éclater. Le silence lourd qui suivit s'étira jusqu'à ce que même l'agent de Scotland Yard, pourtant endurci à ce genre de choses, en vienne à se tortiller sur sa chaise.

— Ai-je bien entendu ? L'appât ? répéta-t-elle enfin. Vous suggérez le plus sérieusement du monde d'utiliser mon frère pour attirer un fou furieux qui égorge ses victimes avant de les éviscérer et de leur faire Dieu sait quoi d'autre ? Comme ça ? Tout bêtement ?

— Je crains qu'il n'ait pas vraiment le choix, miss Emma, déclara McCreary d'une voix douce. Ni vous, d'ailleurs.

Le visage d'Emma se durcit. Elle les regarda comme si elle les défiait et croisa les bras sur sa poitrine avec un air intimidant.

— Ah bon ? rétorqua-t-elle, d'un ton suintant le mépris. Et auriez-vous l'obligeance de nous expliquer pourquoi ?

— Ne vous fâchez pas, je vous en prie, plaida Smith avec une expression contrite.

— Je vous écoute... dit Emma, nullement amadouée.

— Eh bien, si Jack cessait de tuer aujourd'hui, il nous glisserait de nouveau entre les doigts.

Elle fit une pause, puis s'adressa directement à Joseph, l'air grave et déterminé.

— Il doit donc continuer et, pour cela, nous avons besoin de vous pour le motiver, expliqua Smith.

— Pardon ? éructa Joseph, qui n'en croyait pas ses oreilles.

— Vous m'avez bien compris. Il est capital que Jack l'Éventreur ne s'arrête pas maintenant. Pour cela, on doit parler de lui. Voyez-vous, il apprécie plus que tout l'attention qu'on lui porte. Il adore lire les articles qui paraissent à son sujet.

— Et comment le savez-vous ? demanda Joseph.

— Nous le connaissons depuis longtemps. Il a dû beaucoup apprécier le vôtre, ce matin, et je suis certaine qu'il guette déjà le prochain.

Joseph ressentit un profond malaise à l'idée que le fou qui avait massacré deux prostituées avec tant d'application éprouve un quelconque plaisir à lire ses écrits. Pourtant, à bien y penser, la chose était logique.

— Vous voulez que je... l'encourage ?

— Disons que vous contribueriez à lui confirmer son importance, interjeta McCreary.

Soudain, il avait l'impression d'avoir alimenté la démence du tueur. Et dès le lendemain, songea-t-il, son nouvel article aggraverait encore les choses. Cela lui mettrait-il, à lui aussi, du sang sur les mains ?

— Et si je refuse ? demanda-t-il d'une voix étouffée par l'émotion.

— C'est votre droit, évidemment, répondit sans hésiter Smith, qui avait manifestement anticipé la question. Mais ce ne serait pas une décision très sage.

— Votre sœur et vous êtes tous les deux en danger, déclara McCreary. Un grave danger.

— Vous venez de dire que Jack apprécie mon travail…

— Mais d'autres le détestent avec la même ferveur.

Cette fois, ni Joseph ni sa sœur ne répliquèrent.

— Depuis l'épisode de 1888, poursuivit McCreary, les francs-maçons ne craignent rien de plus qu'une nouvelle atteinte à leur réputation. À l'heure qu'il est, ceux de la Grande Loge du Québec ont certainement déjà compris qu'il se passe quelque chose d'inquiétant. Demain, votre article les rendra suspects aux yeux du public.

— Ils ne l'aimeront pas beaucoup, renchérit Smith.

— Vous… vous n'insinuez quand même pas que les francs-maçons pourraient nous assassiner ? fit Emma. Vous n'exagérez pas un peu ?

— Nous n'insinuons rien du tout, dit Smith. Jonathan Withers vous a renseigné au sujet du bouton de manchette, et le voilà mort en moins d'une journée. Il est plausible que la Grande Loge ait intérêt à faire taire tous ceux qui incriminent l'Ordre maçonnique.

— Mais il était franc-maçon ! protesta Joseph. Ils ne se tuent quand même pas entre eux ?

— Peut-être que ceux d'entre eux qui parlent trop leur déplaisent. Ou alors, peut-être existe-t-il au sein de l'Ordre une faction radicale qui agit de son propre chef. Il est difficile de savoir ce qui se passe derrière des portes qu'ils gardent fermées à double tour. Ce dont j'ai la certitude, cependant, c'est que la mort de Withers confirme que quelqu'un d'autre que Jack est maintenant impliqué dans l'affaire et que cette personne pourrait bien vouloir vous réduire au silence une fois pour toutes.

— Pour protéger les francs-maçons de Montréal... dit Joseph, incrédule. Allons donc... Vous délirez.

— Cela ou un autre motif qui nous échappe, confirma Smith.

McCreary but une gorgée de gin en regardant Joseph par-dessus le bord de son verre. Ébranlé, ce dernier vida le sien d'un trait et le remplit de nouveau en tenant la bouteille d'une main peu assurée.

— Jonathan Withers disait qu'un franc-maçon de Toronto avait acheté tous les boutons de manchette de ce modèle qu'il avait en stock, quelques jours avant le premier meurtre, se souvint-il tout à coup.

— Drôle de coïncidence, vous ne trouvez pas ? remarqua Smith en refusant une nouvelle dose de gin d'un geste de la main. Et comme il est trop tard pour stopper les presses du *Canadien*, dès demain, on pourra mesurer ce que vous savez sur le lien entre les meurtres et la franc-maçonnerie, et on pourrait bien décider de vous faire taire à votre tour.

— Ou encore, utiliser votre sœur pour vous faire chanter, renchérit son collègue.

Margaret Smith fit une pause sans quitter le journaliste des yeux.

— Joseph, nous avons besoin de vous. Vous devez coûte que coûte continuer à écrire. Sinon, Jack risque de rentrer dans sa tanière avant que nous l'attrapions, et Dieu seul sait où et quand il frappera ensuite.

— Ce que vous demandez à mon frère équivaut à causer la mort d'autres femmes innocentes, s'insurgea Emma.

— N'est-ce pas le philosophe Bentham qui a dit : « *It is the greatest good to the greatest number of people which is* *the measure of right and wrong*[*] » ? demanda Smith après quelques secondes. Si la mort d'une seule personne nous permet d'en sauver des dizaines d'autres, aurons-nous bien ou mal agi ?

— Deux innocentes sont déjà mortes ! Une seule de plus, c'est une de trop ! N'avez-vous donc pas de cœur ?

Sans prévenir, Margaret Smith bondit sur ses pieds et se pencha, les poings appuyés sur la table, renversant sa chaise. Le masque impavide de son visage se durcit.

— Croyez-vous, mademoiselle, que je prends plaisir à envoyer quelqu'un à l'abattoir ? rétorqua-t-elle avec une violence si soudaine qu'Emma eut un mouvement de recul. Que tout cela n'est qu'une abstraction pour nous ? J'ai un cœur. J'en avais un, en tout cas, avant.

Elle resta un moment à respirer bruyamment, tel un taureau. Puis elle consulta son collègue du regard et ce dernier se leva à son tour. Sans rien dire, il saisit le bas de son pantalon et le remonta jusqu'à la hauteur de son genou gauche, dévoilant une jambe artificielle articulée faite de bois, de métal et de courroies de cuir, dont le pied était enfilé dans sa chaussure. Il donna trois coups sur sa cuisse, produisant des bruits sourds. Joseph se souvint qu'il boitait.

— C'est un cadeau de Jack l'Éventreur, expliqua sombrement McCreary en laissant retomber son pantalon. Après le meurtre de Catherine Eddowes, le Yard lui a tendu un piège. Tout le personnel féminin a été réquisitionné, habillé en putain et envoyé arpenter les rues de Whitechapel. Margaret était parmi elles. Son mari et moi étions chargés de sa protection. Jack l'a attaquée et…

Sans prévenir, il abattit la paume de sa main sur la table avec rage, faisant sursauter tout le monde autour.

---

* C'est le plus grand bien du plus grand nombre qui est la mesure du bien et du mal.

— Nous croyions le tenir, pesta-t-il, les dents serrées. Mais il s'est joué de nous. La seule explication qui tienne est que quelqu'un l'avait prévenu. Dès que nous avons surgi, il a dégainé un revolver et a tiré. J'ai reçu trois balles dans la jambe. La blessure s'est infectée et les médecins ont dû amputer. J'ai survécu de justesse, après des semaines à trembler de fièvre et à délirer.

Il fit une pause et avisa sa collègue, qui était blême et regardait droit devant elle.

— Le mari de Margaret a eu moins de chance que moi, ajouta-t-il.

La borgne inspira et défit les deux premiers boutons du col de dentelle de sa robe pour dévoiler son cou. Sa peau blanche comme le lait était traversée par une épaisse cicatrice rose et inégale marquée de traces de sutures grossières.

— Jack m'a tranché la gorge, ce qui explique ma voix, dit-elle. Les médecins m'ont recousue. Il m'a aussi poignardée trois fois, et il m'aurait ouverte n'eût été l'intervention de mes collègues. Mais personne n'a pu sauver mon utérus. À cause de l'Éventreur, je ne suis plus tout à fait une femme. Et comme si ce n'était pas suffisant, il a tué Geoffrey, mon mari. Deux balles dans la tête. Je n'ai même pas eu la force de me traîner jusqu'à lui alors qu'il agonisait à quelques pieds de moi.

Mue par son instinct et sa solidarité féminine, Emma tendit une main compatissante par-dessus la table pour la poser sur celle de Margaret Smith. Après un moment de surprise, celle-ci se laissa faire et lui sourit tristement.

— Je suis désolée, chuchota Emma.

L'agente ramassa sa chaise et se rassit.

— L'ironie, déclara-t-elle avec dépit en reboutonnant son col, c'est que, de toutes mes blessures, mon œil n'est que le résultat d'un bête accident. En m'écroulant, je suis tombée sur un caillou pointu qui me l'a crevé. Je ne l'ai même pas senti. Quand je suis revenue à moi, plusieurs heures plus tard, j'ai réalisé que j'étais borgne.

McCreary lui caressa l'épaule avec une tendresse pleine de réserve et de sympathie. Si, en toute autre circonstance, le geste eût été déplacé, il était ici parfaitement justifié. Il prit la bouteille et remplit le verre de Margaret, qui, cette fois, lui adressa un demi-sourire reconnaissant.

— *Thank you, George, dear**, murmura-t-elle avant d'avaler deux gorgées bien tassées.

Joseph nota que sa main, si sûre à son arrivée, alors qu'elle tenait son revolver, tremblotait.

— J'imagine que vous comprenez maintenant que, pour nous deux, l'affaire est éminemment personnelle, expliqua McCreary. Nous connaissons mieux que quiconque la douleur et la misère que cet homme a déjà causées. Préférerions-nous qu'il cesse immédiatement de tuer? *Of course. We'd like nothing more than to see him behind bars or, even better, dead and rotting***. Mais à défaut de cela, s'il faut sacrifier une ou deux personnes de plus pour le mettre hors d'état de nuire, alors, *by God*, nous le ferons.

Smith posa son verre à moitié vide sur la table.

— Depuis décembre 1888, dit-elle, se maîtrisant de nouveau, George et moi sommes restés aux aguets, en sachant que les chances que Jack recommence à tuer étaient grandes. Nous avons analysé tous les meurtres, commis dans le Commonwealth et ailleurs, qui sortaient de l'ordinaire. À la fin d'avril, la nouvelle d'un assassinat

---

* Merci, cher George.

** Bien sûr. Rien ne nous ferait plus plaisir que de le voir derrière les barreaux ou, encore mieux, mort et en train de pourrir.

perpétré à Montréal en février nous est parvenue. Il est vite apparu qu'il correspondait au *modus operandi* de notre homme.

— En février ? s'étonna Joseph. Je n'ai entendu parler de rien.

— Ce n'est pas surprenant. Seule la *Gazette* en a fait mention dans un entrefilet. Le journal a été transmis à Scotland Yard par courrier diplomatique, et dès que nous en avons pris connaissance, nous nous sommes embarqués pour le Canada. Et nous voici maintenant, de nouveau sur sa piste.

— Nous sommes à votre merci, Joseph, insista McCreary.

— Mais… Il faut aller à la police immédiatement, suggéra Emma.

— Miss, rétorqua patiemment McCreary, Margaret et moi *sommes* la police, même si nous sommes hors de notre juridiction. Jack s'est joué de Scotland Yard comme si nous étions tous des amateurs. Croyez-vous vraiment que la police de Montréal pourra vous protéger ? Vos agents ont été pris de vitesse par un journaliste. De plus, la chose n'est pas très connue, mais la police montréalaise pullule de francs-maçons, comme toutes les grandes polices urbaines, ce qui n'est pas à votre avantage.

— Contacter la police pourrait équivaloir à signer votre propre arrêt de mort. D'autant plus qu'elle ne vous aime guère, présentement.

Indécis et apeuré, Joseph consulta sa sœur du regard et vit qu'elle aussi avait été passablement amadouée par la démonstration qu'on venait de leur faire. D'un petit geste de la tête, elle lui donna son accord.

— Que dois-je faire ?

— Ce que vous avez fait jusqu'ici : creuser l'histoire, déterrer de nouveaux détails scabreux et publier tout ce que vous découvrez dans le *Canadien* pour qu'on parle le plus possible des meurtres. La seule différence sera que nous échangerons nos informations. Nous vous donnerons tout ce que nous trouverons et vous l'intégrerez dans vos articles. Dès demain, rédigez le troisième en vous servant de ce dont nous venons de discuter. Le lien avec Jack l'Éventreur et Londres devrait produire de jolis feux d'artifice qui plairont à notre homme.

— Ils énerveront tout autant les francs-maçons, objecta Emma.

— Sans doute, oui. Nous essaierons de vous protéger. Y a-t-il autre chose que nous devons savoir ?

— Après chacun des meurtres, on a entendu une voiture s'éloigner, répondit Joseph.

— Comme à Londres, confirma McCreary avec un air funeste.

Il les fixa un instant, hésitant.

— Hormis cette poêle à frire, possédez-vous une arme ?

— Bien sûr que non, se hérissa Emma.

McCreary fourra la main dans la ceinture de son pantalon et en sortit un impressionnant revolver qu'il déposa sur la table.

— Colt calibre 45, annonça-t-il. Il est chargé. Vous savez vous en servir ?

— On appuie sur la détente et ça fait boum, non ? ironisa Emma en avisant l'arme à feu avec dégoût.

— C'est ça. N'hésitez pas à l'utiliser si vous le devez. Jack ne vous laissera pas une deuxième chance de le faire.

Margaret fouilla dans son sac et en tira une impressionnante liasse de billets qu'elle mit à côté du revolver.

— C'est pour vous, dit-elle.

— J'ai déjà accepté de vous aider, déclara Joseph, vexé. Je ne suis pas à vendre.

— Et nous ne sommes pas en train de vous acheter.

— C'est à s'y méprendre.

— Comprenez bien ceci, déclara McCreary : les journaux, qu'ils soient conservateurs ou libéraux, en anglais ou en français, regorgent de francs-maçons qui n'apprécieront certainement pas l'effet qu'auront vos articles sur leur fraternité. De plus, les journaux sont aussi achetés et lus par des francs-maçons. L'Ordre a le bras très long.

— Et alors ? fit Joseph, qui ne comprenait pas où il voulait en venir.

— Quand cette histoire sera derrière vous, vous risquez d'être un paria dans tous les journaux. Même le propriétaire du *Canadien* se fera chuchoter à l'oreille qu'il vaut mieux ne plus avoir recours à vos services. Autrement dit, ne comptez pas sur un début de commencement d'horizon de carrière de journaliste, ni à Montréal, ni dans la province, ni même dans le reste du Dominion. N'oubliez pas non plus que la police de Montréal pullule de maçons qui ne vous porteront pas dans leur cœur. Nous ne vous soudoyons pas, monsieur Laflamme. Nous vous offrons une compensation financière pour que vous puissiez refaire votre vie et votre carrière ensuite. Il ne s'agit que d'un acompte, évidemment. Scotland Yard accroîtra substantiellement la somme. Considérez-vous désormais comme un agent temporaire.

Joseph consulta à nouveau Emma, qui acquiesça du chef.

— L'usine va mal, Jo, avoua-t-elle. On ne me donne presque plus de travail. Je voulais t'en parler, mais…

Sans dire un mot, il accepta l'offre d'un hochement de tête résigné.

— À la bonne heure, s'exclama McCreary.

Il tira de la poche de sa veste un document d'une vingtaine de pages dactylographiées en petits caractères qu'il posa sur la table. Sa collègue y ajouta les photographies.

— Vous trouverez ici tout ce que nous vous avons révélé, l'informa-t-il. Vous en aurez besoin pour rédiger votre prochain article.

Il se leva et, pour la première fois depuis qu'Emma l'avait assommé, sa fatigue et sa lassitude furent évidentes. Sa collègue l'imita, les traits tirés, elle aussi. Visiblement, ils s'étaient beaucoup privés de sommeil.

McCreary tendit la main à Joseph, qui la serra après une brève hésitation. Puis il en fit autant avec Margaret Smith, dont la poigne l'étonna, tandis qu'Emma avait droit à une petite révérence fort galante de la part de l'Anglais.

— Où puis-je vous rejoindre ?

— Hôtel Mack, rue Saint-Paul Est.

— Je connais.

— N'y venez pas à moins d'une urgence, de peur qu'on nous voie ensemble. Nous vous contacterons régulièrement. Maintenant, si vous voulez bien m'excuser, j'ai un mal de tête à soigner.

Il sourit à Emma puis ouvrit la porte et passa la tête dehors pour vérifier que la voie était libre. Satisfait, il sortit et s'écarta pour laisser passer sa collègue, qui jeta un regard à Joseph avant de partir.

30

Montréal, 10 août 1891

Assis à son bureau en bois couvert de papiers, Charles-Edmond Rouleau exultait. Jamais Joseph ne lui avait vu la mine si réjouie, ni les gestes si fébriles. Ses mains allaient et venaient dans toutes les directions, comme s'il avait absolument besoin d'un exutoire à son énervement. Le rédacteur jacassait comme une pie, presque exalté. Depuis qu'il était entré, Joseph avait à peine réussi à placer trois mots.

— Ha! s'exclama Rouleau. Laflamme, mon ami, tu es tombé sur une vraie petite mine d'or!

Tiens. Je suis son ami, maintenant? songea méchamment Joseph tandis que l'autre continuait.

— J'ai passé la soirée d'hier et une bonne partie de la nuit avec M. Tarte, à peaufiner l'éditorial du journal sur la démission de Langevin de son poste de ministre des Travaux publics du Dominion – il paraît qu'il va l'annoncer aujourd'hui même. Tu le savais?

Rouleau ne laissa aucune chance à son interlocuteur de répondre.

— Le patron m'a demandé de te féliciter et d'augmenter tes honoraires si tu continues sur cette lancée. Il est très, très content de toi. Grâce au *Canadien*, tout

Montréal ne parle que de cette histoire de meurtres. Et tout le monde lit *Le Canadien*, glousse-t-il.

Joseph était un peu déconcerté par ces effusions auxquelles il ne s'attendait pas. Il était assis sur une chaise droite de l'autre côté du bureau, ce qui révélait clairement sa promotion dans la hiérarchie informelle du journal. En effet, lors de chacune de ses visites antérieures, on l'avait laissé poireauter debout, tel un enfant penaud. Il avait toujours rêvé d'avoir du succès et d'être apprécié par ses supérieurs. Or, maintenant qu'il l'obtenait, il n'y prenait aucun plaisir. Lui qui, la veille, avait décidé de laisser tomber cette histoire avant qu'il ne soit trop tard, il s'y retrouvait enfoncé encore plus profondément. Sachant ce qu'il savait à la suite de sa discussion avec McCreary et Smith, le sentiment qui prédominait chez lui était la peur. Une peur qui le faisait transpirer, bien que la chaleur fût en partie tombée durant la nuit. Une peur insidieuse qui, une fois passée la stupéfaction initiale, s'était larvée dans son ventre et lui causait des brûlures. Jamais il n'avait eu aussi peur de toute sa vie, et qui pouvait l'en blâmer ? Il se retrouvait non seulement avec Scotland Yard dans les pattes, mais peut-être aussi Jack l'Éventreur, des francs-maçons en colère et Dieu savait qui d'autre à ses trousses.

— Le journal n'est pas vieux de six heures que déjà, tout le monde est énervé ! ajouta Rouleau en se frottant les mains, tel Harpagon contemplant son or.

Il se mit à rire de bon cœur en secouant la tête, comme s'il n'arrivait pas à y croire.

— Un assassin franc-maçon ! ricana-t-il. Ah, c'est tout simplement trop beau pour être vrai ! Il suffit d'écrire ces deux mots-là et tout le monde se met à imaginer de sombres complots ! Alors s'il s'agit d'un tueur pardessus le marché, imagine... Tiens, tôt ce matin, dans la rue, j'ai croisé quelques messieurs avec lesquels j'échange des salutations polies tous les jours depuis des années. Rien de bien terrible. Un petit bonjour, quelques mots sans s'arrêter. Eh bien cette fois-ci, ils m'ont fait un air de bœuf. Comme par hasard, chacun tenait un exemplaire du journal plié sous le bras. Je ne serais pas surpris qu'ils soient francs-maçons et qu'ils se sentent personnellement insultés. Après tout, ces gens-là n'écrivent pas leur affiliation au crayon gras sur leur front. Je n'ai jamais été aussi heureux de me faire des ennemis !

Joseph l'écoutait et aurait voulu partager son enthousiasme, mais il en était incapable. Après le départ des agents de Scotland Yard, Emma et lui s'étaient mis au lit sans rien dire, complètement dépassés. Il était resté les yeux grands ouverts dans le noir, à ressasser ce qu'il avait entendu. Résigné à passer une nuit blanche, il avait fini par rallumer la lumière pour lire le dossier que lui avait laissé McCreary, n'y trouvant rien de neuf par rapport à ce qu'on lui avait appris, mais frémissant d'horreur à chaque rappel des atrocités commises par le *Ripper*.

Composant et recomposant son prochain article dans sa tête, il avait réalisé combien l'histoire était incroyable. Assurément, ce qu'il allait écrire aurait l'effet d'une bombe. À en croire McCreary et Smith, l'article risquait par ailleurs d'indisposer des forces de l'ombre. Voilà quelques jours à peine, il aurait lui-même tourné en ridicule quiconque aurait proféré de telles élucubrations. Logiquement, ce serait aussi le premier réflexe de Rouleau. Or, s'il refusait de publier ces articles et le chassait en lui conseillant d'aller se faire soigner, Joseph se retrouverait sans porte-voix pour stimuler le tueur. Et le chômage n'empêcherait probablement pas un franc-maçon mécontent de lui faire son affaire à la suite de l'article paru le matin même. Il avait beau retourner la situation dans tous les sens, il en revenait toujours au même constat : il était désormais un appât humain.

Il avait donc jugé préférable de rencontrer Rouleau pour préparer le terrain et s'assurer qu'il appuierait le prochain article, qui irait beaucoup plus loin que les précédents. Le plan consistait à lui exposer à l'avance ce qu'il entendait révéler dans son troisième papier, tout en préservant l'anonymat de Smith et de McCreary. Assez pour le faire saliver, mais trop peu pour qu'il comprenne que le journal qu'il dirigeait serait utilisé pour aiguillonner le meurtrier.

Avant de partir, il avait refusé net qu'Emma aille déposer à la Banque du Peuple l'argent reçu la veille des mains des agents de Scotland Yard. Elle avait eu beau plaider qu'il faisait jour et que, de surcroît, elle était maintenant armée, il avait eu gain de cause. Aussi avait-il pris un fiacre, emporté lui-même l'argent, moins une somme laissée à la maison, et l'avait déposé en chemin. Le commis de la banque l'avait toisé d'un air suspicieux, ce qui n'était guère étonnant compte tenu de l'état habituel de ses finances, mais il avait accepté de verser le tout sur son compte. Joseph avait ensuite pris un autre fiacre en direction du *Canadien*, où il était arrivé tout juste avant onze heures.

— En tout cas, tu as vraiment donné un sacré coup de pied dans le nid de guêpes, mon garçon ! s'exclama Rouleau, ravi. Je suis ici depuis sept heures ce matin, et les visiteurs aussi importants que mécontents n'ont pas cessé de défiler devant moi. J'ai l'impression d'être un politicien auquel tous les obséquieux de ce monde viennent quémander des faveurs.

— Qui cela ? s'enquit Joseph, inquiet.

Aussitôt, le rédacteur se lança dans un récit enthousiaste.

— Imagine-toi que j'étais à peine arrivé qu'un jeune curé énervé comme une puce s'est présenté, en mission officieuse de la part de l'évêché. Il était raide comme s'il avait un balai enfoncé dans les fondements et il avait le bec en cul-de-poule. Il m'a laissé entendre que Mgr Fabre n'aime pas du tout que notre journal publie des histoires de meurtres, maçonniques de surcroît. Il paraît que ça trouble les bons catholiques qui, c'est bien connu, ne doivent pas trop penser, puisque le clergé le fait pour eux.

— Je ne suis pas trop surpris.

— Il y a mieux: très prochainement, m'a-t-il prévenu, notre saint évêque va prendre prétexte de tes articles pour rappeler aux fidèles du diocèse que l'encyclique... l'encyclique... Voyons... Il m'en a laissé un exemplaire...

Il fouilla parmi les papiers qui jonchaient son bureau et finit par y trouver celui qu'il cherchait.

— L'encyclique *Humanum Genus*, publiée en 1884 par Sa Sainteté Léon XIII, dit-il en consultant le titre. Elle dénonce vertement la franc-maçonnerie, les sociétés secrètes et toutes ces affreuses philosophies libérales, qui ont un effet tout à fait abominable sur les bonnes valeurs chrétiennes, ajouta-t-il sur un ton cynique.

— Il devrait nous remercier, alors, le monseigneur, ricana Joseph, amusé malgré lui.

— Tu penses bien que c'est exactement ce que j'ai répondu au blanc-bec en soutane! Je ne sais pas pourquoi, mais il n'a pas semblé apprécier mon humour.

Rouleau tira d'un tiroir de son bureau une bouteille de scotch et deux verres. Sans demander à Joseph s'il en voulait, il les remplit à moitié et lui en tendit un. Puis il leva le sien pour proposer un toast.

— Au plaisir de bousculer l'ordre établi, pour faire changement! s'écria-t-il. Et à la santé des francs-maçons, que je ne connais pas mais que je commence à beaucoup aimer!

Les deux journalistes firent tinter leurs verres et les vidèrent d'un trait. Joseph laissa la chaleur de la boisson ambrée descendre le long de son œsophage pour se loger dans le creux de son ventre.

— Alors? s'enquit Rouleau, l'air gourmand. Quelle sera la suite?

— C'est ce dont je voulais vous parler, justement.

— Vas-y, je t'écoute, l'encouragea le rédacteur en saisissant la bouteille pour remplir à nouveau son verre.

Joseph se triturait nerveusement les doigts, indécis quant à la manière d'aborder le sujet. Ne voyant pas comment faire autrement, il décida d'attaquer de front.

— Eh bien, euh... dit-il d'une voix hésitante. Avez-vous déjà entendu parler de Jack l'Éventreur?

Rouleau se figea brusquement, la bouteille restée en suspens au-dessus de son verre.

— Pardon? finit-il par articuler.

— Jack. L'Éventreur. Londres. 1888.

— Oui, ça va, je connais! Mais qu'est-ce qu'il vient faire dans tout ça?

Rouleau le toisa, comme s'il voulait évaluer son sérieux. Puis ses années de métier prirent le dessus. Il posa la bouteille et, les avant-bras sur son bureau, les doigts entrelacés, il se pencha en avant pour lui signifier qu'il lui accordait son entière attention. Méticuleusement, Joseph lui relata tout ce qu'il savait en se gardant bien de trahir ses sources.

Quand il se tut, Rouleau l'étudia un moment avec une expression médusée.

— Doux Jésus, Laflamme... murmura-t-il, sonné. Tu es certain que tu n'as pas trop bu? Pas de maladie mentale non diagnostiquée ? Pas de manque de sommeil chronique ni de *delirium tremens**?

— Je suis sain d'esprit, le rassura Joseph. Je suis aussi dépassé que vous par la tournure des événements. Ma source exige l'anonymat, mais elle est sérieuse et crédible.

Tout en disant ces mots, il se demanda s'il n'accordait pas une trop grande foi aux affirmations de McCreary et Smith. Se servaient-ils de lui, sans le moindre scrupule, pour assouvir leur propre soif de vengeance ? Au fond, cela importait peu. Il était pris dans l'engrenage et n'avait pas d'autre choix que de jouer le jeu.

— Jack l'Éventreur... En liberté dans les rues de Montréal... lâcha Rouleau, ahuri. Voyons donc... Bon Dieu, je nage en plein délire...

Une lueur de cupidité traversa son regard et il eut un sourire en coin.

— Un délire prometteur et rentable, mais un délire tout de même.

Il avisa son verre vide, le remplit et fit cul sec, puis il s'alluma un cigare.

— Très bien, déclara-t-il sur le ton de celui qui avait pris sa décision et qui vivrait avec ses conséquences. Écoute, Laflamme, de la manière dont je vois les choses, ton histoire est simplement trop folle pour être fausse. Alors écris tes papiers et ils se retrouveront en première page, avec de gros titres. Je te les paierai à la pièce. Et s'ils nous pètent au visage, on arrête. Ça te convient ?

— Oui.

Rouleau le regarda d'un air perçant et grave, puis tendit un index menaçant dans sa direction.

— Et si tu t'es joué de moi, le prévint-il en appuyant sur chacun de ses mots, je te jure que je verrai

* Délire accompagné de tremblements, résultant de la privation d'alcool.

personnellement à ce que tu ne travailles plus jamais comme journaliste. Est-ce bien compris ?

— Oui, confirma Joseph, conscient que, déjà, ses chances de continuer à exercer son métier étaient pratiquement nulles.

Une fois de plus, Rouleau remplit à moitié les deux verres.

— Je ne sais pas ce qui arrive à notre pauvre ville, mais je préférais l'ancienne, soupira-t-il avec découragement. Enfin, tout ça est bon pour le journal, je suppose.

Rouleau prit une gorgée.

— Tu connais un inspecteur Arcand ? demanda-t-il.

Joseph manqua de s'étouffer avec son scotch.

— Vaguement, répondit-il d'une voix qui trahissait son anxiété. C'est lui qui s'occupe des meurtres des deux prostituées. Il ne m'aime pas beaucoup, je crois.

— Figure-toi qu'il était ici une trentaine de minutes avant ton arrivée et qu'il tenait mordicus à te voir. Il n'avait pas l'air particulièrement content, le brave officier de la force constabulaire montréalaise. Tes articles ridiculisent la police et j'imagine que ça ne lui plaît pas. Il a aussi demandé à voir Sauvageau.

— Sauvageau ? Mais pourquoi ?

— Parce qu'il t'a aidé dans ton enquête sur les meurtres, je suppose ? De toute façon, il risque de ne pas repasser au bureau de sitôt. Depuis le milieu de la nuit, il fait le piquet au bureau du télégraphe. Il attend les télégrammes confirmant la démission de Langevin et je parierais que le maudit diable va faire poireauter les journaux aussi longtemps qu'il le pourra pour se venger.

Rouleau se fit craquer les doigts et laissa échapper un petit rire presque démoniaque. Malgré son inquiétude grandissante, Joseph ne put retenir un sourire.

— Ah, le Bon Dieu nous envoie parfois de belles journées ! gloussa le rédacteur. Un ministre emporté par un scandale à Ottawa et Jack l'Éventreur en personne qui se promène dans les rues de Montréal, libre comme l'air, et qui tue nos pauvres putains ! On nage en plein bonheur !

Sonné, Joseph se leva, salua Rouleau de la tête et s'en fut. Il avait un piège à tendre à un tueur légendaire. Un piège dont il était lui-même le leurre et qui était destiné au prédateur le plus habile et le plus cruel des dernières années.

31

Dans le bel édifice à plusieurs étages de la Grande Loge du Québec, à l'angle de la rue Notre-Dame et de la place d'Armes, l'atmosphère était tendue. La seule chose que ceux qui se trouvaient là appréciaient moins qu'une crise interne était une trop grande attention publique.

De par sa nature, la franc-maçonnerie, comme toute société secrète, vivait et agissait dans la plus grande discrétion. Ce qu'elle craignait le plus, c'était la lumière, non pas celle de l'esprit, que ses membres recherchaient tous sincèrement, chacun à sa manière, mais celle de l'opinion publique et des journaux, où l'on débitait depuis toujours les pires bêtises à son sujet. Certes, depuis sa fondation officielle en 1717, elle n'avait pas été parfaite. Les manigances politiques et les entourloupettes financières ne lui étaient pas étrangères. Le copinage non plus. Mais contrairement à ce qu'on croyait, elle ne recourait pas au secret pour cacher quelque chose, mais pour préserver ses us et coutumes.

Dans le plus grand des bureaux de l'édifice étaient réunis les principaux officiers de la Grande Loge : le grand maître Frank Edgar, le Dr Henry Russell, vice grand maître, Stanislas Pascal Franchot et Andrew

Sangster, grands surveillants, John Isaacson, grand secrétaire, et James Stearns, grand trésorier. Tous avaient été élus voilà moins de trois mois et ils se seraient bien passés d'une telle affaire au début de leur mandat, mais ils n'avaient guère le choix. C'était donc très contrariés qu'ils avaient pris place, ce matin-là, dans de luxueux fauteuils ouvragés et ornés de symboles maçonniques.

Avec eux se trouvait un frère qui n'avait encore jamais mis les pieds dans le bureau du grand maître ni approché ceux qui l'avaient convoqué. Il était toutefois loin d'être naïf. Il avait l'habitude de cerner rapidement ses semblables et leurs motivations profondes. Il savait fort bien qu'on ne l'avait pas invité pour ses beaux yeux. La parution le matin même de l'article du *Canadien* qui liait le premier meurtre à l'Ordre était l'unique cause de sa présence. L'air grave que chacun affichait le lui confirmait. L'exemplaire du journal, plié sur le coin du bureau, aussi. Et l'excellent thé qu'on lui avait amicalement servi ne rendait pas la rencontre moins intimidante.

— Je te remercie d'être venu aussi vite, mon frère, dit le grand maître Edgar, dans un français cassé mais correct, serti d'élégance britannique. Avec ce qui se passe à Montréal, tu dois être débordé.

Il désigna le journal de la tête.

— Mais comme tu t'en doutes certainement, poursuivit-il, du point de vue de la Grande Loge, comme de celui de la police, assurément, il y a urgence.

Le grand maître but une gorgée, replaça sa tasse dans sa soucoupe et soupira avec une irritation évidente.

— Y a-t-il du vrai dans ce que raconte ce journaliste ? s'enquit-il d'un ton posé.

— Je crains bien que oui, admit l'invité.

— Un bijou maçonnique a vraiment été trouvé près de chacune des victimes ?

Les lèvres pincées, l'homme acquiesça du chef.

— Un bouton de manchette. Le journaliste du *Canadien* l'a découvert par hasard sur les lieux du premier meurtre, expliqua-t-il. Il avait échappé aux agents qui les ont examinés un peu trop hâtivement. Le meurtre d'une prostituée est bien bas dans l'échelle des priorités de la police. Si j'avais su alors ce que je sais aujourd'hui, j'y aurais été tout de suite en personne.

L'homme avala une gorgée de thé chaud.

— Le journaliste est même venu montrer sa trouvaille. Il ignorait tout de sa signification. Nous aurions dû saisir immédiatement l'objet comme pièce à conviction, mais rien n'attise davantage la curiosité des journalistes que l'impression qu'on veut leur cacher quelque chose.

— Le laisser repartir avec était une erreur, reprocha le second surveillant. Sans le nommer, c'est clairement à ce bijou qu'il fait allusion dans l'article de ce matin. Et maintenant, il détient une piste concrète. Dieu sait où elle le conduira, mais elle n'annonce rien de bon pour l'Ordre.

— J'en suis conscient, reconnut l'invité en acceptant le reproche.

— Et la position du corps qu'il évoquait dans son premier article ? demanda le Dr Russell.

— Elle est exacte.

Il fit une pause et rassembla son courage pour leur annoncer la suite.

— J'ai bien peur, plus vénérable grand maître, déclara-t-il avec un certain embarras, que le bouton de manchette soit le moindre de nos soucis. Il y a du nouveau, et ce n'est pas très réjouissant.

— Nous t'écoutons, mon frère, dit Frank Edgar.

Pendant de longues minutes, l'invité décrivit dans le détail aux autorités de la Grande Loge le meurtre de

Madeleine Boucher, survenu trente-six heures plus tôt, et les similitudes troublantes entre les deux meurtres. Lorsqu'il se tut, les six hommes étaient livides.

— Seigneur... chuchota d'une voix étranglée le grand secrétaire Isaacson, un gros homme aux favoris blancs et touffus et à la crinière de lion, dont le visage venait de prendre une inquiétante teinte écarlate.

Le grand maître se mordilla les lèvres sous sa moustache et formula la question que tous se posaient.

— Ce tueur pourrait-il être un de nos frères ? suggéra-t-il, manifestement à contrecœur. Est-il possible qu'un des nôtres commette de pareilles atrocités ?

— Je ne pourrais pas le dire, répondit l'invité. Mais une chose est indubitable : celui qui a tué Martha Gallagher et Madeleine Boucher connaît les rituels et la symbolique maçonniques.

— Et s'il s'agissait d'un ancien frère ayant quitté l'Ordre dans l'amertume qui cherche à le discréditer ? suggéra le premier surveillant Franchot.

— Alors, il réussit à merveille, l'animal ! tonna le grand secrétaire.

— Cela expliquerait certainement ses connaissances.

Le menton dans le creux de sa main, le regard perdu dans le vague, le grand maître demeura songeur un instant.

— Mes frères, ce que j'entends commence à ressembler de beaucoup trop près à 1888, finit-il par dire.

L'homme qu'il avait convoqué lui répondit par un haussement des sourcils qui trahissait sa perplexité.

— Que sais-tu de Jack l'Éventreur, mon frère ? lui demanda le grand maître.

— Euh... C'est un assassin qui s'est attaqué à des prostituées à Londres voilà quelques années, non ? répondit l'autre, toujours interdit.

— C'est cela, oui. Mais il y a plus. Tous les meurtres commis par ce fou imitaient le rituel maçonnique. La gorge tranchée, le ventre ouvert, les entrailles arrachées, l'intestin par-dessus l'épaule, le bijou maçonnique près du cadavre… Tout était identique à ce que tu nous décris. La Grande Loge Unie d'Angleterre n'a jamais su si ce Jack était des nôtres ou s'il nous en voulait, mais il a tout fait pour orienter les soupçons vers les francs-maçons. Et il y est arrivé. Dans les mois qui ont suivi novembre 1888, après que les assassinats eurent cessé sans qu'on ait capturé le tueur, Sa Majesté la reine Victoria a discrètement purgé son entourage de presque tous ceux qui étaient francs-maçons. Ses conseillers et son personnel ont été mis à l'écart quand cela était possible. En d'autres mots, à la suite de la vague de meurtres de 1888, l'Ordre a perdu une grande partie de son influence.

L'invité dévisagea le grand maître, stupéfait par ce qu'il venait d'apprendre et plus encore par les similitudes évidentes avec les assassinats de Montréal.

— Même si cela frôle la paranoïa, conclut le grand maître, les autorités de la Grande Loge d'Angleterre se sont toujours secrètement demandé si les meurtres de Londres n'étaient pas une mise en scène visant à discréditer la franc-maçonnerie et à l'éloigner de l'entourage de la reine.

— Et était-ce le cas ? demanda l'homme.

— Pas que je sache, admit son interlocuteur. Mais qui peut en être certain ?

— On va nous traîner dans la boue, comme en 1888 ! ragea le grand secrétaire.

L'homme se tut, se renfrogna et but une gorgée avec un geste rageur.

— Cette folie doit cesser immédiatement, décréta le grand maître avec l'autorité tranquille mais ferme de celui qui a l'habitude qu'on lui obéisse sans discuter. Il faut trouver ce tueur au plus vite et l'empêcher de recommencer. Si d'autres assassinats surviennent et qu'on continue à les associer ouvertement à la franc-maçonnerie, les conséquences pour la réputation de la Grande Loge du Québec seraient incalculables. Le clergé catholique n'attend que cela pour nous discréditer et raviver ses rêves d'inquisition. Et je n'ai pas besoin de te rappeler que les évêques ont l'oreille du gouvernement. On pourrait nous causer des ennuis énormes.

— Pour un simple profane, renchérit le vice grand maître, ce journaliste en sait beaucoup. Celui qui lui a expliqué le sens du bouton de manchette ne peut être qu'un franc-maçon.

— À ce sujet, j'ai fait quelques recherches, annonça le grand secrétaire. Il se trouve qu'Albert Sauvageau, lui aussi journaliste au *Canadien*, est membre de la loge des Cœurs-Unis. C'est sans doute lui qui l'a instruit.

— J'en suis arrivé à la même conclusion. J'ai tenté de le voir ce matin, mais il était absent, dit l'invité. Comme lui et moi sommes membres de la même loge, je dois le voir ce soir. Je lui parlerai.

— La Grande Loge te charge de lui rappeler avec la plus grande fermeté son serment et l'importance de la discrétion, dit le grand maître d'un ton glacial. Évidemment, tu dois demeurer très discret sur tout ce qui concerne 1888. La dernière chose que nous voulons, c'est que la presse s'empare de l'histoire de Jack l'Éventreur et commence à répandre son fiel sur la Grande Loge comme elle l'a fait à Londres. Tu dois garder la bride serrée à ce journaliste et tarir ses sources au plus vite.

— Je ferai de mon mieux, plus vénérable frère.

— Je n'en doute pas, mon frère.

Marcel Arcand, dont le travail venait de prendre une toute nouvelle tournure, attendit un moment et, constatant que plus personne ne parlait, il comprit que l'entretien était terminé. Il se leva. Après les poignées de main d'usage, il prit congé des officiers.

32

Joseph était si préoccupé par sa situation qu'il rentra chez lui sans prêter la moindre attention au trajet. Quand son fiacre s'immobilisa devant l'immeuble à la façade un peu fatiguée de Mme Lanteigne, il eut l'impression qu'on le tirait d'un rêve. Il sortit de la cabine, régla distraitement la course et, la tête ailleurs, marmotta une réponse aux salutations chaleureuses du cocher.

Tandis que la voiture s'éloignait au son des sabots, il passa sous la porte cochère, se retrouva dans la cour arrière et éprouva soudain le besoin de s'arrêter. Il regarda d'un œil neuf, presque nostalgique, la maisonnette et la bécosse qui trônaient piteusement au fond de la cour. Il n'avait jamais particulièrement aimé cet endroit. Au fond, sa demeure était à l'image de toute sa vie : un lieu flou, à la fois maison et hangar, quelque part entre la misère et la décence, entre le bonheur et le malheur. Pourtant, il avait fini par s'y attacher, un peu comme on en vient à apprécier un vieux chien laid, mais affectueux. Surtout, Emma s'y était toujours sentie à l'aise et en paix, et la tranquillité de sa sœur lui importait beaucoup. Pour le meilleur et le pire, cet endroit était devenu chez lui.

Évidemment, tout cela avait eu un sens avant que leur vie ne bascule et ne signifiait désormais plus rien. Si McCreary et Smith disaient vrai, aussi longtemps que Jack n'était pas capturé, les Laflamme n'étaient plus en sécurité chez eux – ni nulle part ailleurs. Et si une autre faction s'était récemment impliquée dans l'affaire, qu'il s'agisse ou non des francs-maçons, rien ne garantissait qu'elle cesserait de tuer en même temps que l'assassin. Car si le meurtre de Withers prouvait une chose, c'était que Jack n'était plus le seul tueur en ville.

La cruelle absurdité de sa situation lui apparut. Le succès qu'il avait tant convoité, mais qui lui avait toujours échappé, se présentait enfin, mais seulement pour mieux le narguer avant de lui glisser comme du sable entre les doigts. Il devait bien admettre qu'on lui avait livré sur un plateau d'argent pratiquement tout ce qu'il savait. Ce qu'il avait découvert par lui-même tenait à peu de chose : un bouton de manchette et le cadavre d'un marchand. Sans Sauvageau, jamais il n'y aurait eu de deuxième article. Et sans McCreary et Smith, il ne s'apprêterait pas à sauter dans le vide avec le troisième. Au fond, on l'utilisait et on lui faisait la charité. Il n'avait pas plus de talent aujourd'hui qu'avant. Il n'était que Joseph Laflamme, journaliste plus ou moins minable, généralement sans emploi et concierge à temps partiel, tombé par hasard sur une affaire qui risquait maintenant de lui coûter la vie et, pire, celle de sa sœur. Il détestait profondément le sentiment de peur diffuse qui ne le quittait plus depuis l'irruption nocturne des deux agents. Mais, plus que tout, il haïssait qu'Emma le ressente aussi à cause de lui. Dès l'orphelinat, et depuis lors, il avait cherché à la protéger.

Malgré cela, il devait reconnaître qu'une part de lui se sentait plus vivante que jamais auparavant. Il savourait la fébrilité qu'il éprouvait, et qui était l'autre versant de la peur. Il serra les poings et secoua sèchement la tête. Le temps n'était pas aux rêveries, mais à l'action. À la survie, même. À grands pas décidés, il traversa la cour arrière. Lorsqu'il arriva à la porte, il fit jouer la poignée et fut satisfait de la trouver bien verrouillée, comme il l'avait fermement exigé de sa sœur avant de partir. Il sortit sa clé de sa poche, ouvrit et entra.

Comme à son habitude, Emma était assise à la table de la cuisine, ses lunettes sur le bout du nez, mais, au lieu d'assembler des vêtements pour une manufacture fonctionnant désormais au ralenti, elle lisait.

— Te voilà, dit-elle, complètement absorbée par les pages dactylographiées du dossier ouvert devant elle.

Joseph reconnut l'en-tête *Scotland Yard* imprimé en haut des feuilles. Autour du dossier, sa sœur avait méticuleusement disposé les photographies laissées par Margaret Smith. Il referma la porte et traversa la cuisine pour la rejoindre. Le regard horrifié d'Emma restait rivé sur les papiers, comme si on l'avait hypnotisée.

— Je sais ce que j'ai entendu hier soir, mais… Jo, cet homme est une… une abomination. Si Dieu peut commettre une erreur, alors Jack l'Éventreur en est une. Dérangé ou pas, aucun être humain ne devrait pouvoir prendre un tel plaisir à torturer et à tuer ses semblables. Même les animaux sauvages ne tuent que pour survivre.

Au prix d'un effort perceptible, elle parvint enfin à arracher son regard des documents et tourna la tête vers son frère. Son teint cireux faisait peur à voir. Elle était plus que troublée ; elle était proprement épouvantée. Pour avoir lu le même dossier, Joseph savait fort bien qu'elle avait l'impression d'avoir touché l'horreur.

— Malgré ce qu'ont dit les agents hier soir, nous devons aller à la police sans tarder, dit-elle d'une voix que la peur faisait frémir. Seuls, nous ne pouvons pas… Nous n'arriverons jamais à… Pas contre un malade de ce genre. Nous avons besoin d'aide. De protection.

Elle saisit une des photos où l'on voyait un cadavre de femme égorgée et éventrée. Sa main tremblait et Joseph comprit que sa sœur n'était pas loin de la panique.

— Je ne veux pas… finir comme elle, balbutia-t-elle en ravalant un sanglot d'angoisse.

Le cœur brisé de la voir dans un tel état, se sentant à la fois responsable et impuissant, il lui serra l'épaule en s'imaginant naïvement que le geste la réconforterait.

— J'ai aussi peur que toi. Mais McCreary et Smith savent de quoi ils parlent, la raisonna-t-il avec douceur. La police de Montréal n'est pas de taille contre un tel tueur. Et puis, avec les francs-maçons qui sont aussi impliqués, rien ne garantit qu'elle serait vraiment de notre côté. Même les policiers qui ne sont pas maçons ont des raisons de ne pas beaucoup m'aimer. Que ça nous plaise ou non, Emma, le plus sûr est de nous fier à Scotland Yard.

— Tu fais vraiment confiance à ces gens que nous ne connaissions pas hier et qui se sont introduits ici comme des voleurs ?

Joseph hésita.

— À part toi, je n'ai confiance en personne, admit-il. Mais ces deux-là ont toutes les raisons de vouloir attraper Jack et, pour l'instant, je crois que leur désir de vengeance est notre meilleure protection. Et s'ils nous manipulent pour parvenir à leurs fins, tant pis. Au moins, nous nous en sortirons vivants et avec assez d'argent pour recommencer ailleurs. La police de Montréal ne peut rien nous offrir de tel.

— Si tu le dis… soupira-t-elle, résignée, en chevrotant comme une fillette apeurée.

Avec des airs de condamné à mort, Joseph déposa sa veste sur le dossier d'une chaise, roula ses manches, puis dénoua sa cravate et déboutonna le col de sa chemise. Arrivé au comptoir, il regarda la bouteille de gin au tiers pleine qui avait accompagné la sinistre discussion de la veille et, pendant un instant, songea à se servir un verre pour calmer ses nerfs. Puis il se rappela qu'il avait déjà avalé deux scotchs avec Rouleau et qu'il devait avoir les idées claires. Sentant le regard lourd de reproche de sa sœur posé sur sa nuque, il se versa, en lieu et place, un grand verre d'eau fraîche à même le pichet qui se trouvait là.

Il avala d'un trait le liquide, qui lui parut désespérément fade et ne lui procura aucune satisfaction. Puis, laissant le verre vide sur le comptoir, il récupéra sa Remington dans l'armoire, la déposa sur la table et prit son calepin dans la poche de sa veste, tandis que sa sœur remettait le dossier de Scotland Yard en ordre. Alors qu'il s'installait devant sa machine à écrire, elle approcha une chaise près de lui et s'y assit. Il la considéra brièvement et décida de se taire. Il comprenait qu'elle ressente le besoin d'agir, de s'occuper l'esprit pour ne pas perdre la raison. Il ressentait la même chose.

— On y va ? demanda-t-il.

Emma hocha la tête. Il inséra une feuille dans la Remington et fit tourner le cylindre jusqu'à ce qu'elle émerge de l'autre côté. Fidèle à son rituel, il fit craquer ses jointures avant de taper un titre qui devait être à la hauteur de ce qu'il avait à annoncer.

JACK L'ÉVENTREUR À MONTRÉAL !

Les mots lui vinrent avec une facilité déconcertante dans les circonstances, comme s'ils avaient été conservés sous pression trop longtemps et jaillissaient enfin. Il ne s'arrêtait que ponctuellement pour consulter ses notes, Emma se chargeant de repérer pour lui les précisions voulues dans le document de Scotland Yard tandis qu'il composait.

L'article était à la fois spectaculaire et alarmiste; plus long que les deux premiers, il remplirait au moins une colonne dans l'édition du lendemain.

> Dans son édition du 10 août dernier, Le Canadien révélait à ses lecteurs l'existence d'un lien entre le récent meurtre de Mme Martha Gallagher et la franc-maçonnerie. Nous dévoilions alors qu'un objet à saveur maçonnique avait été retrouvé près du cadavre et qu'il avait vraisemblablement appartenu à un franc-maçon de langue anglaise. Nous pouvons maintenant confirmer que cet objet est un bouton de manchette auquel, rappelons-le, la police n'a pas jugé bon de s'intéresser lorsqu'il lui a été présenté par le représentant du Canadien.

— Ton inspecteur Arcand va vraiment te détester, déclara Emma, qui lisait à mesure que le texte apparaissait sur le papier.

Les doigts de Joseph se figèrent momentanément sur les touches et il lui adressa une moue méprisante.

— Il me déteste déjà, et après les menaces qu'il m'a fait faire par un de ses hommes, pourquoi me priverais-je ?

Il reprit son texte là où il s'était arrêté, comme s'il s'agissait simplement de rouvrir un robinet pour que le flot interrompu de l'eau soit rétabli.

> Ce bouton de manchette portait des symboles maçonniques, que nous reproduisons ci-dessous :

Depuis, le rythme des événements s'est considérablement accéléré. En effet, dans la nuit du 8 au 9 août, Mlle Madeleine Boucher, femme célibataire exerçant le plus vieux métier du monde, a été assassinée de la même façon que Martha Gallagher, le 7 août dernier : la gorge tranchée, le ventre ouvert du sexe au sternum, les viscères retirés, le cœur arraché et l'intestin drapé sur l'épaule gauche. Le cadavre était également arrangé dans la même position que celui de dame Gallagher et que, pour mémoire, nous reproduisons à nouveau :

De plus, un bouton de manchette identique à celui retrouvé sur les lieux du meurtre de Martha Gallagher a aussi été récupéré près du corps de Madeleine Boucher.

La police, par l'entremise du même inspecteur Arcand, qui se trouvait sur les lieux du crime, a non seulement refusé de corroborer toute information, mais elle a tenté de dissuader le représentant du journal de se mêler de l'affaire, allant jusqu'à le menacer de lui faire visiter longuement une cellule pour désordre sur la voie publique et entrave à la justice.

Des témoins arrivés peu après que le crime eut été perpétré nous ont déclaré avoir entendu une voiture s'éloigner. Ce détail, qui était aussi associé au premier meurtre et qui avait alors paru insignifiant, revêt maintenant un tout nouveau sens, puisqu'il pourrait indiquer la façon dont l'assassin prend la fuite et suggérer l'existence de complices.

Un second meurtre dans les rues habituellement tranquilles de notre belle ville serait déjà plus que suffisant pour troubler sa population. Malheureusement, il cache une horreur encore plus affolante. En effet, nous avons d'excellentes raisons de croire que l'assassin qui arpente nuitamment nos rues n'est nul autre que le tristement célèbre Jack l'Éventreur. On tient cet homme pour responsable des meurtres des prostituées Martha Tabram, Mary Ann Nichols, Annie Chapman, Elizabeth Stride, Catherine Eddowes et Mary Jane Kelly, survenus entre août et novembre 1888, dans le quartier de Whitechapel à Londres. Des sources des plus crédibles nous ont confirmé que ni la police de la City of London ni Scotland Yard n'ont réussi à mettre la main au collet de l'homme connu en Angleterre sous le nom de Jack the Ripper.

Selon ces mêmes sources, la manière dont Martha Gallagher et Madeleine Boucher ont été tuées, de même que la présence du bouton de manchette maçonnique près de chacune des victimes, correspond à la façon de procéder de Jack l'Éventreur et permettent de croire que celui-ci a franchi l'Atlantique pour poursuivre son sinistre travail à Montréal.

La posture des cadavres, particulière aux meurtres de Montréal, est une référence claire à la franc-maçonnerie, l'équerre (représentée ci-dessous, surmontée d'un compas) étant un de ses symboles les plus connus.

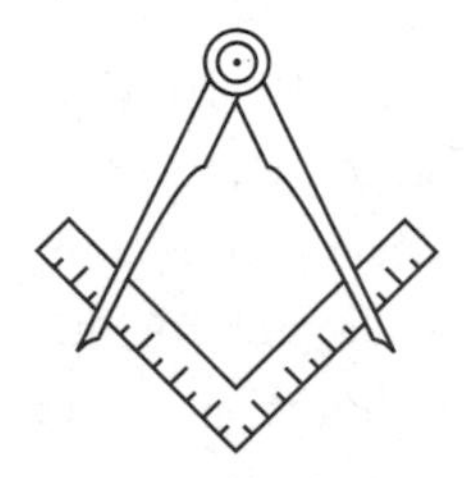

Quant aux mutilations infligées aux victimes, elles sont mentionnées dans la légende maçonnique du meurtre du constructeur du temple de Jérusalem, Hiram Abif. Selon ce récit plusieurs fois centenaire, le roi Salomon ordonna que ses assassins, Jubela, Jubelo et Jubelam, aient la gorge tranchée, la poitrine ouverte, le cœur et les entrailles arrachés avant que leurs intestins soient jetés par-dessus leur épaule gauche. Tout franc-maçon jure d'ailleurs de garder les secrets de l'Ordre, sous peine de subir les mêmes supplices.

Montréalais, Jack l'Éventreur est parmi nous ! Il est d'une habileté machiavélique, intelligent, discret et expérimenté. Il continuera à tuer en se jouant de la police. Est-il un franc-maçon exerçant une sombre vengeance contre la mystérieuse société secrète, et que seuls ses membres peuvent comprendre ? En veut-il plutôt à cette société au point d'en révéler les mystères pour l'incriminer ? A-t-il simplement perdu la raison ? Nul ne saurait le dire pour l'instant. Seules les autorités de la Grande Loge du Québec pourraient nous éclairer sur la situation. Espérons qu'elles briseront le secret et le silence dans lequel elles se retranchent toujours et fourniront aux Montréalais les explications auxquelles ils ont droit. Sinon, l'assassin continuera à frapper.

Joseph Laflamme

Lorsque le crépitement furieux de la Remington s'arrêta, Joseph essuya de sa manche la sueur qui lui perlait sur le front et retira le troisième feuillet de son article. Côte à côte, sa sœur et lui le relurent, raturant au crayon et corrigeant quelques mots au passage, vérifiant un détail ici et là. Quand ils furent satisfaits, Joseph dactylographia la version finale et ajouta à la main les croquis nécessaires dans les espaces qu'il avait laissés libres à cette fin.

— Une chose est sûre : ça ne laissera personne indifférent, déclara Emma. Les citoyens seront inquiets, la police et la Grande Loge du Québec vont être vexées. Ça ressemble pas mal à ce que souhaitaient nos visiteurs d'hier soir.

— Je crois que je sais, maintenant, ce que ça fait de signer son arrêt de mort, répondit sombrement Joseph.

Il consulta sa montre de gousset, mit l'article dans son porte-documents, se reboutonna et refit sa cravate, puis passa sa veste. S'il se hâtait, Rouleau pourrait publier l'article dans l'édition du lendemain. Alors qu'il s'apprêtait à sortir, il fit demi-tour et alla chercher, dans le tiroir de leur vieux buffet, le revolver que leur avaient confié les agents du Yard. Sans rien dire, il le déposa sur la table devant sa sœur.

— Ne t'attarde pas en chemin, dit-elle en essayant vainement de ne pas avoir l'air suppliante.

Sa sœur le connaissait assez bien pour savoir que la tension et l'anxiété risquaient fort de le mener vers un débit de boissons dont il reviendrait ivre tard dans la nuit.

— Promis, lui répondit-il. Je reviendrai tout droit ici.

Il avait posé la main sur la poignée de la porte lorsque la voix de sa sœur l'arrêta à nouveau.

— Jo ?

— Oui ?

— Et après ? Qu'est-ce qu'on fait après ?

— Je ne sais pas. On attend, je suppose.

Il sortit, verrouilla lui-même la porte et se dirigea vers la porte cochère.

33

Charles-Edmond Rouleau était absent. Sauvageau, par contre, était là et s'activait furieusement sur sa machine à écrire, dont le *rat-tap-ta-tap-tap* remplissait le bureau. Dès qu'il entendit la porte s'ouvrir, il s'interrompit et leva les yeux. Joseph fut surpris de voir combien ils étaient cernés. Son collègue avait les traits tirés et était mal peigné. De toute évidence, il avait passé une partie de la nuit debout, comme l'avait affirmé Rouleau. Quand il vit Joseph, son visage s'illumina néanmoins.

— Tiens ! Si ce n'est pas Joseph Laflamme, le reporter le plus intrépide de Montréal ! s'exclama-t-il avec enthousiasme.

— Tu as l'air d'avoir passé la nuit à faire la fête.

— Je sais, je sais. Dis donc, tu as trouvé tout un filon, chanceux !

Sauvageau lui adressa un clin d'œil complice.

— C'est grâce à toi, répondit Joseph, un peu mal à l'aise. D'ailleurs, j'ai ouï dire que tu te chargeais d'une démission scandaleuse. Ce n'est pas mal non plus !

Sauvageau sourit à pleines dents, se cala dans sa chaise et se tapota le ventre avec un air satisfait.

— En effet, ricana-t-il. Le petit filou a fini par démissionner! Depuis ce matin, Hector Langevin n'est plus ministre des Travaux publics du Canada, et plus personne ne lui donnera du « très honorable »!

Il désigna de la tête le bureau vide de Rouleau.

— Ça explique l'absence inhabituelle de notre bon rédacteur en chef. Dès que je lui ai confirmé la chose, il s'est précipité chez M. Tarte pour terminer avec lui l'éditorial que le journal va consacrer à l'affaire. Un peu plus et il y allait en dansant.

Il consulta sa montre.

— Il devrait être de retour bientôt pour finaliser l'édition de demain. Comme tu vois, pendant qu'il réfléchit en compagnie des grands de ce monde, le modeste tâcheron que je suis est chargé de rédiger la nouvelle.

Il avisa le porte-documents de Joseph.

— Parlant de nouvelles, j'ai lu tes deux articles. Les francs-maçons impliqués dans les meurtres de ces deux filles... De la vraie dynamite! se réjouit-il. Comme je suis la source à laquelle tu fais référence, je suis bien placé pour te dire que tu y vas un peu fort avec les quelques informations que tu détiens, mais j'aurais fait la même chose à ta place.

— En fait, j'ai été bien trop réservé.

Sauvageau le dévisagea, perplexe.

— Que sous-entends-tu?

Pour toute réponse, Joseph ouvrit sa serviette et en tira les trois feuillets de son prochain article. Avec gravité, il les posa à côté de la machine à écrire.

— Lis ça.

Intrigué, Sauvageau ramassa les feuilles. À mesure qu'il lisait, ses yeux s'arrondirent. Sur son visage se succédèrent des sentiments allant de l'incrédulité à la stupéfaction, puis à l'envie et à l'amusement espiègle. À plusieurs reprises, il quitta les feuilles des yeux pour regarder leur auteur.

— Jack… l'Éventreur ? demanda-t-il enfin d'un ton neutre. *Le* Jack l'Éventreur ? Notre tueur à nous ? Des meurtres inspirés des légendes maçonniques ? Une voiture et des complices potentiels ? Je n'étais même pas au courant du deuxième meurtre… Bon Dieu, mais où as-tu pêché tout ça ? Tes sources ont intérêt à être solides, sinon tu vas y laisser ta réputation.

— Elles le sont. On ne peut plus.

— Je présume que même si je te le demandais très gentiment, tu ne me révélerais pas l'identité de ces êtres omniscients ?

— Tu sais bien que je ne peux pas.

— Tu ne peux pas me blâmer d'avoir essayé, dit Sauvageau en lui rendant son article. Tu ferais pareil. Cette histoire va faire de sérieux remous, mon vieux. L'Église, la Grande Loge du Québec, les politiciens, tout le monde va vouloir épingler un morceau de ta peau sur son mur.

— Quelqu'un a déjà eu celle de ton copain le vendeur, déclara Joseph tout d'une traite.

— Pardon ? fit Sauvageau, soudain sérieux.

— Tu as bien entendu.

Joseph lui relata sa découverte du cadavre de Jonathan Withers et le vit pâlir à mesure que les détails s'accumulaient.

— Sacrifice… jura-t-il lorsque le récit fut terminé. Pauvre vieux Withers… Il n'aurait pas fait de mal à une mouche…

Sur ces entrefaites, la porte s'ouvrit et Rouleau apparut.

— Tiens, Laflamme ! s'exclama-t-il avec un plaisir non dissimulé. Alors, tu as quelque chose pour moi ?

Joseph prit les feuillets sur le bureau de Sauvageau et les lui tendit. L'éditeur alla s'installer à sa place pour en prendre connaissance. Il les lut deux fois, d'abord en diagonale, puis en profondeur. Lorsqu'il eut terminé, il continua à regarder les feuilles comme si elles étaient en or pur et émit un sifflement admiratif.

— Tu as des preuves de ce que tu avances? s'enquit-il enfin.

— Un dossier secret de Scotland Yard, rétorqua Joseph sans hésiter, sachant que son vieux routier de rédacteur ne publierait pas un contenu aussi explosif sans garantie.

— Scotland Yard?

— Vous savez que je ne peux pas vous en dire plus.

Après un nouveau sifflement impressionné, Rouleau fit une lippe appréciative.

— C'est encore plus fort que je l'espérais, décréta-t-il.

Il leva les yeux et toisa tour à tour les deux journalistes.

— Un ministre fédéral qui démissionne en plein scandale et Jack l'Éventreur qui dépèce nos putes... Tout ça dans le même numéro. Je dois mener une bonne vie, dit-il en secouant la tête, un peu médusé.

Le rédacteur pigea quelques dollars dans la petite caisse de son tiroir, et les tendit à Joseph.

— Voilà, dit-il. Pour du travail bien fait. Et surtout, continue à fouiller, même si j'ai du mal à imaginer ce que tu pourrais découvrir de plus.

Il sortit un carnet de reçus d'un autre tiroir, plaça une feuille de papier carbone sous le premier, le remplit et le tendit à Joseph avec un crayon.

— Au fait, il faudrait que tu me signes un reçu pour les avances. C'est pour la comptabilité, expliqua-t-il.

Joseph s'exécuta et Rouleau rangea le tout avant de faire apparaître, tel un prestidigitateur de foire foraine, une bouteille de scotch et trois verres.

Joseph allait accepter lorsque l'image d'Emma, égorgée et éviscérée, baignant dans son sang, le regard fixe, sur le plancher de la cuisine, lui vint en tête. Il avait allumé un feu avec ses premiers articles et il l'entretenait avec celui-ci. Si l'incendie emportait sa sœur, il ne se le pardonnerait jamais. À regret, il fit signe à Rouleau de ne pas remplir de verre pour lui.

— Non merci. Je dois retourner chez moi, dit-il.

— Ah ? Bon, dit le rédacteur étonné. Tu continues ton travail, n'est-ce pas ? Je compte sur toi.

— Oui, c'est ça, répondit distraitement Joseph.

Sans rien ajouter, il tourna les talons et sortit des bureaux, laissant Rouleau et Sauvageau stupéfaits, leur verre à la main. Ne sachant que faire d'autre, ils haussèrent les épaules et trinquèrent.

34

Les Cœurs-Unis étaient la seule loge de Montréal, et l'une des rares de la province, qui travaillait en français. Elle regroupait par conséquent les maçons canadiens-français de tous horizons et de toutes professions. Ses travaux débutaient à dix-neuf heures précises et se terminaient à une heure raisonnable afin que les frères présents puissent profiter d'une bonne nuit de sommeil et bien travailler le lendemain. Car c'était avant tout par le travail que l'homme s'améliorait lui-même – il « taillait sa pierre », comme le disaient les francs-maçons –, et les tenues ne devaient en aucun cas en entraver l'accomplissement.

Marcel Arcand avait toujours apprécié le fait qu'on tienne compte des obligations professionnelles des frères, mais cette fois-ci, il aurait aimé que la tenue dure plus longtemps. Il avait grand besoin de la sérénité qu'elle lui procurait. Depuis le jour où il avait été fait franc-maçon, une quinzaine d'années auparavant, il avait goûté le calme et l'intériorité que lui apportaient les travaux de son atelier. Dès son entrée, alors qu'il n'était que simple policier, il en avait savouré la rigueur, le protocole et la gravité. Il avait trouvé une paix profonde et insoupçonnée dans la répétition méticuleuse, une semaine sur deux, d'un rituel qui était demeuré essentiellement le même dans son essence depuis le XIIIe siècle. Comme la plupart de ses frères, il était avant tout devenu maçon pour s'améliorer lui-même ; par désespoir, aussi, de croiser trop peu d'hommes honnêtes et droits. Pour son plus grand bonheur, il en avait rencontré à Cœurs-Unis et, dès lors, il n'avait pratiquement jamais manqué les deux rencontres mensuelles, quitte à se remettre au travail ensuite et à passer une nuit blanche s'il le fallait.

Il avait gravi lentement et méthodiquement les échelons dans sa loge, sans hâte ni ambition, exerçant les tâches subalternes mais essentielles d'intendant, de tuileur et de couvreur, puis de diacre, avant de se voir confier des responsabilités plus grandes. Ses fonctions d'inspecteur l'occupant de plus en plus, il n'avait cependant pas voulu progresser au-delà de la fonction de second surveillant qui était la sienne depuis deux ans et dans laquelle il avait trouvé un confort agréable. Il ne tenait pas à être vénérable maître d'une loge. Il ne croyait pas posséder la sagesse nécessaire pour diriger un groupe d'hommes de ce genre, qui n'avait rien de commun avec une meute de sergents de police.

Il avait compris qu'il pouvait apporter sa contribution en mettant au service de sa loge les talents qu'il avait reçus du Grand Architecte de l'Univers. Aussi, quelles que fussent ses occupations, il ne refusait jamais d'apprendre par cœur des textes de plusieurs pages qu'il récitait ensuite avec un naturel convaincant aux candidats aux grades d'apprenti, de compagnon ou de maître. C'était ce qu'il avait fait de bon cœur ce soir-là pour un nouvel initié, lui récitant l'exhortation du second surveillant, qui indique au frère ses devoirs en tant que maçon, citoyen et individu. Malgré sa fatigue et ses préoccupations, il avait réussi à faire le vide et à livrer sans faille le texte qu'il connaissait déjà bien. Il avait veillé à le répéter aussi souvent que possible au cours des jours précédents et s'en félicitait maintenant.

Trois coups secs le tirèrent de ses rêveries fatiguées et il constata en sursautant que ses paupières lourdes menaçaient de se fermer. Maudissant intérieurement le manque de sommeil des derniers jours, il répondit à l'appel rituel en se levant de son fauteuil, situé au midi du temple. Une fois debout, il attendit que le vénérable maître annonce son intention de clore la loge.

— Frère second surveillant, quel est le devoir des francs-maçons assemblés ? s'enquit le maître de la loge, de son fauteuil à l'Orient.

— C'est de s'assurer que la loge est tuilée, répondit-il machinalement, comme il le faisait depuis deux ans, sa main droite gantée de blanc placée sur sa gorge.

— Voyez à ce qu'on s'en assure.

— Frère couvreur, ordonna-t-il à celui qui gardait la porte de l'intérieur, assurez-vous que la loge est tuilée.

Après avoir ouvert le judas et obtenu du tuileur, de l'autre côté, les assurances nécessaires, le couvreur se retourna vers lui.

— Frère second surveillant, la loge est tuilée, l'informa-t-il.

— Par qui ?

— Par un frère armé de son épée et prêt à en interdire l'entrée.

— Vénérable maître, la loge est tuilée par un frère armé de son épée et prêt à en interdire l'entrée, déclara-t-il à son tour en regardant vers l'Orient.

Depuis des siècles, il en allait ainsi chaque fois qu'une loge cessait ses travaux, avec très peu de changements et indépendamment de ceux qui occupaient les différents fauteuils. La nature immuable de la franc-maçonnerie avait quelque chose de réconfortant. La cérémonie de clôture des travaux se poursuivit sous la direction du vénérable maître, qui exprima au Grand Architecte de l'Univers la reconnaissance de tous pour les faveurs reçues et l'implora de préserver l'Ordre. L'ancien vénérable de la loge, qui siégeait à la gauche de son successeur, quitta l'Orient pour refermer solennellement la bible déposée sur le petit autel, au centre de la loge, après en avoir retiré l'équerre et le compas, tandis que le maître des cérémonies éteignait les flambeaux, rangeait le tableau de loge et retirait de la pierre brute les outils associés au grade d'apprenti. Enfin, le vénérable maître rappela à tous qu'ils devaient conserver leurs secrets dans le dépôt de leur cœur jusqu'à leur prochaine rencontre, et la loge fut déclarée close.

— Officiers, retirez vos colliers et vos bijoux, car vous n'êtes que de simples frères, ordonna le vénérable maître en donnant un dernier coup de maillet sur un plateau posé à sa droite.

Tous les officiers enlevèrent le sautoir qu'ils portaient et le posèrent sur leur fauteuil. Après avoir détaché le tablier dont ils étaient parés et enlevé leurs gants blancs, les frères présents se réunirent au centre du temple et se donnèrent la main pour former une chaîne. Dans cette posture, ils restèrent un moment en silence, puis la chaîne fut brisée, marquant la fin de la tenue.

Dans un joyeux brouhaha, ils se dirigèrent vers la pièce attenante à la loge, où un repas chaud et du vin les attendaient. En sortant, Arcand repéra Albert Sauvageau qui gesticulait, en pleine conversation avec le nouvel apprenti qui venait d'être initié et qui avait l'air émerveillé que tous les francs-maçons arboraient en cette occasion. Il le rattrapa avant qu'il n'entre dans la salle où l'on allait prendre le repas.

— Albert, mon frère, je peux te parler une minute ? demanda-t-il.

— Ah ! Marcel, très cher frère ! s'exclama Sauvageau. M. Rouleau m'a dit que tu étais passé me voir au *Canadien* ? J'ai pensé aller te voir à la station, mais je suis passablement occupé ces jours-ci avec la démission de Langevin. Je me suis dit que nous pourrions discuter ce soir.

Le prenant par le coude, Arcand le tira un peu à l'écart et laissa passer les autres frères, qui entrèrent deux par deux pour aller s'installer autour des tables qu'on avait disposées en U, le vénérable maître et les dignitaires prenant place au bout.

— Je voulais te demander si c'est toi qui alimentes Joseph Laflamme et *Le Canadien* au sujet des meurtres et de leurs liens prétendus avec la franc-maçonnerie, chuchota Arcand, trop à vif pour passer par quatre chemins.

Sauvageau fut surpris, mais se reprit aussi vite.

— Je l'ai orienté au début, oui, admit-il avec la nonchalance étudiée de celui qui préférerait ne pas avoir à répondre de son geste. Il avait ramassé un bouton de manchette couvert de symboles maçonniques et ne le savait même pas. D'ailleurs, je crois savoir qu'il te l'a montré en premier et que tu ne l'avais pas jugé digne de ton intérêt. Mais le reste, Joseph l'a fait tout seul. Il a beaucoup de talent.

— Le grand maître m'a chargé de te dire qu'il souhaite ardemment que tu sois plus discret, mon frère, dit Arcand d'un ton calme mais sans équivoque.

Sauvageau se mit à rire.

— Allons donc ! Je suis peut-être maçon, mais je suis aussi journaliste, et une enquête est une enquête, comme dans la police. Et puis, si un de nos frères a commis ces meurtres, il mérite d'être dénoncé et puni, peu importe si c'est un journaliste ou un inspecteur qui le retrouve le premier.

— Mais même si l'Ordre abritait une pomme pourrie, est-il nécessaire de le détruire tout entier en laissant entendre sans aucune preuve qu'il est lié à des meurtres sordides ? Tu n'as aucune idée de l'histoire dans laquelle ton ami Laflamme a mis les pieds. Et permets-moi, mon frère, de te rappeler que tu es membre de la Grande Loge du Québec et que, journaliste ou pas, tu as des obligations envers elle, ainsi qu'envers la franc-maçonnerie en général.

Le journaliste adressa à son interlocuteur un petit sourire en coin, comme s'il s'apprêtait à lui jouer un bon tour.

— Mon pauvre Marcel, tu n'as encore rien vu.

— Que veux-tu dire ?

— Attends de lire le prochain numéro du *Canadien*, demain matin ! Tu comprendras.

Il se pencha un peu vers Arcand.

— Je ne sais pas où Laflamme a trouvé ses informations, mais il détient de la vraie dynamite, déclara-t-il sur un ton de conspirateur. Si tu craignais que la franc-maçonnerie souffre de l'article de ce matin, alors mon vieux, accroche-toi et prépare-toi pour un choc.

— Raconte.

— Non, non, non, le taquina Sauvageau en agitant l'index. Attends, comme tout le monde. J'aurais l'air de quoi si je donnais un traitement de faveur à la police, moi, un journaliste ? C'est que je fais attention à ma réputation !

Il regarda les autres prendre place dans la pièce, impatient de se joindre à eux et sans doute attiré par le fumet du repas qu'on commençait à servir.

— N'oublie pas le serment que tu as prononcé sur la bible le jour de ton initiation, dit froidement Arcand. Si ma mémoire fatiguée ne me joue pas de tours, je crois que tu as prononcé à peu près ces mots : « Je promets solennellement, en présence de Dieu Tout-Puissant, que je cacherai tous les secrets des maçons ou de la maçonnerie, ceux qui viennent de m'être révélés, ceux qui vont l'être maintenant ou plus tard, que je ne les dirai pas, ni ne les révélerai à quiconque, sauf à un frère après un tuilage rituel, que je ne les écrirai pas, ne les imprimerai pas, ne les marquerai pas, ne les poinçonnerai pas et ne les graverai pas, sous une peine qui ne saurait être moindre que d'avoir la gorge tranchée, la langue arrachée de mon palais, le cœur arraché de dessous le sein gauche et enterré dans les sables de la mer, à une encablure du rivage, le corps brûlé et réduit en cendres, et ces cendres dispersées sur la surface de la terre, de telle sorte qu'on ne se souvienne pas de moi*. »

— Tu sais, ces serments me sont toujours apparus un peu désuets et un brin grand-guignolesques, répondit Sauvageau avec insouciance. Il ne faut pas prendre au pied de la lettre des textes vieux d'au moins cinq siècles, mon frère. Les temps ont changé et le secret maçonnique n'existe plus que dans l'esprit des maçons nostalgiques. Quiconque sait lire l'anglais peut retrouver le texte exact que tu viens de réciter ainsi que plusieurs autres dans une variété de livres accessibles à tous. Il ne faut pas en faire un plat. Appartenir à une loge, de nos jours, c'est avant tout tisser des liens personnels ou professionnels, tout en profitant d'un temps de réflexion.

— C'est aussi accorder une valeur à la droiture, à la rectitude, à l'honneur et à l'honnêteté, rétorqua l'inspecteur.

---

* Manuscrit Wilkinson, 1727.

— Et que je sache, je n'en ai trahi aucun. Au contraire, j'ai fait mon métier au mieux de mes capacités.

Arcand haussa les épaules, résigné.

— Ta vision de l'Ordre est décourageante, déplora-t-il, mais tu y as droit.

— Allez, Marcel, cesse de donner des leçons et viens boire et manger avec tes frères. Ça te fera du bien.

— Je dois partir. J'ai du travail.

— Comme tu veux, déplora Sauvageau avant de faire demi-tour et de disparaître dans la salle des agapes.

Arcand le regarda s'asseoir non loin du nouvel apprenti qui, comme le voulait la tradition, prenait exceptionnellement place ce soir-là à la droite du vénérable maître. Il considéra les assiettes de rôti de bœuf en sauce accompagné de pommes de terre et de légumes, puis les coupes de vin qui se remplissaient aussi vite qu'elles se vidaient, et décida de rentrer chez lui. L'alcool l'assommerait alors qu'il devait être plus alerte que jamais.

35

Montréal, 11 août 1891

Aux petites heures du matin, Marcel Arcand était toujours éveillé, seul dans le salon de sa modeste maison bourgeoise, à l'est de Saint-Denis. Il vivait à l'ombre des riches, mais non loin des quartiers ouvriers, ce qui lui rappelait sans cesse qu'il n'était qu'un policier ni argenté ni pauvre, même si son grade lui valait quelques dollars de plus chaque mois et un certain respect au sein de la société. Si l'intégrité était moralement rassurante, elle était rarement payante : il l'avait toujours su et accepté, mais parfois, quand les semaines étaient si longues qu'il avait envie de s'allonger et de dormir deux jours d'affilée, il regrettait presque d'être un homme honnête.

Alors que Montréal sommeillait encore, il n'était pas loin de regretter aussi, peut-être pour la première fois, d'être devenu policier. Pour peu que ce qu'avait évoqué le grand maître soit avéré, il ne se sentait ni le courage ni la compétence pour faire face à Jack l'Éventreur. À plus forte raison, il n'était pas de taille à percer un complot aux ramifications complexes visant à discréditer la franc-maçonnerie au moyen de meurtres gratuits. Et pourtant, il ne pouvait pas simplement clore le dossier. Il avait deux cadavres de prostituées sur les bras et, que cela lui plaise ou non, son travail était d'arrêter leur assassin avant qu'il n'en mutile une troisième.

Une lampe à huile était allumée sur le guéridon près du fauteuil, à côté de son arme de service et de son carnet de notes. Il frotta ses yeux brûlants de fatigue. Il était tard et il aurait donné une semaine de salaire pour dormir, mais il savait très bien que le sommeil s'envolerait aussitôt que sa tête toucherait l'oreiller, tandis que les idées se remettraient à tournoyer dans sa cervelle. Il en allait de même chaque fois qu'il était aux prises avec une affaire qu'il ne comprenait pas. Et il comprenait de moins en moins celle-ci.

Sur ses genoux traînait la dernière livraison du *Canadien*. À la suite de l'allusion de Sauvageau, il avait envoyé un sergent la cueillir sur les presses de l'imprimeur, de sorte qu'il avait été le premier Montréalais à la consulter. Le journal dégageait encore une forte odeur d'encre, mais aussi de défaite. Frustré, il se passa la main dans les cheveux et se mit à se gratter furieusement le cuir chevelu, comme si un massage pouvait faire suinter une épiphanie de son pauvre crâne. Il avait relu plusieurs fois l'article de cet irritant journaliste qui s'était mis en tête de devenir célèbre et n'arrivait toujours pas à croire que ce que le grand maître lui avait confié dans le plus grand secret se retrouvait en première page.

Dieu seul pouvait prévoir les conséquences de ce qu'on y révélait. Il secoua la tête, plus las que jamais. Jack l'Éventreur. *Le* Jack l'Éventreur, en liberté, dans les rues de Montréal. Ses rues à lui, qu'il devait garder sûres. Comment Laflamme avait-il su ? Avait-il découvert lui-même des similitudes ou l'avait-on informé ? Si oui, qui pouvait savoir ? Un officier de la Grande Loge ?

Il réalisa que, pour la première fois depuis le début de l'affaire, il avait peur. Il sursauta quand la voix de Pauline le tira de ses réflexions.

— Viens donc dormir, mon pauvre Marcel, dit-elle avec compassion, l'épaule appuyée contre le montant de la porte du salon.

Il lui adressa un sourire las. En acceptant de l'épouser, voilà presque dix ans, la pauvre savait exactement dans quoi elle s'embarquait. Son père avait été policier, son grand-père aussi. Elle était consciente d'avoir mis la main sur ce qu'il était convenu d'appeler « un bon parti », mais aussi des obligations et des sacrifices qui venaient avec ce genre d'homme. Sa mère et sa grand-mère avaient vécu la même chose.

Arcand se leva, alla à sa rencontre et lui posa un baiser affectueux sur le front.

— Ma cervelle est comme un cheval emballé, avoua-t-il. Je suis incapable de penser à autre chose.

— Je connais un moyen très agréable de te distraire, minauda-t-elle d'un ton lascif qui laissait peu de place à l'interprétation.

L'espace d'un instant, il fut cruellement tenté. Il négligeait sa femme et, en devinant ses formes généreuses sous sa robe de nuit, il se rendit compte qu'une partie de lui-même au moins n'était pas encore complètement épuisée. Il essaya de se rappeler la dernière fois qu'ils avaient fait l'amour et, à son désarroi, n'y parvint pas. À ce rythme, les jumeaux n'auraient pas de petite sœur de sitôt.

— Je dois travailler encore un peu, ma chérie, lui répondit-il avec un regret sincère. Ce ne sera pas long.

— Tant pis pour toi, ronronna-t-elle d'un ton espiègle. Tu sais ce que tu manques.

— Hélas, oui, soupira Arcand. Enfin, si je me fie au vague souvenir que j'en ai…

— Essaie de fermer l'œil quelques heures avant que le jour se lève, sinon tu vas avoir la cervelle en guenilles.

— C'est déjà fait.

Elle l'embrassa avec tendresse en lui caressant la nuque, puis retourna se coucher. Une fois seul, il claqua la langue, dépité, et prit son calepin sur le guéridon. Il en tourna machinalement les pages, espérant remarquer un détail négligé, établir un lien qui lui avait jusque-là échappé.

Cela faisait une quinzaine de minutes qu'il fixait les pages sans le moindre résultat, quand trois coups secs et puissants retentirent à la porte. Aussitôt, Arcand fut en alerte. Alors qu'il déposait son calepin, les coups retentirent à nouveau en se faisant plus insistants. Irrité, il ramassa son revolver, se leva et alla ouvrir. Sur la galerie, il découvrit le sergent Duhaime, un petit homme nerveux avec lequel il travaillait souvent. Il avait enlevé sa casquette et la triturait.

— Qu'est-ce que c'est ? s'enquit l'inspecteur, un peu plus sèchement qu'il ne l'aurait voulu.

— On en a un autre.

— Un autre cadavre ?

— Aussi. Mais surtout, un autre tueur.

36

L'anxiété avait eu le dessus sur la fatigue et les avait tirés du sommeil aux premières lueurs de l'aube. De leur fenêtre donnant sur la cour intérieure, Joseph et Emma avaient vu se lever sur Montréal un soleil annonçant une journée dont ils étaient sans doute les seuls, avec Margaret Smith et George McCreary, à savoir qu'elle risquait de voir la mort d'une autre innocente. Taciturnes, ils avaient mangé leur gruau et bu leur thé, par nécessité plus que par appétit. Ils n'avaient pas dit grand-chose, les mots étant superflus dans les circonstances.

Ils n'avaient pas eu besoin de se consulter pour décider de rester terrés chez eux. Joseph ne disposait d'aucune information nouvelle et n'avait donc aucune raison de se rendre au *Canadien*. Emma, quant à elle, n'avait pas de travail à aller chercher à l'usine. Ils étaient tout bonnement coincés là, à attendre que quelque chose se passe.

La décision de provoquer l'Éventreur pesait lourd sur les épaules de Joseph. Même si elle était justifiée, son succès viendrait au prix de la vie d'au moins une autre prostituée, vraisemblablement davantage. Il n'osait même pas songer à ce qu'il ressentirait si l'une d'elles était Mary O'Gara. Mais si les choses tournaient bien, il aurait enfin de l'argent. Assez pour recommencer à neuf, incognito. Mary ne pourrait plus lui rire au nez. Peut-être qu'au bout du compte, cette folle histoire tournerait à l'avantage de tout le monde. S'ils y survivaient.

Après le déjeuner, chacun s'était habillé. En camisole, ses bretelles rabattues sur les hanches, Joseph se tenait au comptoir. Il venait de se raser avec le vieux rasoir droit qu'il maudissait chaque matin, taillant au passage sa fine moustache avec des ciseaux, puis avait appliqué un peu de pommade sur ses joues. Il lissa ses cheveux puis inspecta le résultat dans le miroir. L'image qu'il y découvrit était consternante. L'homme qu'il voyait dans le miroir avait les yeux cernés, les traits tirés et le teint pâle. On aurait dit un condamné à mort.

L'air de rien, Joseph alla vérifier que les serrures des fenêtres et de la porte étaient bien verrouillées. Emma, qui était assise à la table, devant une tasse de thé fumant, et brodait furieusement un motif de feuilles de vigne sur une serviette de table en lin, leva la tête pour le regarder faire.

— Tu as déjà fait la tournée deux fois, lui reprocha-t-elle sur un ton sec qui trahissait sa propre tension. Les fenêtres ne se sont pas déverrouillées toutes seules depuis la dernière fois.

— Si tu te sens à ce point en sécurité, pourquoi le revolver de McCreary ne te quitte-t-il pas d'un poil? répliqua-t-il en désignant l'arme que sa sœur gardait près d'elle sur la table, près de sa tasse.

Frustré et ne sachant que faire de ses dix doigts, il alla chercher sa mallette dans sa chambre, puis rejoignit sa sœur à la table. Il posa devant lui le dossier de Scotland Yard et son propre calepin. Il s'y plongea en essayant de repérer un détail dont la signification lui avait échappé ou un lien négligé entre des faits qu'il tenait pour acquis.

Mais rien n'y fit. Il ne voyait aucune échappatoire à leur cul-de-sac.

Après plus d'une heure d'efforts futiles, il referma brusquement le dossier et alla se préparer un thé. Il mit la bouilloire à chauffer sur le poêle et remplit de feuilles la petite boule de tôle. Lorsque l'eau fut chaude, il combla sa tasse et laissa infuser la boisson pour qu'elle soit bien forte.

— Si Smith et McCreary échouent et que les articles ne poussent pas le tueur à commettre une imprudence, remarqua-t-il, préoccupé, en écartant les rideaux pour regarder dehors, Dieu seul sait ce que ce malade fera. Si j'avais su où nous mènerait cette histoire, j'en serais resté loin.

— Mais tu ne le savais pas, justement, mon pauvre Jo, rétorqua Emma. Tu essayais de faire ton travail, c'est tout. Tu voulais gagner ta vie. Ne te blâme pas parce que tu essaies de survivre. Et puis, n'oublie pas que tu avais décidé de laisser tomber. Qui aurait pu prédire que l'assassin était Jack l'Éventreur, venu directement de Londres pour égorger les prostituées montréalaises ?

— Je sais… soupira-t-il. Mais quand même…

Il allait quitter le comptoir pour la retrouver et, faute de mieux, étudier de nouveau le dossier, lorsqu'il aperçut une silhouette dans l'ombre, sous la porte cochère, à l'autre bout de la cour intérieure. Il se raidit et jeta un coup d'œil vers la table pour vérifier que le revolver s'y trouvait.

— Qu'est-ce qu'il y a ? s'enquit anxieusement Emma, à laquelle sa tension soudaine n'avait pas échappé.

Il attendit un peu et un homme émergea dans la cour. Il se détendit aussitôt.

— C'est Sauvageau, dit-il. Qu'est-ce qu'il peut bien vouloir ?

Il regarda son collègue s'approcher. Mince et élégant dans son costume sombre de bonne qualité et ses chaussures cirées, avec sa barbe bien taillée, ses cheveux soigneusement lissés vers l'arrière, il semblait heureux et sifflotait gaiement. Il franchit la cour intérieure, un journal plié sous le bras, et Joseph comprit l'objet de sa visite. Il se sentait reconnaissant de l'amitié que lui témoignait ce collègue qui l'avait généreusement mis sur la piste alors qu'il aurait pu craindre son succès. Il gagna la porte, la déverrouilla et l'ouvrit avant que son visiteur n'ait le temps de frapper. Le poing brandi en vain, Sauvageau sursauta.

— Bonjour, Albert, dit Joseph.

— Laflamme ! s'exclama Sauvageau, tout sourire. Mais qu'est-ce que tu fais, terré à la maison, alors que tout Montréal parle de toi ? À peine arrivé, ce matin, Rouleau se servait son premier scotch pour fêter ça ! Si tu continues, il va crever d'une cirrhose du foie. Et il paraît que M. Tarte demande à rencontrer « ce jeune journaliste plein de talent ». Ce sont les mots exacts du patron. M'est avis que tu vas bientôt te faire offrir un beau poste permanent. As-tu le journal de ce matin, au moins ?

— Non, pas encore. Je...

— Alors, j'ai bien fait de l'apporter ! Rouleau m'a expliqué où tu habitais et me voilà.

Il lui tendit le numéro du *Canadien*, que Joseph accepta presque à contrecœur.

— Je peux entrer ?

— Bien sûr. Excuse-moi...

Joseph s'écarta pour libérer le passage et son collègue pénétra dans la cuisine. Dès qu'il aperçut Emma en train de broder, il se redressa, visiblement pris de court.

— Ma sœur, Emma Laflamme.

— Madame, dit Sauvageau en inclinant galamment la tête.

— Mademoiselle, corrigea Emma.

— Je m'excuse de surgir ainsi.

— J'ai cru comprendre que mon frère vous est grandement redevable de ses récents succès ?

— Oh, si peu… fit Sauvageau, flatté, sans saisir l'ironie du propos. Juste quelques informations que j'étais en mesure de lui fournir. Il en aurait fait autant pour moi, j'en suis sûr.

— Tu veux du thé ? proposa Joseph. J'étais en train d'en faire.

— Non, je te remercie. Je passais seulement en vitesse pour te remettre le journal. Tu pourras lire ton article. Je dois retourner au bureau.

— Il y a du neuf concernant la démission de Langevin ?

— Toutes sortes de rumeurs, répondit Sauvageau. Selon la dernière, le premier ministre Abbott lui aurait proposé de devenir lieutenant-gouverneur de la Province s'il démissionnait de son poste de ministre. Si elle est fondée, cela en fera une de plus à dénoncer pour le journal.

Il se tourna vers Emma et fit un salut poli de la tête.

— Ce fut un plaisir de faire votre connaissance, mademoiselle. J'espère que nous aurons le plaisir de nous revoir.

Emma lui rendit la politesse et il serra la main de Joseph avant de sortir.

* * *

Joseph avait lu l'article deux fois d'un bout à l'autre, et c'était maintenant sa sœur qui le parcourait, lorsqu'on frappa à la porte. Tous deux sursautèrent comme des voleurs pris sur le fait et échangèrent un regard interrogateur. Joseph se leva et se rendit à la porte.

— Qui est-ce ? demanda-t-il assez fort pour être entendu de l'extérieur.

— Inspecteur Marcel Arcand, du département de police de Montréal, fit une voix lasse de l'autre côté.

— Merde... siffla Joseph. Comme si j'avais besoin de ça...

Il se raidit et ouvrit.

— Vous avez l'air d'avoir passé la nuit sur la corde à linge, remarqua l'inspecteur, sans autre forme de courtoisie.

— Je vous retourne le compliment, répliqua Joseph en avisant les vêtements fripés et la barbe d'une journée de l'inspecteur.

— Dans mon cas, c'est exactement ce que j'ai fait. Puis-je entrer ?

— Le faut-il vraiment ?

— Je suis inspecteur de police. Je pourrais l'exiger.

— Alors vous êtes le bienvenu. Faites comme chez vous.

Pour la deuxième fois en moins d'une heure, Joseph s'écarta pour laisser passer un visiteur.

— Ma sœur, mademoiselle Emma Laflamme, dit-il en refermant.

— Mademoiselle, fit poliment Arcand.

Il reporta aussitôt son attention sur son hôte.

— Je viens vous annoncer la mort de Napoléon Archambault, déclara-t-il sans préambule.

Joseph accusa le coup comme si on l'avait frappé en plein front. Il vacilla, étourdi, et, l'espace d'une seconde, il craignit de tourner de l'œil. Le regard acéré d'Arcand ne perdit rien de sa réaction.

— Archambault ? Co-Comment ? balbutia-t-il. Quand ? Pourquoi ?

— Cela fait beaucoup de questions en même temps, ironisa l'inspecteur. D'un coup de poignard en plein cœur, vraisemblablement hier. Quant au motif, je n'en sais rien. J'ai pensé que vous pourriez peut-être m'éclairer. Quand l'avez-vous vu pour la dernière fois ?

Ébranlé, Joseph lui raconta la visite récente d'Archambault, mais ne lui révéla pas qu'il avait eu l'impression d'être suivi, ce qui serait revenu à orienter le policier vers McCreary et Smith.

— Si vous l'aviez interrogé, acheva-t-il, vous n'auriez pas besoin de me questionner.

— C'est vrai, convint Arcand en le dévisageant d'un œil perçant. Je comptais le faire, mais son assassin m'a pris de vitesse. Ce qui est étrange, voyez-vous, c'est qu'hier soir, on a aussi retrouvé Jonathan Withers dans sa boutique. Il avait été assassiné exactement de la même façon, mais un jour ou deux plus tôt. Un frère de sa loge, inquiet qu'il ne se soit pas présenté à une tenue, l'a découvert dans son arrière-boutique. Imaginez son choc. Le pauvre homme mettra du temps à s'en remettre.

Arcand leva le sourcil avec un air entendu.

— Évidemment, vous ne saviez rien de tout cela, vous qui êtes pourtant si bien informé…

— Non. Rien, mentit Joseph.

L'inspecteur sortit *Le Canadien* de la poche intérieure de sa veste.

— Jack l'Éventreur, dit-il avec un ricanement teinté de mépris. Grands dieux… Ce que les gens ne feraient pas pour vendre des journaux. Vous vous rendez compte, j'imagine, qu'en glorifiant cet assassin, qui semble déjà prendre plaisir à imiter le fou de Londres, vous ne faites que l'encourager ?

Vous ne savez pas à quel point, songea Joseph en se gardant de dire quoi que ce soit. Arcand s'approcha d'un pas, l'air soudain menaçant.

— J'aimerais avoir une discussion avec vos sources, monsieur Laflamme. Autres que votre collègue Albert Sauvageau, s'entend.

— Vous savez bien que c'est impossible.

— Je pourrais les faire arrêter.

— Il faudrait d'abord que vous les connaissiez.

— Où étiez-vous cette nuit ?

— Ici. Ma sœur Emma peut en témoigner.

Pour la forme, Arcand se retourna vers Emma, qui acquiesça de la tête avec un sourire glacial.

— D'ailleurs, vous avez manqué Sauvageau de quelques minutes, vous qui le cherchez, dit-on.

— Je vous remercie, fit Arcand avec une parodie de courtoisie. Je lui ai déjà parlé.

— Vous m'en voyez heureux.

— Je vous ai à l'œil, Laflamme.

— Vous devriez peut-être avoir les deux yeux sur votre Jack l'Éventreur. Vous auriez plus de chances de lui mettre la main au collet.

Les deux hommes se regardèrent en chiens de faïence pendant de longues secondes avant qu'Arcand finisse par prendre congé. Dès que la porte fut refermée, Joseph s'y adossa, en sueur et le souffle court. Il la verrouilla à double tour et retourna s'asseoir, bien décidé à ne pas sortir tant que McCreary et Smith ne le lui ordonneraient pas.

Sa sœur et lui firent la seule chose qu'il leur restait à faire : attendre. Attendre la suite des choses. La capture de Jack l'Éventreur. L'arrivée des assassins de Withers. La mort. Qui pouvait le dire ?

37

Mary O'Gara se sentait à la fois contrariée et fébrile, mais également heureuse. Certes, elle n'aimait pas renoncer à des revenus dont elle avait bien besoin, et elle s'en voulait aussi d'obéir au doigt et à l'œil. Ceux, nombreux et fidèles, qui souhaitaient s'offrir ses services n'avaient qu'à venir la retrouver chez miss Fanny, à l'angle de Craig et Saint-Laurent, où elle avait son lieu d'affaires, si l'on pouvait s'exprimer ainsi. D'ordinaire, la petite Mary ne se déplaçait pas. Elle n'avait pas besoin de traîner dans les rues pour gagner sa vie. Pas encore, en tout cas, contrairement à ces deux pauvres femmes assassinées récemment. Un jour, peut-être, l'âge ou l'ivrognerie l'y contraindrait, si elle ne quittait pas le métier avant. Mais pas maintenant. Son beau derrière rebondi, sa poitrine arrogante, son nez retroussé au milieu de son joli minois et ses cheveux roux suffisaient amplement à la rendre populaire. Et de toute façon, on ne quittait pas ce métier. C'était lui qui vous laissait tomber – généralement dans un gros tas de misère.

Voilà une heure, un petit garçon crasseux et beaucoup trop jeune pour être dehors à cette heure tardive s'était présenté chez miss Fanny pour lui remettre un billet. En main propre, avait-il précisé un peu pompeusement, ce qui l'avait bien fait rire. Elle lui avait donné pour sa peine une pièce de cinq cents qui lui avait fait écarquiller les yeux, en se demandant qui pouvait bien lui faire parvenir un mot aussi tard et à quel sujet. Elle pensa d'abord à sa mère, vieille et fatiguée, puis à ses sœurs et à ses frères. Elle rejeta aussitôt cette idée. Sa famille ne lui avait pas donné signe de vie depuis plus de cinq ans, et même la mort d'un de ses membres n'y changerait rien. On l'avait reniée et elle-même les avait oubliés.

Perplexe, elle avait déplié le papier pour prendre connaissance des quelques mots qui y avaient été griffonnés à la hâte.

Petite Mary,
Viens me retrouver chez moi à minuit.
Ton Joseph

Dès qu'elle avait vu le « ton », son cœur avait fait un bond qui l'avait surprise elle-même. Telle une fiancée transie appelée par son prétendant, elle n'avait pas hésité. Elle avait planté là le client qui l'attendait dans le petit salon, le double menton pantelant et l'œil lubrique, sans lui fournir la moindre explication. Miss Fanny allait devoir amadouer l'homme floué et lui en ferait assurément le reproche par la suite, mais Mary s'en fichait. Elle avait gravi deux à deux les marches menant à sa chambrette, avait fait une toilette soignée au gros savon brun, changé de vêtements de corps, passé une robe propre, s'était aspergée de parfum bon marché, avait jeté un châle de laine sur ses épaules, puis était sortie.

À présent, ses pas résonnaient dans les rues à peu près désertes à cette heure, hormis des ouvriers retardataires, des ivrognes titubants et une ou deux collègues cherchant leurs derniers clients. Quelques hommes lui avaient fait des avances plus ou moins vulgaires qu'elle avait rejetées d'une de ces réparties salaces dont elle avait le secret, tant en français qu'en anglais. Comme toujours, elle avait ressenti une honte diffuse à l'idée qu'on pouvait deviner sa profession en la regardant, comme si le mot « putain » était tatoué sur son front. Pourquoi la vie l'avait-elle fait naître dans une famille trop nombreuse sur laquelle régnait un père ivrogne et violent ? Dès ses quinze ans, elle avait préféré quitter le foyer familial et se vendre plutôt que de vivre dans une telle misère. Comme toujours, lorsque ces idées sombres revenaient la hanter, elle les avait refoulées au plus profond d'elle-même. Elle était ce qu'elle était et avait appris à l'accepter. Elle s'arrangeait pour survivre, comme tout le monde. De toute façon, entre s'esquinter à l'usine et mourir à quarante ans ou gagner sa vie sur le dos et mourir à quarante ans, elle préférait l'activité la moins éreintante. Et puis, sans le dire à personne, elle mettait de l'argent de côté. Avec un peu de chance, elle changerait un jour de négoce. Peut-être était-ce la raison pour laquelle elle avait répondu avec un tel enthousiasme à l'appel de Joseph, alors même qu'elle rejetait systématiquement ses promesses d'une vie meilleure.

En marchant d'un pas rapide rue Sainte-Catherine vers l'est, elle tentait de cerner la nature de ses sentiments confus pour Joseph Laflamme. En lisant sa note, elle avait éprouvé un mélange de soulagement et de joie. Après quelques jours d'absence, elle allait le revoir et s'il lui fallait pour cela déroger à ses propres règles et offrir ses services à domicile, elle le ferait. La vérité, qu'elle n'avait jamais vraiment voulu reconnaître, c'était que Joseph était le seul de ses clients avec lequel elle n'avait pas besoin de feindre le plaisir. La liqueur abondante qui lui coulait entre les cuisses avant qu'il la pénètre, les petits cris qui lui échappaient pendant l'acte et les morsures qu'elle lui plantait dans les épaules alors qu'il allait et venait avec une ferveur maladroite et attendrissante, la façon qu'elle avait de le retenir en elle après qu'il eut joui, tout cela était sincère. Elle en était même arrivée à songer à lui quand un autre homme s'agitait en elle. Il était le seul dont elle souhaitait les visites. Une fois ou deux, même, alors qu'il n'avait pas d'argent, elle avait eu pitié de lui et lui avait offert un petit quelque chose. Rien de bien terrible. Juste des baisers là où ça lui faisait plaisir. Mais une femme comme elle ne devait pas habituer ses clients à de telles libéralités.

La réalité était toute simple : sans s'en rendre compte, et malgré le métier qu'elle exerçait, elle s'était attachée à Joseph Laflamme. Elle avait beau fanfaronner, le taquiner, jouer les courtisanes distantes et aguicheuses, rire de ses avances et de ses déclarations passionnées, cela n'y changeait rien. Il suffisait qu'il ne se montre pas pendant quelques jours, par manque d'argent ou parce qu'il avait un peu de travail, pour qu'il lui manque. Il buvait beaucoup – trop, même – et elle s'inquiétait de ne pas avoir de nouvelles.

C'était sans aucun doute parce que Joseph ne la traitait pas comme les autres hommes. Quand il la prenait, mais aussi après, il ne la regardait jamais comme un vulgaire morceau de viande fraîche dans lequel il voulait vider au plus vite un sexe fébrile. Il la considérait comme une personne. Il la respectait autant qu'on pouvait respecter une putain. Avec lui, pendant une heure, elle avait le sentiment d'être une femme pure et propre.

Sa timidité et ses doutes éveillaient chez elle un sentiment maternel qu'elle ne savait pas posséder, elle qui avait à peine vingt ans. Il y avait aussi en lui un aspect ténébreux, comme s'il cachait au plus profond de lui-même un secret qui le grugeait de l'intérieur. Parfois, quand il était en elle, elle ouvrait les yeux et surprenait sur son visage une expression torturée qui n'avait rien de commun avec le masque de petite mort, souvent ridicule, que portaient tant d'hommes.

Joseph n'avait pas indiqué son adresse, sans doute parce qu'il savait que ce n'était pas nécessaire. Contrairement à ses autres clients, qui auraient préféré se faire amputer d'un bras à froid plutôt que de risquer de la voir surgir devant leur femme, il lui avait un jour confié où il habitait. Dans le noir, elle avait du mal à s'orienter et, perdue dans ses pensées, il lui fallut un moment pour réaliser qu'elle était arrivée avenue De Lorimier. Elle repéra l'endroit qu'elle cherchait et, le cœur léger, s'engagea sous la porte cochère qui, dans le noir, ressemblait à une grande bouche prête à l'avaler.

De l'autre côté, la silhouette d'une maisonnette se découpait contre la nuit épaisse au milieu de la cour intérieure. Aussitôt, le découragement l'envahit. Toutes les fenêtres étaient noires. Personne ne l'attendait. Soit Joseph s'était joué d'elle, soit il s'était endormi, soit il avait dû partir.

Des larmes d'amertume lui brûlèrent les yeux, mais elle les refoula. Dépitée, elle balança entre aller frapper à la porte, même s'il était plus qu'improbable que Joseph l'attende dans le noir, ou repartir, humiliée, en se promettant solennellement de ne plus jamais se permettre de croire qu'elle était autre chose qu'une putain. Juste un objet de chair et d'os qui ne méritait pas d'être aimé et qui n'avait pas le droit d'éprouver de sentiments pour quiconque.

Elle hésitait toujours quand une main se plaqua brusquement sur sa bouche. Elle laissa échapper un couinement de surprise et de peur. Une lame froide s'appuya sur sa gorge. À l'instant même où elle commençait à se débattre comme une possédée dans l'eau bénite, le métal fendit la peau de son cou. Un liquide chaud et poisseux se répandit sur sa robe neuve. Par réflexe, elle frappa du coude celui qui la retenait. La pression se relâcha sur sa bouche. Aussitôt, elle cria de toutes les forces qui lui restaient, se dégagea et se mit à courir. Derrière elle, un coup de feu éclata.

38

Depuis des heures, Joseph se retournait dans son lit, malmenant à coups de poing son oreiller de plumes fatigué où sa tête ne trouvait pas de position confortable, tirant sur les couvertures pour s'en envelopper jusqu'au menton, puis les rejetant aussi vite parce qu'il avait trop chaud. Il aurait donné cher pour un verre de gin ou, mieux, une bonne vieille ponce avec deux tiers d'eau chaude et un tiers de gin. Mais il n'osait pas s'abrutir. La veille, lorsqu'il avait surgi dans la cuisine, l'esprit embrumé par l'alcool, pour y trouver deux agents de Scotland Yard, il n'avait même pas été capable de protéger sa sœur, qui aurait pu être assassinée dix fois avant qu'il s'en rende compte. Maintenant qu'il avait frappé un grand coup dans *Le Canadien*, il devait se méfier également des assassins de Withers et d'Archambault, des francs-maçons, de la police et de Jack lui-même. En gros, tous ceux qui étaient impliqués dans l'affaire lui en voulaient. Même le clergé catholique ne le portait pas dans son cœur. Aussi ressentait-il le besoin d'être alerte. Or, il se connaissait assez pour savoir qu'un seul verre ne lui suffirait pas : il persévérerait jusqu'à atteindre le fond de la bouteille. Il avait donc résisté à l'envie de boire.

Lorsque la nuit était enfin tombée, il avait soigneusement vérifié, deux fois plutôt qu'une, que toutes les issues étaient verrouillées. Les fenêtres s'ouvraient vers l'intérieur et n'étaient pas munies de volets. Leurs vieilles serrures pourraient céder sous un bon coup. Joseph les avait toutes bloquées en plantant dans leur base en bois un gros clou qu'il pourrait arracher avec un marteau au besoin. Ainsi, personne ne pourrait les forcer en silence. Par précaution, il avait aussi calé une chaise sous la poignée de la porte. Barricadés de cette façon, ils crèveraient assurément de chaleur, mais cela valait mieux que de mourir dépecé comme les victimes de Jack l'Éventreur ou une lame plantée dans le cœur comme Jonathan Withers.

Emma avait mis sur la table une lampe à huile et une boîte d'allumettes dont ils pourraient se servir au besoin. Il avait insisté pour que sa sœur dorme avec le revolver près de son oreiller, où elle pourrait le saisir à la moindre alarme. Lui-même avait emporté son marteau dans sa chambre pour la même raison.

Après avoir pris toutes ces précautions, ils s'étaient mis au lit de bonne heure, épuisés par les nuits courtes et la nervosité qui les avait rongés toute la journée. Depuis, Joseph essayait en vain de fermer l'œil. Évidemment, le fait de s'être couché habillé, prêt à toute éventualité, y était sans doute pour quelque chose, mais il ne croyait pas être un jour capable de dormir à nouveau en chemise de nuit. Il soupçonnait que, de l'autre côté de la mince cloison qui séparait leurs chambres, sa sœur avait autant de mal que lui à trouver le sommeil.

Il se retourna en faisant grincer les ressorts de son vieux matelas, espérant contre toute attente que changer de côté l'aiderait à dormir. Contrarié et résigné à ne pas fermer l'œil de toute la nuit, il finit par s'asseoir sur le bord de son lit en se demandant s'il retrouverait jamais la tranquillité d'esprit. Il finit par se lever, et il allait sortir de sa chambre lorsque, après avoir hésité, il décida d'emporter le marteau.

Il connaissait parfaitement la cuisine et n'eut pas besoin d'allumer pour traverser la pièce jusqu'au comptoir, contournant par habitude la table et les chaises. Il trouva le pichet d'eau, s'en versa un verre et, tout en avalant quelques gorgées du liquide tiède, il songea que la bouteille de gin se trouvait juste là, dans l'armoire, et que son contenu lui calmerait les nerfs. Il but une autre gorgée d'eau en grimaçant.

— Jo ? fit tout doucement la voix de sa sœur derrière lui.

Il sursauta, mais ne laissa rien paraître de sa surprise afin de ne pas effrayer davantage la pauvre Emma.

— Tu ne dors pas, toi non plus ? demanda-t-il sans se retourner.

Elle renâcla amèrement en le rejoignant. Joseph nota avec satisfaction qu'elle tenait le revolver. Elle le posa sur le comptoir avec la même prudence que si ç'avait été une vipère endormie.

— Je crois que je ne pourrai plus jamais dormir de toute ma vie, soupira-t-elle. Pas tranquille, en tout cas.

— Je me disais la même chose.

Joseph allait essayer de la convaincre de leur servir chacun un doigt de gin quand un hurlement aigu leur fit dresser les poils sur la nuque. Il empoigna son marteau, tandis que sa sœur saisissait le revolver à deux mains.

— Seigneur… dit-elle d'une voix craintive.

— Chut, murmura-t-il, tous les sens en alerte et le ventre noué par la peur.

Son marteau brandi bien haut, prêt à s'abattre sur quiconque surgirait, il se rendit jusqu'à la porte d'entrée sur la pointe des pieds.

— Reste derrière moi et essaie de ne pas me tirer dans le dos, chuchota-t-il.

Avec d'infinies précautions, il retira la chaise qui bloquait la poignée, entrouvrit la porte sans la faire grincer et risqua un regard dans l'embrasure. La noirceur l'empêchait de voir distinctement, mais dans la lumière d'un quartier de lune, il crut entrevoir un mouvement. Avant qu'il ait pu deviner de quoi il s'agissait, des bruits de pas résonnèrent et un coup de feu retentit. Une silhouette surgissant de la nuit fonça brutalement dans la porte. Celle-ci s'ouvrit sous la force du choc et Joseph fut projeté vers l'arrière. Il atterrit douloureusement aux pieds de sa sœur qui, dans le noir, braquait le revolver droit devant elle.

— Restez où vous êtes, ordonna-t-elle d'une voix que la terreur rendait autoritaire.

En proie à la panique, Joseph cherchait son marteau sur le plancher, mais il avait dû tomber plus loin. Il se releva prestement et se tint aux côtés de sa sœur, qui pointait toujours l'arme à feu vers la porte béante. Puis ils attendirent que l'agresseur se manifeste.

D'autres pas, irréguliers ceux-là, résonnèrent. Dans la cour intérieure, quelqu'un courait vers eux.

— Halte ! s'écria Emma. Halte ou je tire !

— Miss Emma ! fit une voix rauque et essoufflée. *Don't shoot !* C'est moi, George McCreary.

Emma resta pétrifiée. Son frère posa doucement les doigts sur le canon du revolver pour l'abaisser vers le sol.

— Jack ! s'écria McCreary, près de la porte. *Jack was here*[*] !

Joseph gagna la table et alluma la lampe, puis revint vers l'entrée. Près de McCreary, une forme était étendue

* Ne tirez pas ! Jack était ici !

par terre. La femme qui se trouvait là ne pouvait qu'être celle qui avait crié et qui, de toute évidence, s'était précipitée contre la porte.

— *He was here*[*]... répéta McCreary, haletant, les mains sur les genoux, peinant à retrouver son souffle.

Sans lui porter attention, Joseph tendit la lampe à sa sœur.

— Éclaire-moi.

La lumière blafarde illumina l'agent de Scotland Yard. Le visage livide et déformé par ce qui ressemblait à de la haine, les yeux fous, les lèvres retroussées en un rictus déterminé, il était à peine moins inquiétant que celui qu'il avait poursuivi de l'autre côté de l'Atlantique.

Joseph s'accroupit tandis qu'Emma dirigeait la lampe vers la femme étendue à leurs pieds. Elle gisait sur le ventre et, n'eût été la flaque sombre qui s'accumulait sous elle, on aurait pu croire qu'elle s'était assommée en fonçant dans la porte. Joseph la prit par les épaules et la retourna avec délicatesse. Lorsqu'il la reconnut, un élancement lui traversa la poitrine et son cœur se brisa presque en deux.

— Mon Dieu... soupira-t-il.

Dans ses bras, la gorge ouverte et la robe trempée de sang, les yeux fermés et le visage exsangue, gisait Mary O'Gara.

---

* Il était ici...

39

La jeune femme inerte dans ses bras, Joseph était au désespoir.

— Mary... fit-il, complètement sonné, des trémolos dans la voix, en caressant l'épaisse chevelure rousse dans laquelle il avait tant aimé enfouir son visage. Ma petite Mary...

Comme si l'appel désemparé l'avait atteinte dans les profondeurs où elle se trouvait, les paupières de la jeune femme frémirent et elle entrouvrit les yeux.

— Joseph ? murmura-t-elle, désorientée.

Joseph eut l'impression qu'il allait défaillir de soulagement. Mary grimaçait de douleur en se remémorant ce qui s'était passé. Une expression d'horreur et de panique traversa son visage tandis que ses lèvres se mettaient à trembler.

Gêné par sa jambe artificielle, McCreary réussit tant bien que mal à s'accroupir près de Joseph.

— *Some light, please, Miss Emma**, ordonna-t-il avec l'autorité tranquille et efficace de celui qui était trop familier de ce genre de scène.

---

* Un peu de lumière, je vous prie, mademoiselle Emma.

Emma se pencha pour bien éclairer la fille. Sans hésitation, l'agent se mit à tâter la blessure du bout des doigts.

— C'est... commença Joseph, embarrassé, en croisant le regard de sa sœur.

— Je sais très bien qui c'est, l'interrompit-elle sèchement avant qu'il se lance dans des explications alambiquées. J'ai reconnu son parfum.

— *She'll be fine. It's only a nick*[*], déclara McCreary.

Il se retourna vers Joseph, lui saisit le bras d'une poigne de fer et vrilla sur lui un regard brillant d'intensité.

— C'était Jack, monsieur Laflamme, dit-il. Margaret lui a tiré dessus, mais elle l'a raté. Elle est partie à sa poursuite. Seule. Et *damn it*, je n'ai qu'une jambe. *You've got to go, quickly. Miss Emma and I will take care of the girl*[**].

— Par où est-elle partie ?

— Vers l'ouest, répondit-il.

Joseph se leva. Déchiré, il avisa Mary, toujours par terre, puis Emma.

— Va, le pressa sa sœur, le visage défait par l'angoisse, en lui donnant le revolver. Mme Smith a besoin de ton aide. Je m'occuperai de la petite. On ne laisse pas souffrir un chien et ce n'est pas moi qui jugerai la misère d'autrui.

— *Don't worry, I'll watch over Miss Emma*, ajouta McCreary. *For the love of God, go*[***] !

Se faisant violence pour ne pas regarder en arrière, de peur de ne pas pouvoir abandonner les deux femmes qui comptaient le plus dans sa vie, Joseph s'élança au pas de course vers la porte cochère, l'arme au poing. Dès qu'il l'eut franchie, il s'immobilisa si brusquement que ses semelles glissèrent sur les pavés et qu'il faillit tomber.

---

[*] Elle va s'en sortir. Ce n'est qu'une coupure.

[**] Vous devez y aller, vite. Mlle Emma et moi prendrons soin de la fille.

[***] Ne vous en faites pas, je vais veiller sur Mlle Emma. Pour l'amour de Dieu, allez !

Il s'était écoulé quelques minutes depuis que Mary avait été attaquée dans la cour, autant dire une éternité. Joseph n'avait pas la moindre idée de la direction qu'avaient prise Margaret Smith et celui qu'elle poursuivait. Il resta immobile, l'oreille tendue, les sens en alerte, sans se faire beaucoup d'illusions. Mais qu'avait-il à perdre ? Si Jack était capturé, le cauchemar qu'ils vivaient, Emma et lui, ne se dissiperait pas entièrement, mais la menace serait réduite.

Il laissa son regard errer sur De Lorimier. Il pouvait entendre des voix étouffées ici et là, provenant sans doute des voisins réveillés par les cris de Mary et qui essayaient de voir ce qui se passait dehors. Réfléchissant à la vitesse de l'éclair, il essaya de se mettre dans la peau du fuyard. À sa place, il aurait évité la rue Sainte-Catherine, qui ne dormait jamais tout à fait et où quelqu'un pourrait l'apercevoir même en pleine nuit, pour s'évanouir le plus vite possible dans la petite rue Mignonne.

Il allait s'y précipiter en espérant faire le bon choix lorsqu'un coup de feu déchira le silence et le tétanisa. Le bruit était venu de l'autre côté. Si Smith venait de tirer sur Jack, ce qui était plus que probable, alors, contre toute attente, c'était sur Sainte-Catherine qu'elle le poursuivait. Surtout, elle semblait encore assez proche pour qu'il la rattrape.

Il s'élança à toutes jambes, tourna le coin de la rue et fonça vers l'ouest dans la direction d'où était venue la détonation. La lumière jaunâtre des lampadaires éclairait ses pas et l'empêchait de se casser le cou, mais il était aussi très conscient que celui qu'il poursuivait pouvait le voir.

Il ralentit un peu la cadence, s'efforçant de longer les édifices. À la hauteur de Papineau, il lui sembla apercevoir une ombre qui disparaissait entre deux bâtisses. Il pressa à nouveau le pas, son arme bien en main, en priant pour que la peur ne le fasse pas tirer sur le premier venu.

Arrivé à la hauteur des deux bâtisses, il se colla contre un mur, le visage et les cheveux en sueur, la chemise collée dans le dos. Son souffle court lui rappelait cruellement combien il avait abusé de son corps depuis quelque temps. Devait-il s'enfoncer entre les deux bâtiments et risquer de tomber dans un piège ou, au contraire, rester là pendant que Jack s'enfuyait ?

Il hésitait encore lorsqu'un homme émergea tranquillement de l'ombre, occupé à reboutonner sa braguette, suivi de près par une femme qui rajustait sa jupe. Lorsque l'individu aperçut Joseph, il lui adressa un clin d'œil complice et un peu lubrique, avant d'apercevoir l'arme à feu. Aussitôt, il leva les mains. Malgré la pénombre, Joseph vit que l'homme devenait blanc comme un drap.

— S'il vous plaît... J'ai... J'ai une famille... balbutia-t-il.

Joseph se retint de lui dire que l'argument sonnait creux après ce qu'il venait vraisemblablement de faire. L'attitude de la femme était à l'opposé. Approchant la cinquantaine, la bouche édentée et le visage fripé comme une vieille pomme, elle en avait vu d'autres et était visiblement sur ses gardes en raison des événements récents. Elle allait se mettre à beugler lorsque, faute d'un meilleur moyen de la contraindre au silence, Joseph la mit en joue.

— Taisez-vous ! ordonna-t-il sèchement.

Conscient de la bêtise qu'il était en train de commettre, il se demanda comment il pourrait, s'il le fallait, justifier le fait d'avoir menacé d'une arme deux inconnus en pleine rue. Surtout que la police de Montréal ne l'aimait guère. Mais la situation était critique et il n'avait pas le temps de s'expliquer.

— Avez-vous vu une femme poursuivre un homme ? demanda-t-il en réalisant à quel point ce qu'il disait était ridicule.

— Dans ce quartier, c'est plutôt le contraire, mon beau, ricana la vieille prostituée, son haleine dégageant une puissante odeur d'alcool et d'oignon.

— Oui. Par… par là, fit l'homme.

Sans quitter des yeux le revolver, il indiqua de la tête la rue Sainte-Catherine vers l'ouest.

— Il y a longtemps ?

— Juste avant que ce galant et moi, on entre dans la ruelle pour faire notre petite affaire, coupa la femme. Avec lui, tu peux être certain que ça fait moins d'une minute !

Elle s'esclaffa tandis que l'homme, embarrassé, lui adressait un regard noir qui ne laissait rien présager de bon pour la suite de leur relation d'affaires.

— Il m'a bousculée en passant, reprit-elle. Il portait un macfarlane et un haut-de-forme, en cette saison ! La fille lui courait après comme une tigresse. Une vraie furie. Je ne la connais pas, mais je vais te dire une chose, mon mignon : si le gars n'a pas payé pour son petit moment de bonheur, il est tombé sur la mauvaise putain ! Celle-là va lui arracher le prix de ses services ou alors elle va lui arracher l'instrument qu'il a utilisé !

Elle se remit à rigoler de plus belle, souverainement indifférente au revolver que Joseph lui pointait toujours à la hauteur du visage.

— Quand j'ai suivi ce monsieur dans la ruelle, ils filaient tout droit vers Saint-Laurent, ajouta-t-elle sans qu'on le lui demande.

Joseph baissa son arme, fouilla dans sa poche et en tira une pièce qu'il tendit à la vieille.

— Merci pour les informations.

— Mais de rien, mon beau prince ! s'exclama la femme, ravie. À ce prix-là, tu peux avoir toutes les informations que tu veux et mon entrecuisse en prime !

Laissant ses interlocuteurs pantois sur le trottoir, il repartit au pas de course. Les rues défilaient – Plessis, de la Visitation, Beaudry, Montcalm, Wolfe, Amherst, Jacques-Cartier, Saint-Christophe et Berri – tandis qu'il ouvrait les yeux et tendait l'oreille à l'affût d'un mouvement, d'un bruit. Ses poumons se mirent à brûler et les muscles de ses jambes devinrent lourds et douloureux. Il dut s'arrêter au coin de Saint-Denis pour reprendre son souffle, de crainte de s'évanouir, avant de se remettre en route.

Sur Saint-Laurent, il s'immobilisa, aux aguets, conscient qu'il se trouvait dans le quartier où Martha Gallagher avait perdu la vie. Il attendit que le sang cesse de tambouriner dans ses oreilles et guetta le moindre bruit inhabituel. Il ne doutait pas que Margaret Smith sache prendre soin d'elle-même. Sa haine viscérale pour Jack la rendait dangereuse, mais c'était aussi sa principale faiblesse. À cause d'elle, l'agente s'était inconsidérément lancée seule, en pleine nuit, à la poursuite d'un des tueurs les plus sauvages et les plus habiles que la terre avait jamais connus, que toute la police de Londres n'avait pas réussi à capturer ; un homme qui savait mieux que personne choisir les coins sombres pour commettre des méfaits avec une redoutable efficacité. À l'instant même, Margaret Smith était peut-être déjà morte.

Sachant que rester planté là ne l'avancerait à rien, il s'engagea rue Saint-Laurent et se dirigea vers le sud, dans ce qu'on appelait le quartier des théâtres. Des deux côtés de la rue voisinaient les salles de spectacles, où l'on jouait des pièces de vaudeville et de théâtre burlesque, les hôtels, les cabarets et les maisons de passe. Ce quartier, que les bons curés de Montréal considéraient comme un lieu de perdition menant tout droit en enfer, Joseph Laflamme ne le connaissait que trop bien.

D'un pas lent et prudent, longeant les murs, tenant son revolver à deux mains comme un naufragé s'agrippe à une bouée, il progressa pendant quelques minutes avant de se rendre à l'évidence : il avait perdu la trace de Smith et de Jack. Rester là et continuer à chercher au hasard lui donnerait peut-être l'illusion d'agir, mais cela ne le mènerait à rien.

La mort dans l'âme, il décida de rentrer chez lui, en espérant que McCreary avait dit vrai et que Mary n'était pas grièvement blessée. Il avait fait demi-tour et se dirigeait vers Sainte-Catherine lorsqu'il entendit un léger grincement, décuplé par le silence de la nuit. Il se figea sur place. Au cours des dernières années, il avait graissé suffisamment de charnières mal lubrifiées chez Mme Lanteigne pour en reconnaître le son. Il écouta, attendant que le bruit se répète. Lorsqu'il l'entendit de nouveau, il se dirigea dans sa direction.

Il se retrouva devant un édifice en granite gris composé de trois bâtiments distincts portant les numéros civiques 242, 244 et 246. Sur toute la façade à trois étages, les fenêtres étaient masquées de l'intérieur. Même si les lampadaires n'éclairaient pas jusque-là, il savait que les mots « Musée Éden » étaient peints en grosses lettres blanches sur la mansarde. L'institution avait ouvert ses portes en mars et, depuis, elle présentait une exposition de figures de cire et de curiosités d'un goût plus que douteux. À grand renfort de publicité dans les journaux, on annonçait que les horreurs qui y étaient exhibées constituaient un divertissement pour toute la famille. Joseph avait visité l'endroit à quelques reprises. Il avait même écrit un papier pour le *Canadien* dans lequel il s'était retenu de qualifier l'établissement de « Madame Tussaud des pauvres », comme il en avait eu envie. Il se souvint tout à coup que, plus tôt dans la journée, le propriétaire de l'Éden avait comparu à la cour du Recorder pour avoir osé ouvrir ses portes le dimanche et offrir des divertissements aux bons chrétiens tenus de s'ennuyer ce jour-là. Il avait prévu de couvrir la chose en espérant en tirer un article, mais dans la tourmente des derniers jours, il avait oublié.

Il gravit les quatre marches du porche et constata que la luxueuse porte d'entrée en verre coloré et en bois était entrouverte. Aucun commerçant sain d'esprit ne laisserait son établissement ouvert en pleine nuit, surtout pas dans ce quartier. Perplexe, il se pencha et examina la poignée, puis le pêne. Il repéra sans difficulté des égratignures sur le métal de la serrure et des éclats de bois sur le chambranle. L'entrée avait été forcée. Il testa le pêne et constata qu'il fonctionnait toujours. La porte aurait pu être refermée. Au lieu de cela, elle avait été laissée entrouverte. La raison en était évidente. On avait voulu qu'il le remarque. C'était une invitation.

Le cœur battant avec force, le ventre noué par la peur, il leva son revolver devant lui en serrant la crosse bien trop fort, ouvrit la porte avec le bout du canon et entra.

40

Une fois le portique du musée franchi, Joseph demeura immobile, oppressé, le canon de son revolver pointé vers le plafond. Contrôlant tant bien que mal son souffle qu'accéléraient la peur et l'angoisse, il attendit que ses yeux s'habituent à la noirceur, sans grand succès. Il fouilla sa mémoire pour se rappeler la disposition des lieux. Il avait souvenir d'un petit hall d'entrée au fond duquel on avait installé, sur la gauche, un comptoir d'accueil. C'était là que les employés, vêtus d'un uniforme garni de dentelles dorées qui l'avait fait grimacer tant il était criard et laid, attendaient les visiteurs pour leur vendre un billet et leur proposer de les guider à travers les scènes d'aussi mauvais goût que leur uniforme. S'il ne faisait pas erreur, le passage vers la salle d'exposition, lui, se situait à droite.

Il avança en tâtonnant dans le noir, les bras tendus devant lui, à pas hésitants, convaincu que, comme dans ces mauvais feuilletons que publiaient les journaux, il allait buter sur Jack l'Éventreur et qu'en moins de deux il se retrouverait sur le dos, agonisant, la gorge béante et le sang giclant, sans même avoir pu voir la face de son agresseur. Il se demanda si les victimes de Jack, à Londres ou à Montréal, l'avaient vu à visage découvert. Si oui, leur dernière pensée avait sans doute été qu'elles venaient de regarder dans les yeux le diable en personne.

Après quelques pas prudents, une odeur familière lui arriva aux narines. Il en conçut un début de plan. Il avança encore un peu en faisant glisser ses semelles sur le plancher, comme s'il marchait sur la glace et craignait de tomber. Ses mains ne rencontrèrent aucun obstacle, mais il crut mouiller son pantalon de peur quand ses hanches heurtèrent quelque chose de dur. Le cœur battant, il passa prudemment la main sur la surface plate contre laquelle il s'appuyait et constata qu'il avait atteint le comptoir. Du bout des doigts, il toucha un objet froid en métal et en verre. L'ayant palpé en veillant à ne pas le faire tomber, il comprit qu'il s'agissait bien de la lampe dont il avait humé l'odeur d'huile. À chacune de ses visites, il avait vu les deux gardiens de sécurité : un jeune colosse dans la trentaine et un rentier grincheux qui frôlait la soixantaine – pour avoir discuté brièvement avec lui, il se souvenait même que celui-ci se prénommait Chester. Le dernier à quitter les lieux avant la fermeture faisait certainement une ronde et devait laisser la lampe sur le comptoir avant de verrouiller les portes.

Après quelques tâtonnements, il ferma la main sur une petite boîte rectangulaire. Des allumettes. *Dieu vous bénisse, mon vieux Chester,* songea-t-il. Puis il hésita. Même s'il n'était pas certain que Jack se terrait quelque part dans le noir, allumer la lampe ferait de lui une proie facile. Mais ne pas le faire le condamnerait à avancer à l'aveuglette, complètement impuissant et vulnérable. Dans un cas comme dans l'autre, il était désavantagé.

Il soupira de frustration, ouvrit la boîte et fit craquer une allumette dont la flamme brillante l'aveugla un instant. Dès que la lampe fut allumée, il se retourna en brandissant nerveusement le revolver des deux mains, s'attendant à ce que le visage de l'assassin ou le corps de Margaret Smith se matérialise. Rassuré, il réalisa qu'il avait retenu son souffle et expira en frémissant.

Dans l'aire d'accueil, deux écriteaux étaient accrochés devant le comptoir. « Admission 10 ¢ », disait le premier, tandis que le second précisait que le musée admettait des « personnes respectables seulement ». Il retint le rire désabusé qui lui venait en songeant que celui qu'il croyait poursuivre était loin de répondre aux critères de l'établissement.

Les murs étaient tapissés d'affiches, les plus récentes aux couleurs vives, les autres déjà jaunies et défraîchies. À l'image des activités offertes par l'établissement, elles faisaient la promotion de tout et de son contraire : Ajeeb, le fameux automate, qu'on représentait jouant aux échecs et dont on prétendait qu'il imitait à la perfection la vie ; Zamora, la reine de grâce et de beauté ; l'Hercule moderne ; Baby Benton, le phénoménal géant ; le professeur Harley et ses amusantes marionnettes ; Farley, la merveille sans os ; l'homme vivant ossifié ; le professeur Smith et sa chèvre instruite ; Electra, la batterie électrique humaine. Et quoi encore ? La crédulité des gens était vraiment un puits sans fond qui ne demandait qu'à être exploité.

Il inspira et, brandissant la lampe devant lui, son revolver dans l'autre main, se mordillant les lèvres sans s'en rendre compte, il marcha vers la lourde tenture de velours bourgogne qui séparait l'aire d'accueil de la salle d'exposition. Conscient que Jack pouvait l'attendre de l'autre côté, prêt à frapper, il fourra un grand coup de pied dans le tissu. N'ayant rencontré que du vide, il prit son élan, entra et se retrouva devant un décor qui, faiblement éclairé comme il l'était, avait des allures de maison hantée.

Tout le rez-de-chaussée était occupé par des personnages historiques. Il pénétra dans un corridor jalonné de part et d'autre de scènes conçues selon le même modèle. Il y avait au fond de chacune d'elles des tableaux peints qui donnaient une impression de perspective, tandis qu'étaient disposés au premier plan des meubles ou des accessoires, selon le cas, ainsi que des statues de cire de mauvaise qualité et peu ressemblantes. L'effet obtenu avait quelque chose du spectacle de pacotille, ce qui n'empêchait pas l'établissement de connaître un succès certain auprès des foules. Mais, à cet instant précis, Joseph aurait donné cher pour être n'importe où ailleurs.

Lentement, s'imaginant Jack blotti derrière chacun des décors, prêt à surgir en hurlant, le couteau à la main, Joseph avança, terrifié, le revolver tremblotant dans sa main poisseuse, les cheveux collés sur les tempes par une sueur à l'odeur rance. Apparurent tour à tour, à mesure qu'il progressait, le pape Léon XIII, l'air sévère dans la chapelle Sixtine ; Sa Majesté la reine Victoria dans une pièce du palais de Buckingham ; John A. Macdonald dans son bureau du Parlement, à Ottawa ; Santo Ironimo Caserio, l'assassin du président français Carnot, allongé sur le ventre sur une guillotine fonctionnelle, dont la tête de cire tombait dans un panier plusieurs fois par jour ; des moines de Saint-Bernard agenouillés dans la neige, à la recherche d'une victime d'avalanche, et quelques autres encore. Entre les tableaux, des trophées de guerre, des armes, des uniformes, des armures et des reliquaires étaient exposés dans des vitrines.

En cours de route, il s'arrêta régulièrement pour tendre l'oreille. Mais les seuls bruits étaient les craquements des planches sous son poids, ses talons, le sifflement de la mèche enflammée sous la cheminée de la lampe et les battements de son cœur résonnant dans ses oreilles.

Arrivé au bout de la salle, il fit halte devant l'ouverture dénudée de porte. De l'autre côté, il entrevoyait l'escalier qui menait à l'étage. Il hésita à avancer : quelqu'un pouvait se tapir près du chambranle, attendre qu'il soit passé, puis l'empoigner par-derrière et l'égorger. La seule option qui s'offrait à lui était de rebrousser chemin, ce qui revenait à renoncer à aider Margaret Smith et à laisser Jack s'échapper, en admettant qu'il fût là. Mais s'il cédait à la peur maintenant, la situation dans laquelle sa sœur et lui se trouvaient resterait inchangée. Le lendemain, les francs-maçons, Jack, les policiers et Dieu seul savait qui d'autre seraient toujours à leurs trousses. Il inspira, baissa la tête et s'élança dans l'ouverture, revolver tendu.

Rien. Il était seul. L'escalier comportait deux paliers. Il s'y engagea en foulant chaque marche aussi doucement qu'il le pouvait et en brandissant sa lampe à bout de bras, comme si le fait de voir six pouces devant lui pouvait lui sauver la vie. Parvenu en haut, il resta aux aguets. Ici, le promoteur avait aménagé un théâtre où l'on présentait des concerts, des farces et des spectacles. Il posa la lampe par terre et essaya d'ouvrir la porte sur laquelle un panneau indiquait les heures des représentations au Théâtorium. Elle était verrouillée de l'intérieur, ce qui le dispensait d'examiner une à une les quelque deux cents places que comptait la salle, ainsi que la scène et l'arrière-scène.

De l'autre côté, face au Théâtorium, étaient exhibées sans pudeur les « curiosités », comme il était convenu de les appeler. Le terme désignait en fait tout l'éventail pathétique des erreurs de la nature, des malformations et des difformités humaines, devant lesquelles le grand public aimait se repaître en grimaçant de dégoût. Chaque fois qu'il avait visité cette section, il en était ressorti découragé, moins par ce qui flottait dans les bocaux que par la cupidité éhontée de ceux qui les avaient remplis de misère humaine pour empocher quelques sous. Du plancher au plafond, les murs étaient couverts de tablettes ployant sous le poids des contenants et des montages anatomiques. Si leur contenu était révoltant et obscène, la disposition des lieux avait cependant l'avantage de ne pas permettre que l'on puisse se blottir derrière l'ameublement pour en surgir et frapper.

Il se remit en marche, s'efforçant de ne pas se laisser captiver par le contenu des bocaux et par les bêtes fantastiques qui se dressaient, empaillées, l'air de sortir tout droit de l'imagination torturée d'un Victor Frankenstein maladroit. Se succédèrent sur son chemin une vache à dix jambes; des frères siamois flottant dans un liquide à moitié opaque; une brebis dont la face avait quelque chose d'humain; une femme à deux têtes, naturalisée comme n'importe quel autre spécimen; une petite fille à peine naissante dotée de quatre jambes, quatre pieds et trois bras; des têtes sciées en deux dans le sens de la longueur pour une leçon d'anatomie, puis rachetées pour une misère; des membres et des organes affectés de malformations grotesques; des fœtus humains et animaux; sans oublier des tumeurs de toutes sortes. Dans la lumière faible et mouvante de sa lampe, ce triste spectacle avait des allures d'hallucination lugubre.

Les jambes molles, Joseph atteignit enfin le bout de la pièce. Là, il franchit une nouvelle porte en prenant les mêmes précautions qu'en bas, puis s'engagea dans l'escalier qui conduisait au dernier étage. Il savait qu'il y trouverait le clou de la visite: la « Salle des horreurs », ainsi que l'annonçait un écriteau.

Arrivé au deuxième et dernier étage, il parcourut une enfilade de scènes sinistres, tendant sa lampe vers l'une, puis vers l'autre. D'abord conçues pour le musée Éden de

New York, elles se voulaient réalistes et représentaient les épisodes les plus sanglants de l'histoire judiciaire récente. Le mauvais goût y régnait comme à l'étage précédent. Ce n'était que sang et violence. *Un environnement idéal pour Jack l'Éventreur*, songea sombrement Joseph en ayant l'impression d'aller droit à l'abattoir. S'attardant un instant devant chacun des tableaux, il vérifia qu'ils ne comportaient bien que des mannequins, espérant de toutes ses forces qu'aucune figure de cire ne se mette soudain à bouger. Il eut ainsi le déplaisir d'admirer une succession de tableaux sinistres, séparés du public par un simple câble et sommairement décrits par des écriteaux criards : un condamné à mort nommé Kemmler grillant sur la chaise électrique ; le général français Georges Boulanger, étendu mort sur la tombe de sa maîtresse après s'être fait sauter la tête d'une balle de revolver, des morceaux de cervelle répandus bien en vue ; une fumerie d'opium où un Chinois à l'air démoniaque ne demandait qu'à entraîner ses clients en enfer ; une femme inerte par terre, à côté d'un berceau dont on comprenait qu'il était occupé par un petit cadavre. La dernière scène, sur sa droite, montrait un dénommé Burke, debout près d'un lit, une truelle ensanglantée dans la main, venant tout juste d'assassiner sa femme. La victime était allongée sur le dos, les couvertures remontées jusqu'au menton. Seuls les doigts de sa main gauche en émergeaient un peu et étaient visibles à la hauteur de son oreille.

Soulagé d'avoir inspecté les trois étages sans rien trouver, il laissa échapper un long soupir. Pour la première fois depuis qu'il avait entendu la porte du musée grincer, il eut l'impression que sa poitrine se libérait du poids qui l'avait écrasée. Que la porte d'entrée ait été laissée ouverte n'était finalement qu'une coïncidence qui n'avait rien à voir avec lui. Sans doute un cambrioleur était-il passé durant la nuit. À cet instant précis, Margaret Smith pouvait avoir rejoint McCreary, Emma et la petite Mary. Peut-être même avait-elle capturé Jack ou l'avait-elle abattu comme un chien.

Il allait s'engager dans l'escalier qui menait vers le rez-de-chaussée lorsqu'il entendit un bruit qui le tétanisa.

Ploc!

Il tendit l'oreille, doutant d'avoir vraiment entendu quelque chose.

Ploc!

Transi de peur, il fit demi-tour, prêt à faire feu. Mais la salle était déserte.

Ploc!

D'un pas mesuré, les jambes à nouveau ramollies, Joseph revint dans la salle des horreurs, cherchant à repérer la source du bruit dont tout son être se refusait à reconnaître la nature. Il n'eut pas à marcher longtemps.

Ploc!

La scène illustrant le meurtrier Burke et sa victime se trouvait maintenant à sa gauche. Raide et crispé, il pivota lentement pour lui faire face, la lampe tendue devant lui. L'homme se tenait toujours là, sa truelle en main, près du lit. Dans le noir, la lumière de la lampe faisait luire la cire de son visage.

Ploc!

Un frisson d'appréhension lui remontant le long de l'échine, Joseph enjamba le câble et entra dans le décor représentant une chambre. Il passa devant la statue de l'assassin qui, de près, était bien plus risible qu'épouvantable.

Ploc!

Il se fit violence et baissa les yeux vers le lit. Autour de lui, le monde se rétrécit jusqu'à ne plus former qu'une bulle oppressante qui menaçait d'engouffrer sa raison.

Un visage encadré de cheveux sombres se détachait sur l'oreiller. Un visage dont un des yeux était bleu et l'autre opaque. Tout près se trouvait un bouton de manchette. Joseph n'eut pas besoin de l'examiner pour savoir quels symboles y figuraient. Tel un automate, presque détaché de son corps pour supporter l'horreur, il saisit les couvertures d'une main peu assurée et fit appel à tout son courage pour les rabattre d'un coup sec.

Ploc !

Margaret Smith avait été égorgée d'une oreille à l'autre. Son ventre avait été ouvert et vidé avec une efficacité diabolique. Le contenu sanglant en était répandu tout autour de la pauvre femme. Son corps avait été disposé en équerre comme celui des deux autres victimes.

Ploc ! fit le sang qui traversait le matelas pour dégoutter sur le plancher.

Comme si Jack avait attendu cet instant, un rire sadique, presque démoniaque, résonna alors dans le musée Éden. Joseph sentit son sang se glacer dans ses veines et faillit laisser échapper sa lampe.

— Jubelo, Jubela, Jubelam ! s'écria une voix démente.

Le rire s'éleva à nouveau et, loin en bas, une porte claqua. Puis il n'y eut plus que le bruit du sang qui tombait, goutte à goutte, sur le sol sous le matelas détrempé.

Aux abois, geignant comme un chiot terrorisé, Joseph s'élança dans l'escalier tandis qu'un hurlement guttural s'échappait de sa gorge. Animé par une pulsion de terreur mêlée de furie meurtrière dont il n'avait encore jamais soupçonné l'existence, il descendit les escaliers quatre à quatre, risquant à tout moment de chuter, de fracasser sa lampe et de mettre le feu au bâtiment.

Il traversa l'aire d'accueil, et il allait sortir du musée lorsqu'il se rappela qu'il n'avait aucun droit de se trouver là et qu'être vu ici ne pouvait rien lui apporter de bon.

Si quelqu'un disait l'avoir aperçu sur les lieux de deux meurtres, il y aurait de fortes chances qu'il passe pour l'assassin aux yeux de la police et de la population. Il éteignit donc la lampe et la remit sur le comptoir. Puis il sortit, dévala les marches et fonça sur le boulevard Saint-Laurent, conscient que quelque part, non loin de là, Jack l'observait sans doute en ricanant, fier de son coup et méprisant celui qu'il avait manipulé avec autant de facilité.

Le bruit de roues et de sabots au galop sur les pavés le ramena à lui. Arrivé rue Sainte-Catherine, il se blottit dans un recoin d'où il pouvait observer la rue et la façade du musée. Une trentaine de secondes plus tard, une voiture s'arrêta devant le musée Éden et trois policiers en sortirent, des lampes allumées à la main. L'un d'entre eux gesticula, donnant manifestement des ordres. Les deux autres dégainèrent leur revolver et tous s'empressèrent de gravir les marches pour disparaître à l'intérieur. Joseph les observa un moment, abasourdi par ce qu'il venait de voir, puis il fit demi-tour et s'enfuit.

41

Montréal, 12 août 1891

Joseph mit plus d'une heure pour rentrer chez lui. Longeant les murs de la rue Mignonne, empruntant les ruelles et passant derrière les bâtisses chaque fois qu'il le pouvait, se tenant prudemment à l'écart des lampadaires, il s'était arrêté à intervalles réguliers pour tendre l'oreille, à la recherche du moindre bruit de pas dans la nuit. Il était terrifié à l'idée d'être suivi par le sadique, mais tout autant de croiser un policier, car une chose était aussi évidente que son nez au milieu de son visage : l'arrivée subite des trois agents devant le musée Éden n'avait rien d'un hasard. Il avait évité un piège de quelques minutes à peine.

Lorsqu'il se retrouva enfin sous la porte cochère de l'avenue De Lorimier, il était en sueur et ses vêtements lui collaient à la peau. L'effort physique n'y était pour rien. La frayeur qui l'habitait rendait son souffle saccadé et lui faisait voir des mouvements imaginaires dans la pénombre. Il se demanda s'il parviendrait un jour à s'en débarrasser complètement, puis il réalisa que, pour cela, il devait d'abord survivre et que, vu l'état des choses, rien n'était moins certain.

Même si minuit était passé depuis un moment, il ne fut nullement étonné de trouver les fenêtres de la cuisine éclairées. Personne n'avait pu se mettre au lit après les événements de la soirée et sans savoir, de surcroît, ce qu'il était advenu des absents. Emma devait être malade d'inquiétude et McCreary n'en menait sans doute pas beaucoup plus large, lui dont l'affection pour sa collègue allait manifestement au-delà de la simple collaboration professionnelle. Et puis, il y avait la petite Mary, tout à fait étrangère à cette histoire, qui se retrouvait, blessée, entre les mains de deux étrangers et était sans doute incapable de rentrer chez elle. Par-dessus tout, si Jack était venu ici une fois, il pourrait revenir quand il le voudrait. C'était amplement suffisant pour ne plus jamais éteindre les lumières.

Il s'astreignit à attendre quelques instants sous la porte cochère et fouilla du regard la cour intérieure. Aussi rassuré qu'il pouvait l'être dans les circonstances, il la traversa d'un pas rendu traînant par l'épuisement et le découragement. Au risque de commettre un sacrilège, il avait maintenant une idée de ce qu'avait dû ressentir le Christ lorsqu'il avait marché vers le Golgotha en portant tous les péchés du monde sur ses épaules.

Il songea qu'il mettait probablement les pieds dans le sang encore humide de Mary, que la terre n'avait sans doute pas entièrement absorbé. Il s'arrêta devant chez lui, se demandant s'il devait frapper avant d'entrer, de crainte d'être abattu sur-le-champ par McCreary. Trouvant la serrure verrouillée, il dut frapper à sa propre porte.

— Qui est-ce ? demanda la voix tendue de sa sœur, de l'autre côté.

— C'est moi, répondit Joseph avec une lassitude qui le surprit lui-même.

Emma ouvrit brusquement, revolver au poing, et l'empoigna par la manche pour le tirer à l'intérieur sans quitter la cour des yeux. Constatant que Joseph était seul, elle referma aussi sec.

— Tu n'as pas retrouvé Margaret ? s'enquit-elle.

— Si.

— Mais où est-elle, alors ?

Joseph n'eut pas le courage de répondre. Il baissa les yeux, ce qui suffit à sa sœur pour comprendre. Elle resta plantée près de la porte, tétanisée, porta la main à sa bouche et blêmit.

— Oh, doux Jésus, murmura-t-elle, horrifiée, avant de se signer et de chuchoter une brève prière pour le repos de l'âme torturée de cette femme qu'elle connaissait à peine, mais qui avait mérité son respect.

Tel un automate, Joseph alla jusqu'à la table, se laissa choir sur une chaise et regarda fixement le vide, à demi mort. Le désespoir le prit au dépourvu. Une grosse boule lui remonta dans le gosier et, avant qu'il ait pu la ravaler, elle se transforma en sanglots gras et profonds qui lui firent tressauter les épaules, tandis que ses bras pendaient mollement au-dessus du plancher. À travers ses larmes, il vit Emma se diriger d'un pas pressé vers le comptoir, y poser son arme avec un dégoût évident, puis ouvrir l'armoire et revenir avec la bouteille de gin et des verres. Sans mot dire, elle lui versa une petite rasade qu'il saisit d'une main si tremblante qu'il renversa une partie de l'alcool en le portant à sa bouche avant d'avaler le reste d'un trait.

Sur ces entrefaites, McCreary sortit de la chambre d'Emma, un vieux bassin en tôle dans les mains et une serviette sur l'avant-bras. Malgré l'heure avancée, il demeurait élégant dans son pantalon de qualité, ses souliers vernis, les cheveux impeccablement séparés au milieu. Ses seules concessions consistaient à avoir retiré sa veste, déboutonné son col de chemise et roulé ses manches. La langue entre les lèvres sous sa moustache frisée, il avançait prudemment sur sa jambe artificielle pour éviter que son clopinement ne lui fasse renverser de l'eau en chemin.

— *There!* Elle ne saigne déjà plus. La plaie est superficielle et elle est bien refermée, annonça-t-il avec une satisfaction évidente. J'ai changé ses pansements. *Her throat won't be too pretty to look at for a while, but she'll be just fine*[*]. Je lui ai donné un peu de gin chaud pour calmer ses nerfs. Elle va dormir et…

Il s'arrêta net en constatant que Joseph était revenu. La gravité de son expression trahit le pressentiment qui l'envahissait en réalisant qu'il était seul.

— *Where's Margaret*[**] *?* demanda-t-il d'une voix inquiète, soupçonnant la réponse.

— Au musée Éden, parvint à dire Joseph entre deux sanglots.

Il ferma les yeux, incapable de faire face à l'agent.

— Morte.

Une impression d'incrédulité hébétée se forma sur le visage de McCreary, comme si la nouvelle lui avait été annoncée dans une langue qu'il ne comprenait pas – qu'il se refusait à comprendre. Puis vinrent l'horreur et la douleur à mesure qu'il blêmissait. Ses mains cessèrent de lui obéir et il laissa tomber le bassin sans même s'en apercevoir. L'eau rougie de sang et les pansements usés se répandirent sur le plancher dans un vacarme métallique.

— *Dead… H-How?* arriva-t-il à articuler faiblement, mais avec une dignité qui brisait le cœur.

— De la même façon que les deux autres, répondit Joseph, toujours sonné. Égorgée et éventrée comme un animal.

---

* Voilà ! Sa gorge ne sera pas très belle à voir pendant un moment, mais elle va se rétablir.

** Où est Margaret ?

Un sanglot unique, qui semblait presque trop gros pour sortir de sa gorge, rompit la carapace de flegme de l'agent de Scotland Yard. Ébranlé, il tituba, raide comme un chêne, jusqu'à la table et se laissa choir lourdement sur une chaise. Il avait le teint cireux et donnait l'impression d'être à un cheveu de s'évanouir. Ne sachant que faire, Emma s'empressa de lui servir un verre de gin plein à ras bord qu'elle dut lui mettre dans les mains tant il paraissait détaché de la réalité. Il finit par le saisir, le porta à sa bouche et le vida d'un trait, lui aussi, avant de le reposer avec maladresse.

— *Tell me. I need to know everything*[*], ordonna-t-il d'un ton monocorde en regardant droit devant lui.

— Est-ce vraiment nécessaire ? fit Joseph, mal à l'aise à l'idée de devoir lui raconter les horreurs qu'il avait vues. Jack l'a tuée, c'est tout.

— *Please. I beg you. It's... necessary*[**].

Joseph réalisa que, pour un homme de cette trempe, qui avait tout mis de côté depuis des années pour traquer patiemment sa proie, le seul moyen de ne pas perdre la raison était de la focaliser tout entière sur sa haine. Et pour y parvenir, il devait enfoncer les doigts dans la blessure fraîche de son âme et en faire sortir toute la douleur qu'elle pouvait générer. Pour avoir aussi mal que possible, il devait connaître le moindre détail sordide de la mort de sa collègue. Seule la souffrance lui permettrait de continuer. Autrement, il sombrerait, là, devant eux.

Joseph consulta sa sœur du regard et celle-ci, qui avait compris la même chose, l'encouragea d'un hochement de la tête avant de les resservir tous les trois. Puis les yeux

---

* Dites-moi. Je dois tout savoir.

** Je vous en prie. C'est... nécessaire.

d'Emma Laflamme, pleins de compassion, ne quittèrent plus George McCreary.

— Très bien, soupira Joseph sur le ton du condamné résigné à sa peine.

Le journaliste inspira profondément, prit une nouvelle gorgée et, à contrecœur, se lança dans son récit macabre. Il raconta les événements de la soirée sans rien cacher, ni adoucir le plus petit détail. Il relata son expédition dans le musée Éden, la manière dont Jack l'avait attiré jusqu'au deuxième étage, puis ce qu'il avait trouvé dans le tableau mettant en scène l'assassin Burke. Il décrivit méthodiquement la posture de Margaret Smith, le traitement qu'elle avait subi et termina avec le bouton de manchette.

La mâchoire serrée, le visage dur, les yeux mi-clos, McCreary l'écoutait stoïquement, se contentant de demander un éclaircissement de temps à autre. Sans vraiment y penser, Emma posa sa main sur la sienne, la tapota avec sympathie et la trouva aussi froide que celle d'un mort. Faisant fi de la réserve féminine, elle la serra un peu avec compassion. Il la laissa faire et lui adressa un regard triste, mais reconnaissant.

— En sortant, il a crié « Jubelo, Jubela, Jubelam », conclut Joseph.

— Vraiment ? fit McCreary en s'animant. Hum... C'est presque trop évident. Il ne voulait pas qu'on oublie le lien maçonnique.

Il se frotta les joues avec une lassitude palpable qui allait bien plus loin que l'épuisement physique.

— Margaret... déplora-t-il. *Poor, poor Margaret. She didn't deserve that*[*].

Il avisa Joseph, puis Emma.

---

[*] Pauvre, pauvre Margaret. Elle ne méritait pas ça.

— Trois ans, dit-il avec des trémolos de colère dans la voix. Trois longues années que nous traquons Jack. Le mari de Margaret était mon collègue depuis des années. Mon ami, aussi. Ils s'aimaient avec une passion que tous les couples devraient pouvoir connaître. Je lui devais de... de lui procurer sa vengeance. Finalement, je n'aurai même pas pu la protéger. Le *Ripper* lui a tout pris. Même sa vie.

Il prit une gorgée et posa doucement son verre à moitié vide sur la table. Emma lui offrit de le remplir, mais il l'arrêta d'un geste. Pendant une minute, il resta silencieux, à fixer ses doigts entrelacés sur la table. Emma et Joseph ne disaient pas un mot, respectant sa peine et conscients de la lutte que se livraient devant eux les émotions et la raison de George McCreary.

Quand l'agent de Scotland Yard leva les yeux, ils étaient rouges mais secs, et l'homme avait retrouvé la maîtrise de lui-même. Nul doute qu'il avait enfoui au plus profond de lui une souffrance qui remonterait à la surface en temps voulu, mais pas dans l'immédiat. Joseph admira sa force de caractère.

— Margaret est morte, déclara McCreary avec un calme rappelant celui qui règne dans l'œil du cyclone avant que toute la violence de la création ne se déchaîne. Nous ne pouvons rien y changer. La meilleure façon de la venger est de capturer le *Ripper*. C'est ce que Margaret aurait dit.

Il ferma les poings si fort qu'ils en tremblèrent et que ses jointures en devinrent blanches. Puis il regarda Joseph, l'air dur et résolu.

— Et quand ce sera fait – car je réussirai, même si je dois crever pour y arriver –, *by God*, je lui ferai la peau d'une manière qui fera passer le traitement infligé à ses victimes pour une caresse, dit-il d'une voix sépulcrale qui donna la chair de poule à Emma. Quand la vie le quittera, je le forcerai à me regarder droit dans les yeux pour qu'il emporte avec lui en enfer le souvenir de la haine et du mépris que je lui porte. Ensuite, seulement, je pleurerai Margaret.

Il prit une petite gorgée de gin et soupira longuement, comme s'il expulsait dans un souffle tous les tourments qui obscurcissaient sa raison.

— Ce qui est certain, ajouta Joseph, mal à l'aise mais ressentant un pressant besoin d'agir, c'est que l'article d'hier matin a eu de l'effet. Ce que Jack vient de faire était beaucoup plus dangereux que de simplement assassiner une prostituée dans une ruelle sombre, sans grand risque de se faire prendre. Cette fois, il jouait avec le feu.

— Parce qu'il était excité, confirma McCreary. Je le connais comme le fond de ma poche. Il est orgueilleux et a sans doute roucoulé de plaisir en lisant son nom et ses exploits dans le journal. Il aime qu'on parle de lui, qu'on l'admire. Il a ressenti le besoin d'augmenter la mise, en quelque sorte.

— Et il a réussi, rétorqua Joseph avec amertume.

— Non, c'était plus que ça, interjeta Emma. Il lançait un défi.

Les deux hommes lui adressèrent un regard interrogateur. D'un geste, McCreary l'invita à poursuivre.

— C'est évident, poursuivit-elle en comptant sur ses doigts. Premièrement : il ne s'en est pas pris à n'importe quelle prostituée, mais bien à celle qu'affectionne l'auteur des articles qui le lient aux meurtres.

Honteux que sa sœur mentionne ouvertement des habitudes au sujet desquelles il aurait aimé rester discret, Joseph se sentit mal à l'aise, mais elle eut la décence de ne pas l'humilier davantage en le regardant.

— Deuxièmement, il a attaqué la pauvre fille à quelques pieds de la maison dudit auteur.

— Je suis d'accord avec vous, miss Emma. L'attaque était personnelle, ajouta McCreary, comprenant où elle voulait en venir.

Emma avisa son frère.

— Il voulait te faire savoir que même si tu l'as démasqué, il reste le plus rusé de vous deux. Tellement que s'il en a envie, il peut attaquer une fille de ta connaissance à deux pas de chez toi, sous ton nez et à ta barbe.

Sidéré, le journaliste se passa une main nerveuse dans les cheveux et prit une gorgée de gin.

— Et il y a plus, continua Emma. Jack a attaqué ta Mary en premier parce qu'il se copie lui-même.

— *Of course! He's reenacting Stride and Eddowes**, confirma McCreary, l'air songeur.

— Le 30 septembre 1888, renchérit Emma, Jack a d'abord attaqué Elizabeth Stride, mais il l'a seulement égorgée. On pense qu'il a été dérangé. Le même soir, il a assassiné Catherine Eddowes selon son rituel complet. Et voilà qu'il tente d'égorger Mary sans lui faire autre chose, puis qu'il est dérangé par l'arrivée de Margaret et de George. Et comme à Londres, il se reprend sur une deuxième victime, qu'il achève à sa façon habituelle. Il semble avoir sciemment cherché à reproduire le scénario de Londres.

— Si ce que vous avancez est juste, alors il avait prévu que Margaret lui tirerait dessus, rétorqua Joseph, perplexe. Il aurait couru le risque volontairement ?

— Pourquoi pas ? Ça cadre avec son arrogance, dit McCreary.

— Alors il connaissait votre existence. Sans doute vous a-t-il vus entrer et sortir d'ici.

Une idée lui vint et il fronça les sourcils.

---

* Bien sûr ! Il reproduit Stride et Eddowes.

— Et s'il avait reconnu Margaret ? demanda-t-il à McCreary. S'il avait monté toute cette mise en scène pour l'achever et vous narguer, vous autant que moi ?

L'agent se mit à tapoter sur la table, perdu dans ses pensées. Il ramassa son verre et y fit tournoyer le liquide.

— Qui sait ? admit-il. Par contre, ce qui est indubitable, c'est qu'il voulait qu'on vous trouve sur les lieux du meurtre pour vous incriminer. S'il a averti la police, c'est pour qu'elle vous y surprenne. Vous avez eu de la chance de sortir avant son arrivée. Avez-vous entendu une voiture ?

Joseph fouilla les souvenirs fragmentés qu'il conservait des événements.

— À part celle des policiers, non.

— Peut-être parce que son complice, s'il en a un, était parti les prévenir pendant qu'il assassinait Margaret, suggéra l'agent.

— Bon Dieu… Il voulait me faire passer pour lui, dit le journaliste, effaré. La vengeance suprême : me faire accuser de ses crimes…

Cette fois, personne ne refusa un nouveau verre de gin. Même Emma s'en versa un doigt.

— Le temps presse, reprit McCreary. Si vraiment il reproduit la séquence des meurtres de Londres, il lui reste une seule femme à tuer à Montréal pour que le cycle soit complet. Sa prochaine victime sera réduite à l'état de viande sanguinolente et informe, comme Mary Jane Kelly. Et ensuite, il disparaîtra à nouveau.

— Alors que faire ? demanda Emma après avoir avalé une gorgée qui la fit grimacer.

— Nous allons lui tendre un piège, répondit sans hésiter McCreary.

La porte de la chambre d'Emma s'ouvrit en grinçant et Mary O'Gara en sortit. Elle était pâle et s'appuyait contre le mur pour garder l'équilibre. Son cou était enveloppé dans un pansement serré et ses beaux yeux bleus étaient soulignés de cernes de la même couleur. La robe de nuit d'Emma qu'elle portait, beaucoup trop grande pour elle, lui donnait l'air fragile d'une enfant.

— Je ne sais pas quel piège vous allez tendre à ce malade, mais je veux aider.

Puis ses paupières frémirent et ses yeux se révulsèrent. Son visage devint livide et se couvrit d'une fine couche de sueur. Elle eut le temps de dire un seul mot avant de tomber à la renverse.

— Joseph…

42

Joseph bondit sur ses pieds et se précipita vers Mary. Il arriva juste à temps pour la saisir sous les aisselles et l'empêcher de s'effondrer comme une poupée de chiffon. Il la serra contre lui et sentit son cœur sur le point de se briser lorsque parvint à ses narines l'odeur des cheveux roux qu'il aimait tant, même mêlée à celle du sang et de la sueur. D'une main fébrile, il les caressa discrètement, conscient des regards qui pesaient sur lui, mais indifférent aux jugements qu'ils portaient. Maintenant qu'il avait failli la perdre, ce que représentait cette fille pour lui le frappait avec la force d'un coup de tonnerre. Elle pouvait bien se vendre aux hommes. Elle ne faisait que survivre de son mieux, et il y aurait toujours en elle une part de pureté que rien ne pouvait souiller.

— Mary, murmura-t-il d'une voix que l'émotion rendait rauque et chevrotante. Seigneur… Ma petite Mary.

Ayant retrouvé ses esprits, la jeune femme se dégagea un peu brusquement de son étreinte. Dans le regard qu'elle lui adressa, il lut de la reconnaissance mais aussi une autre chose, qu'il n'y avait jamais vue auparavant : de la tendresse. Ou était-ce seulement le résultat de la faiblesse passagère causée par la blessure et le choc ?

Emma se leva à son tour et vint prêter main-forte à son frère pour la soutenir.

— Il faut retourner vous coucher, Mary, recommanda-t-elle avec une compassion sincère. Vous avez perdu beaucoup de sang.

Mary regarda Emma avec dignité.

— Ça ira. Je veux vous aider, déclara-t-elle d'une voix faible mais résolue en touchant le bandage qui enveloppait son cou. Ce fou m'a presque tuée et je ne serai plus tranquille tant qu'il ne sera pas derrière les barreaux ou raide mort.

— Peut-être pourrez-vous compléter ce que nous savons déjà, suggéra McCreary, qui était resté assis. Approchez, miss Mary. Venez vous asseoir.

Les Laflamme la soutinrent jusqu'à la table, où elle prit place sur la dernière des quatre chaises. Elle s'enveloppa dans ses propres bras et frissonna. Tandis qu'Emma partait quérir un châle de laine dont elle recouvrit ses frêles épaules avec des gestes étonnamment maternels, l'agent du Yard versa du gin dans un verre et le lui offrit.

— Buvez, mademoiselle, buvez, insista-t-il avec douceur. Cela vous réchauffera. Vous êtes très faible. Vous devez vous refaire les sangs.

— Merci, fit faiblement Mary.

Après une brève hésitation, la jeune fille porta le verre à ses lèvres et, trahissant son peu d'habitude de ce genre de boisson, avala une trop grosse gorgée. Elle écarquilla les yeux tandis que son œsophage semblait prendre feu, puis elle essaya d'inspirer et se mit à tousser. Elle porta la main à sa gorge enrubannée que chaque quinte torturait. Inquiet, Joseph lui prit son verre des mains et lui tapota le dos jusqu'à ce que la crise se calme.

— Merci, fit Mary, l'air contrit et les yeux pleins de larmes, en lui prenant brièvement la main au passage. Je n'ai pas l'habitude.

— Buvez par petits coups, miss, dit McCreary.

Elle considéra l'alcool incolore, l'air de se demander comment quiconque pouvait prendre plaisir à avaler pareille mixture.

— Comment vous êtes-vous retrouvée ici, mademoiselle ? demanda l'agent de Scotland Yard.

— Mais... Mais parce que Joseph m'avait demandé de venir ! rétorqua Mary, interdite. Un petit garçon m'a remis une note de lui me demandant de le rejoindre ici à minuit.

McCreary avisa Joseph et arqua le sourcil d'un air interrogateur.

— Je n'ai écrit aucune note, lui confirma celui-ci en comprenant déjà ce que cela signifiait.

— Vous semblez certaine que la note était bien de M. Laflamme, reprit l'agent. C'était son écriture ?

— Je... Je ne me suis pas posé la question, admit Mary avec une moue embarrassée. Je ne connais pas son écriture, mais il m'appelait « petite Mary » et il avait signé « Ton Joseph ». Alors j'ai cru que...

— M. Laflamme est-il le seul à vous appeler ainsi ? l'interrompit McCreary.

— Bien sûr que non, ricana Mary avec défiance, sans baisser les yeux. C'est comme ça qu'on me connaît dans le quartier. La petite Mary O'Gara.

Joseph eut le pincement au cœur qu'il ressentait à chaque fois qu'elle faisait référence avec une telle franchise à sa profession.

— Donc, pardonnez mon indélicatesse, mais un grand nombre d'hommes auraient pu utiliser ce surnom, insista l'agent.

Mary parut réaliser toute l'étendue de sa naïveté et son visage blême afficha une expression médusée.

— Je gagne ma vie comme je le peux, monsieur, rétorqua-t-elle en redressant le dos. J'aimerais pouvoir faire autrement, croyez-moi, mais je n'ai jamais eu le choix. Ma vie est ce qu'elle est.

— Je ne vous juge pas, mademoiselle, la rassura McCreary. J'essaie de comprendre.

— Il n'y a plus de doute possible, constata Emma. Jack avait préparé son coup, jusqu'à attirer Mary ici en se faisant passer pour Joseph.

Elle se retourna vers son frère, le visage grave.

— Tu te rends compte que ce malade sait où nous habitons depuis un moment déjà ? demanda-t-elle avec un frisson.

McCreary croisa les doigts des deux mains et, appuyant ses coudes sur la table, se pencha vers Mary.

— Avez-vous réussi à apercevoir celui qui vous a agressée ?

— Non. Il m'a attaquée par-derrière. Tout ce que je peux vous dire, c'est qu'il portait un macfarlane et un gibus.

L'agent du Yard se tendit visiblement.

— Vous en êtes certaine ? insista-t-il.

— Oui. La nuit était sans nuages et on y voyait quand même un peu. Quand je suis tombée, j'ai aperçu sa silhouette. Un macfarlane, c'est facile à reconnaître. Je me souviens de m'être demandée pourquoi il s'habillait aussi chaudement en cette saison. C'est stupide, non ? ricana-t-elle avec amertume. Je suis en train de me vider de mon sang et je… je…

Avec courage, elle ravala un sanglot. Sans y être invitée, elle prit son verre et but une petite gorgée sans s'étouffer.

— Et le gibus ? poursuivit McCreary.

— Il a dû le perdre en m'attaquant. Il s'est penché pour le ramasser et le remettre. Il a même pris le temps de l'ajuster avant de disparaître sous la porte cochère.

Comme si toute la tension accumulée venait de disparaître, McCreary se laissa retomber contre le dossier de sa chaise, le visage chiffonné par la perplexité. Il frisa distraitement un bout de sa moustache en fronçant les sourcils tandis que, de l'autre main, il tambourinait des doigts sur la table.

— Qu'est-ce qu'il y a ? s'enquit Emma.

Il réfléchit encore un moment avant de répondre.

— À Londres, en 1888, dit-il enfin, Scotland Yard et la City Police ont accumulé des centaines de témoignages de gens qui affirmaient avoir vu les victimes en compagnie d'un homme peu avant leur mort, ou qui disaient avoir aperçu un individu s'éloignant du lieu du crime. Certains ont parlé d'une casquette molle, d'autres d'un melon ou d'un feutre mou. Même les journaux le représentaient ainsi. Par contre, à moins que la mémoire ne me fasse défaut, je ne me rappelle pas que quiconque ait mentionné un gibus.

Il se remit à jouer avec sa moustache en réfléchissant.

— Notre homme évolue. Il a non seulement raffiné ses références maçonniques et dispose ses victimes d'une façon très rigoureuse, mais voilà qu'il se vêt comme un gentleman. S'il ne commettait pas des gestes que lui seul peut connaître, à part Scotland Yard, je me demanderais si nous avons affaire au même homme ou à un imitateur qui veut perfectionner le personnage.

* * *

Lorsque Mary retourna au lit, il était passé trois heures et les autres dormaient tous debout.

— Nous devons nous reposer quelques heures, suggéra McCreary. Demain sera une longue journée et les suivantes aussi, j'en ai peur. La pire erreur que nous pourrions commettre serait d'affronter notre adversaire avec des facultés diminuées. Car Jack, lui, est très alerte. Et rusé. Il nous l'a prouvé cette nuit.

Emma prit les choses en main.

— Je dormirai avec la petite. Il y a de la place pour deux femmes dans mon lit. Quant à vous, George, si notre canapé ne vous répugne pas trop, vous resterez ici. Je ne fais plus confiance aux rues la nuit, et vous savoir seul à l'hôtel Mack ne me sourit pas beaucoup.

Elle désigna le meuble désuet et usé, aux coussins enfoncés et aux pattes bancales, que personne n'utilisait plus jamais, au point que Joseph avait presque oublié son existence.

— Merci, miss Emma, fit l'agent, sa tristesse refoulée le frappant de plein fouet comme un boomerang.

Malgré son épuisement, Joseph fit le tour de la maisonnette et vérifia systématiquement toutes les fenêtres, puis cala une chaise contre la porte verrouillée. Satisfait, il se retira dans sa chambre. Il allait se dévêtir lorsqu'il réalisa qu'il avait encore soif. Alors qu'il sortait de sa chambre pour aller se remplir un dernier verre, il s'immobilisa dans l'embrasure de la porte.

Dans le coin le plus éloigné de la pièce qui tenait lieu à la fois de cuisine et de salle de séjour, Emma avait terminé d'installer un lit de fortune sur le vieux canapé en y étendant quelques couvertures épaisses qui sentaient bon le cèdre de la malle où elles étaient conservées, et un oreiller de plumes qu'elle avait tapoté pour le faire gonfler. Elle se redressa et se retrouva face à face avec l'agent de Scotland Yard.

— Vous êtes bien bonne pour moi, miss Emma, considérant que je n'ai apporté que la peur dans votre vie, lui dit-il, penaud. J'en suis vraiment désolé.

— Vous ne devez pas, George, le rassura-t-elle. Je comprends pourquoi vous tenez tant à mettre ce fou hors d'état de nuire. La perte de Mme Smith doit vous causer une terrible douleur. Et pourtant, vous persévérez avec une détermination renouvelée. Vous… vous deviez beaucoup l'aimer.

L'agent lui sourit tristement.

— Margaret était l'épouse de mon ami et elle est elle-même devenue mon amie. Mais rien de plus. Elle ne vivait plus que pour la mémoire de son mari. Après les événements de 1888, une fois guéris, d'un commun accord, nous avons tous les deux mis notre vie en suspens pour en consacrer chaque minute à la capture de Jack. Margaret y a perdu la sienne. Avec un peu de chance, peut-être la mienne pourra-t-elle un jour reprendre un cours plus ou moins normal.

— Pardonnez-moi, George. Je… Je n'avais aucun droit de…

Il lui prit les mains et la regarda droit dans les yeux. Elle cessa de balbutier et se figea.

— Merci, Emma. Pour tout.

— De… De rien, bredouilla Emma sans tenter de retirer ses mains.

Leurs regards se perdirent l'un dans l'autre. Se sentant soudain comme la cinquième roue du carrosse, Joseph décida qu'il pouvait se passer d'un dernier verre. Il retourna dans sa chambre sur la pointe des pieds et referma doucement la porte.

43

Tôt le lendemain, après quelques heures d'un mauvais sommeil tourmenté et saccadé, toute la maisonnée était à pied d'œuvre. Tandis qu'Emma vérifiait la blessure de Mary, qui se refermait un peu mais restait chaude et douloureuse, Joseph et McCreary s'étaient installés à la table pour composer le prochain article, conscients qu'il serait le plus important du lot et espérant secrètement qu'il soit aussi le dernier. Si l'agent de Scotland Yard avait souffert de sa nuit sur le vieux canapé, il n'en montrait aucun signe. Son regard était brillant, ses gestes précis et ses idées claires. Visiblement, l'homme était en mission et n'avait qu'un objectif: la vengeance. Joseph, lui, avait la tête un peu lourde, mais le café noir et fort que leur avait préparé Emma eut tôt fait de le réveiller.

Avant qu'ils aient écrit un seul mot, McCreary s'assura que leurs objectifs étaient bien clairs. Ils décidèrent de taire l'appartenance de Margaret à Scotland Yard, de crainte d'effaroucher leur proie. Pour la suite des choses, il eut recours à sa maîtrise incomparable du dossier tandis que les doigts de Joseph volaient sur les touches.

JACK L'ÉVENTREUR FRAPPE À NOUVEAU !

Dans la nuit du 11 au 12 août, comme Le Canadien en avait récemment exprimé la crainte, Jack l'Éventreur a de nouveau frappé au cœur de Montréal. Cette fois, il a choisi un décor à la hauteur de ses sinistres activités et de son esprit torturé : le célèbre musée Éden, boulevard Saint-Laurent. De nouveau, il se manifeste dans le quartier des théâtres et des femmes de mauvaise vie, qu'il semble particulièrement affectionner.

L'assassin a d'abord attaqué une jeune demoiselle du nom de Mary O'Gara, qui pratique le même métier que les victimes précédentes. L'attentat a eu lieu dans les environs de la rue Mignonne et du boulevard De Lorimier. Par bonheur, alors qu'il allait lui ouvrir la gorge, il a été dérangé et l'a abandonnée sans l'éventrer, comme c'est son horrible habitude. Mieux encore, la victime a miraculeusement survécu à sa blessure et se porte déjà mieux.

Environ une heure plus tard, le tueur fou a jeté son dévolu sur Mme Margaret Smith, Anglaise de passage chez nous. Cette fois, il a atteint son sinistre but. Poussant à l'extrême son raffinement macabre et démontrant une folle arrogance, le Ripper a calmement retiré la statue de cire féminine du tableau représentant le meurtrier Burke venant d'assassiner sa femme à coups de truelle. Il a ensuite disposé à sa place, dans le lit, le cadavre encore chaud de sa victime.

Tout comme Martha Gallagher et Madeleine Boucher, Margaret Smith a eu la gorge ouverte d'une oreille à l'autre avant d'être éventrée. Ses entrailles ont été disposées autour d'elle dans une sanglante composition et son intestin, jeté par-dessus son épaule. L'ensemble, rappelons-le, fait référence à la plus pure tradition maçonnique. De même, signature indiscutable du tueur, un bouton de manchette identique aux précédents se trouvait près du cadavre.

Avec cette nouvelle atrocité, l'Éventreur prouve qu'il est bien plus habile et rusé que le commun des mortels et la police. Il confirme aussi sa lâcheté. Car il ne frappe que la nuit et par-derrière. Il attaque à l'arme blanche de faibles femmes seules et sans défense pour les mutiler et les massacrer. Est-ce là un comportement héroïque ou poltron? Poser la question, c'est y répondre.

En novembre 1888, à Londres, il appert qu'une des hypothèses avancées par Scotland Yard pour expliquer une telle haine des femmes était que Jack était soit un inverti à l'esprit torturé par ses penchants contre nature, soit un homme trahi par une virilité défaillante. Dans un cas comme dans l'autre, parions que le lâche continuera à agir dans les coins sombres et reculés, là où il ne court aucun risque d'être surpris et de devoir se défendre contre quelqu'un de son sexe. Jamais, par exemple, il n'aurait le courage d'attaquer une pauvre innocente à l'angle de la rue Sainte-Catherine et du boulevard Saint-Laurent, là où l'ombre est plus rare et où rôdent des hommes qui pourraient lui servir la correction qu'il mérite.

La police de Montréal nous informe par ailleurs qu'elle a récemment retrouvé les cadavres de M. Jonathan Withers, propriétaire d'une boutique spécialisée en articles maçonniques, et de M. Napoléon Archambault, ouvrier, témoin resté anonyme du premier meurtre. Tous deux ont été tués d'un coup de couteau en plein cœur, et nul doute que leur assassinat est lié à cette affaire. En effet, le journal les avait interrogés en relation avec le premier meurtre et il y a fort à craindre qu'on ait voulu les faire taire.

Restez sur vos gardes, Montréalais, car l'homme n'a pas fini de frapper. Ni Le Canadien d'enquêter.

Joseph Laflamme

Joseph retira le dernier feuillet de la vieille Remington et le lut en diagonale avec une moue de profond déplaisir.

— Vous réalisez que dès qu'Arcand va le lire, demain matin, il va se demander comment je peux savoir tout cela ? demanda-t-il. Il va surgir ici et exiger une explication.

— Bien sûr, répondit McCreary en serrant la mâchoire pour refouler les émotions que lui causait la description du traitement infligé à Margaret Smith. Et il suffira d'invoquer le secret de vos sources. Laissez-lui entendre qu'un de ses hommes vous informe en douce. Ça devrait lui occuper l'esprit.

— Et s'il décide de m'embarquer comme suspect ?

— Votre sœur sera là pour jurer que vous n'êtes pas sorti d'ici. Et puis, comment pourriez-vous avoir quitté la maison alors que vous veniez de trouver miss Mary en sang sur le pas de votre porte ?

— Vous avez pensé à tout.

— C'est mon métier. L'important est de gagner du temps jusqu'à ce que l'article paraisse et que quelque chose se dérègle dans la tête de Jack.

Joseph ramassa les trois feuillets et en fit un paquet. Puis il considéra avec une perplexité évidente le fruit de leur travail.

— Vous croyez vraiment qu'il va mordre à l'hameçon ?

— Son comportement est de plus en plus erratique. Je crois qu'il perd peu à peu l'esprit. Si je vois juste, il mordra, l'assura McCreary avec conviction. Il voudra relever le défi. *He'll want to show you who the best man is*[*].

— Curieux, dit Joseph en se levant. Je ne me sens pas rassuré du tout. Je me demande si c'est comme ça que se sent un lièvre chassé par un renard…

Il se leva et fourra l'article dans sa mallette. À l'insistance de McCreary, il y mit aussi le revolver qu'il leur avait confié en sachant que l'agent avait le sien pour protéger Emma et Mary. Jack n'avait peut-être jamais frappé en plein jour, mais Joseph était méfiant en sortant et il attendit que la porte soit verrouillée de l'intérieur avant de s'éloigner.

Jamais la pénombre de la porte cochère ne lui avait paru si menaçante. Des images de la nuit précédente lui revenaient, saccadées et superposées. Elles se concluaient toutes par la petite Mary gisant par terre, la gorge ensanglantée. La peur qu'il avait ressentie à cet instant précis était inédite.

Avenue De Lorimier, il marcha d'un pas rapide et nerveux jusqu'à Notre-Dame, vérifiant s'il était suivi, résistant à l'envie de serrer son porte-documents contre sa

---

* Il voudra vous montrer lequel de vous deux est le meilleur.

poitrine pour que le revolver soit plus près de sa main. Il finit par s'arrêter et, après s'être assuré que personne ne le regardait, sortit l'arme de sa mallette pour la glisser dans sa ceinture. Il la camoufla avec sa veste boutonnée et se sentit plus tranquille.

Une fois sur Notre-Dame, il héla le premier fiacre qu'il repéra. Et ce fut seulement lorsque le véhicule se mit en route qu'il arriva à se détendre. Un peu.

* * *

Quand la voiture s'immobilisa devant les bureaux du *Canadien*, Joseph entrouvrit la porte, sortit la tête et jeta un coup d'œil prudent des deux côtés de la rue avant d'oser descendre, ce qui lui valut un regard de travers du cocher. L'individu repartit sans même une salutation dès que la course fut réglée.

Joseph trouva Albert Sauvageau à sa table, des papiers étendus devant lui, en train de noircir une feuille à la plume. Il allait la tremper dans un encrier lorsque Joseph entra. Il la remit aussitôt dans le porte-plume et écarta les bras pour l'accueillir.

— Oh, intrépide journaliste du *Canadien*, traqueur des tueurs légendaires ! Bienvenue dans les locaux où nous œuvrons, nous, humbles tâcherons ! le railla-t-il amicalement, avec un large sourire.

— Très drôle, grommela Joseph. Mais je ne suis pas d'humeur. Rouleau n'est pas là ?

— Rouleau ? On ne l'appelle plus « monsieur », maintenant ?

— *Monsieur* Rouleau, se reprit Joseph, irrité.

Sauvageau haussa les épaules avec un soupçon d'exaspération.

— Depuis la démission de Langevin, il s'absente souvent, expliqua-t-il. Ça brasse à Ottawa et, comme ce sont les dénonciations de M. Tarte et du *Canadien* qui ont tout provoqué, j'imagine que les pressions politiques doivent venir de tous les côtés. Les menaces de poursuites aussi, assurément. Il paraît que le Parti conservateur est en train de larguer Tarte pour le punir d'avoir dénoncé un de ses collègues.

Sauvageau se leva, contourna sa table de travail et rejoignit Joseph.

— Je devrais sans doute me taire, ajouta-t-il sur le ton d'un conspirateur, mais on raconte à demi-mot que les finances du journal battent de l'aile. Les mauvaises langues disent même que M. Tarte lui-même est en sérieuse difficulté. Tu imagines bien que s'il n'a plus un sou, le journal va être vendu ou fermé. C'est peut-être pour ça que Rouleau a sauté si vite sur tes histoires qui font vendre.

Joseph se retint de rétorquer que, pour l'instant, il s'en fichait souverainement et que, si Jack l'Éventreur n'arrivait pas à en finir avec lui, les francs-maçons ou la police veilleraient à réduire sa carrière en miettes.

— Il va certainement passer aujourd'hui pour terminer le travail sur le numéro de demain, précisa Sauvageau.

Ne désirant pas s'éterniser, Joseph tira son article de sa mallette et le tendit à son collègue.

— Très bien. Peux-tu lui remettre ceci de ma part ?

— C'est ton nouvel article ?

— Oui. Pour le numéro de demain.

— Je peux le lire ?

— Fais-toi plaisir.

Sauvageau s'assit sur le coin de la table de travail de Charles-Edmond Rouleau et lut le texte avec la rapidité que lui permettait son œil exercé. À mesure qu'il progressait, un demi-sourire un peu envieux et espiègle se dessina sur ses lèvres. Lorsqu'il releva la tête, son expression était admirative.

— Eh ben, dis donc, Laflamme... dit-il en secouant la tête avec émerveillement. Ça ne se calme pas, de ton côté. En tout cas, je t'envie tes sources ! On jurerait que tu étais dans le musée, en train d'espionner Jack.

Sauvageau fit une pause, mais Joseph ne confirma pas l'impression de son collègue.

— La police est au courant ?

— Sans l'ombre d'un doute.

— Bon, ne crains rien, espèce de veinard, le misérable ouvrier de la nouvelle que je suis va s'assurer de transmettre ton plus récent chef-d'œuvre au patron, blagua Sauvageau en arrangeant les feuillets.

Il les mit sur la table du rédacteur.

— En tout cas, tu indisposes pas mal de monde.

— Comment ça ?

— Les bonzes de la Grande Loge du Québec sont tellement excités qu'ils m'ont récemment fait savoir par l'intermédiaire d'un frère que j'étais trop bavard et que je devais dorénavant m'abstenir de t'apporter mon aide. Et la police n'apprécie pas beaucoup que tu joues dans ses plates-bandes avec un tel succès.

Sauvageau prit un air conspirateur et, de la tête, l'invita à s'approcher.

— J'ai fait le serment de ne jamais dévoiler un frère, mais je n'aime pas que des gens que je n'ai jamais vus décident qu'ils ont le droit de diriger ma vie. Que dirais-tu si tu apprenais que c'est le même homme qui exprime la contrariété des deux groupes ?

Sauvageau lui adressa un regard entendu et, après de longues secondes d'hébétude, Joseph eut soudain une épiphanie.

— Arcand ? fit-il, incrédule.

— Lui-même !

— Bon Dieu, je commence à croire que l'Église a raison. Il y a vraiment des francs-maçons partout... soupira-t-il.

— L'Ordre n'aime pas qu'on braque les projecteurs sur lui. Arcand est pris entre l'arbre et l'écorce. Il essaie de faire son travail et de respecter ses serments maçonniques. Sa position doit être très inconfortable.

La fatigue et la tension le rattrapant, Joseph avait envie de se laisser tomber dans la chaise la plus proche et de ne plus bouger pendant quelques heures. Il se contenta de refermer son porte-documents.

— Tu n'oublies pas de donner l'article à Rouleau ?

— Tu as ma parole. De toute façon, si j'omettais de le faire et que le patron l'apprenait, je crois qu'il m'égorgerait comme ton Jack le fait avec les putains.

Préférant ne pas s'éterniser sur le mauvais goût de cette remarque, Joseph prit congé sans plus attendre.

* * *

De retour chez lui, il trouva McCreary, Emma et Mary assis à la table, chacun devant une tasse de thé, en plein conciliabule. Il nota qu'Emma avait non seulement prêté une robe à Mary, mais que cette dernière était toute propre et bien coiffée, et qu'elle avait repris des couleurs. Elle flottait dans le vêtement, mais au moins, elle avait un air normal et rassurant.

Dès qu'il entra, tous se turent, ce qui attisa immédiatement sa suspicion. Il referma la porte, posa son porte-documents vide sur le comptoir, se servit une tasse de thé et s'approcha d'eux.

— Vous avez des airs de comploteurs, tous les trois, déclara-t-il en plissant les yeux pour mieux les toiser. Qu'est-ce que vous trafiquez, au juste ?

Sa sœur et l'agent de Scotland Yard se consultèrent du regard, comme s'ils avaient passé une entente tacite.

— Assieds-toi, tu veux ? l'invita Emma.

Toujours méfiant, il obtempéra et posa sa tasse devant lui.

— Alors ? insista-t-il.

— Jo, il nous est venu une idée, déclara sa sœur, visiblement mal à l'aise, en jouant avec l'anse de sa tasse à moitié pleine pour la faire pivoter dans sa soucoupe.

Il connaissait parfaitement ce ton. C'était celui qu'elle employait chaque fois qu'elle abordait un sujet susceptible de le mettre en colère.

— Mais encore ? grommela-t-il.

— Vous vous souvenez certainement, intervint McCreary, que j'ai suggéré que, par le biais de vos articles, vous fassiez office d'appât pour nous aider à capturer Jack ?

— Comment pourrais-je l'oublier, compte tenu des résultats ? rétorqua Joseph avec amertume.

— Eh bien, le temps est venu de passer de la pêche à la chasse, si je puis m'exprimer ainsi.

— Et d'utiliser un nouvel appât, ajouta sa sœur.

— Qui donc ? demanda Joseph dans un grondement lourd d'appréhension.

— Moi, lui confirma Emma.

— Et moi, renchérit Mary.

Sans dire un mot, sachant déjà ce qui allait suivre, il se leva, prit la bouteille de gin sous le comptoir et se versa son premier verre de la journée.

44

Montréal, 13 août 1891

La chaleur humide était revenue en force pendant la nuit et personne n'avait très bien dormi. Les draps étaient vite devenus collants et ouvrir la fenêtre de la chambre n'avait rien donné.

Dans la suite de l'hôtel Windsor, l'atmosphère était tendue. Tous les hommes présents étaient fatigués et avaient les paupières lourdes, ce qui ne faisait qu'ajouter à leur irritabilité. Leur anxiété aggravait encore leur transpiration, qu'ils épongeaient périodiquement avec un mouchoir. Plusieurs d'entre eux fumaient abondamment et un nuage de fumée bleutée s'accumulait au plafond.

Le maître adjoint, le chapelain, le secrétaire, le trésorier et le tuileur de la loge avaient été réveillés en catastrophe, au lever du soleil, par un chasseur de l'hôtel venu frapper à la porte de leur chambre pour leur remettre à chacun un mot écrit de la main du vénérable maître, les convoquant dans les trente minutes. Tous avaient fait une toilette rapide et s'étaient habillés à la hâte avant de le rejoindre.

Sur la table, le petit-déjeuner que le vénérable maître avait fait monter pour le groupe n'avait presque pas été touché tant la nervosité leur coupait l'appétit. La cafetière, par contre, était pratiquement vide et, malgré l'heure plus que matinale, aucun n'avait refusé la larme de brandy que le trésorier leur avait proposé d'ajouter au café à même la petite flasque en argent qu'il gardait toujours dans la poche intérieure de sa veste. Ils avaient besoin d'une bonne lampée pour atténuer leur nervosité, car tout menaçait de s'en aller à vau-l'eau. Parmi eux, personne n'ignorait qu'à la Grande Loge, ceux dont émanaient les ordres ne pardonnaient pas l'échec, à plus forte raison quand la mission risquait de la compromettre à ce point.

Toute l'attention se portait maintenant sur le vénérable qui, contrairement aux cinq autres, paraissait parfaitement maître de lui. Il posa sur la table l'exemplaire du *Canadien*, l'article de Joseph Laflamme bien en évidence. C'était sa lecture qui l'avait poussé à convoquer ses frères dès l'aube.

— De toute évidence, Jack est en train de déraper, déclara-t-il.

— Devons-nous vraiment nous en étonner ? renchérit nerveusement le tuileur. Sa raison ne tenait qu'à un fil dès le départ.

— C'était prévisible, en effet, acquiesça le maître.

— Heureusement, il aura tenu assez longtemps pour servir nos desseins. Les résultats sont déjà à la hauteur de nos espérances.

Le vénérable tendit la main vers un scone encore tiède, le beurra méthodiquement, puis y étala une couche de crème Devonshire suivie d'un peu de confiture de fraises. Il prit une bouchée et ferma les yeux pour mieux la savourer.

— Hum... soupira-t-il avec un ravissement sincère. À part à Londres, je n'ai jamais mangé d'aussi bons scones. Parfois, avec tous ses Anglais et ses Écossais, j'ai l'impression que Montréal est plus britannique que la Grande-Bretagne elle-même.

— Ne trouves-tu pas que le moment est mal choisi pour la gastronomie ? s'impatienta le secrétaire.

— Au contraire, mon cher frère, répondit le vénérable avec une nonchalance étudiée. Affronter les obstacles le ventre vide ne fait que les rendre plus difficiles à surmonter.

Il les dévisagea un à un de ses yeux d'un bleu profond et fané en essuyant avec une serviette quelques taches de crème à la commissure de ses lèvres, sur sa moustache et sur sa barbe poivre et sel.

— Allons, mes frères chevaliers de l'Arche pourpre, ne perdez pas vos moyens alors que notre tâche tire à sa fin, les semonça-t-il d'un ton indulgent.

— Peut-être, rétorqua le tuileur, mais te rends-tu compte de ce qui se passerait si l'affaire était ébruitée et que le rôle de l'Ordre était connu ?

Le visage rouge d'anxiété, le chapelain tirait compulsivement avec son index sur son col de chemise devenu trop serré.

— Le sort des putains assassinées nous paraîtrait enviable, dit-il avant de ravaler sa salive.

— Sans doute, mon frère, sans doute, le rassura le maître, pensif, mais nous n'en sommes pas encore là.

— Je voudrais bien avoir ta confiance.

— Tu sembles oublier que je suis impliqué autant que toi. Mais comment veux-tu que l'affaire soit éventée ? Personne à la Grande Loge ne connaît le rôle que nous avons joué, puisqu'il nous a été assigné par son intermédiaire d'Ottawa. Jack lui-même n'en sait rien et ne nous a jamais vus. Même s'il était arrêté et torturé par un bourreau de jadis, il ne pourrait révéler ce qu'il ignore.

Il fit une pause, le temps de laisser à nouveau courir son regard sur ses compagnons.

— À moins que l'un de nous n'ait la langue bien pendue, évidemment, ajouta-t-il. Ce qui serait très regrettable.

La menace sous-jacente était palpable et personne n'osa réagir à l'allusion de peur d'avoir l'air coupable. Il se servit ce qu'il restait de café, y fit fondre deux morceaux de sucre et y versa un nuage de crème, puis prit une gorgée qu'il savoura tout autant que son scone.

— Quoi qu'il en soit, comme à Londres, les derniers événements indiquent que le temps est venu d'en finir. Jack devient trop pressé. Sa fébrilité le rend maladroit et négligent. Hier soir, il a laissé vivante sa première victime et, si l'on se fie au journal, la femme qu'il a charcutée ensuite n'était pas une prostituée, mais une simple visiteuse de passage.

Le vénérable eut un petit rire sardonique.

— Cela dit, ma foi, il faut admettre que l'homme a le sens du spectacle. La mise en scène dans le musée de cire tenait du génie et a certainement eu l'effet escompté. Elle va frapper l'imagination de la population.

Il fit une pause et reprit son sérieux.

— En ce moment même, annonça-t-il, l'étape finale est sur le point de s'enclencher. Aujourd'hui, Jack recevra ses dernières instructions par le moyen que vous connaissez. Les résultats plairont beaucoup à ce Laflamme.

Il avisa avec amusement le rictus de dégoût qui se dessinait sur le visage de ses frères.

— L'important n'est pas la manière, mes frères, mais le résultat. Votre tâche est achevée. Repartez aujourd'hui même, ordonna-t-il. Voyagez séparément pour ne pas attirer l'attention et, une fois de retour, ne vous réunissez pas. Je vous convoquerai.

— Et toi ? s'enquit le maître adjoint.

— Je veillerai à ce que tout se déroule comme prévu et à bien nettoyer nos traces avant de partir à mon tour.

Il se leva pour signifier que la rencontre était terminée.

— *God save the Queen, Great Britain and Ireland, and our Order*, déclara-t-il solennellement.

45

Dans la maison de fond de cour de l'avenue De Lorimier, l'atmosphère était tendue et inquiète, mais silencieuse. Personne n'avait jugé nécessaire de sortir pour acheter le *Canadien*. Tous savaient déjà ce qui s'y trouvait et, surtout, les conséquences que cela risquait d'entraîner.

Debout devant le comptoir, le dos raide et le visage tendu, Emma nettoyait dans un bassin de métal rempli d'eau chaude la vaisselle d'un petit-déjeuner frugal de gruau et de tartines que tous avaient grignoté sans appétit. Timide, Mary essuyait les assiettes et les tasses à mesure qu'elles lui étaient passées, puis les confiait à Joseph qui les rangeait dans les armoires. Tandis qu'ils travaillaient ainsi à la chaîne, McCreary était installé à table. Concentré, il s'affairait à nettoyer son revolver et celui qu'il avait confié à Emma. Les pièces étaient réparties devant lui et il les brossait, puis les huilait une à une avant de les remettre méticuleusement en place avec une expertise évidente. Compte tenu de ce qu'ils planifiaient pour les prochaines nuits, la pire chose qui pouvait arriver était que les armes à feu s'enrayent au moment critique.

Malgré les circonstances, Joseph ne pouvait s'empêcher de goûter ce moment de relative intimité avec Mary

O'Gara. Certes, de temps à autre, il sentait le regard d'Emma peser sur lui, mais la désapprobation y était moins palpable qu'il ne l'avait imaginé, comme si, l'ayant côtoyée et soignée, elle voyait désormais la jeune femme comme un être humain, et plus seulement comme une de ces filles de mauvaise vie pour lesquelles elle avait un mépris instinctif. Sa sœur était certes sévère, et même un peu bigote, mais elle avait bon cœur.

Il se perdait une seconde dans les beaux yeux bleus de la rousse à chaque assiette qu'elle lui tendait. La pauvrette était encore très ébranlée par son aventure et sa blessure, quoique superficielle, la faisait assurément souffrir, mais le sommeil, la compagnie, le sentiment d'être en sécurité, le thé chaud et la nourriture lui avaient fait du bien. Peut-être aussi l'éloignement de son métier y était-il pour quelque chose. Son visage rousselé avait repris des couleurs et la robe brune qu'Emma avait ajustée en quelques coups d'aiguille lui allait assez bien, sans trop épouser toutefois ses jolies formes. Le col haut cachait en bonne partie son pansement. Elle répondait avec franchise à chaque sourire que lui adressait Joseph, et son plaisir d'être là semblait sincère. Malgré l'anxiété qui emplissait la maison, une part de lui arrivait à saisir ces petites perles de bonheur pour les chérir pleinement. Il lui suffisait de lâcher la bride à son imagination pour se voir en train de faire les mêmes gestes tous les jours tandis qu'autour d'eux des enfants jouaient en riant.

Il était en train de ranger les ustensiles propres dans leur tiroir lorsqu'il entendit la voix d'Emma derrière lui.

— Nous avons de la visite.

Il se retourna et la vit en train de regarder par la fenêtre dont elle avait écarté le rideau de dentelle. Le ton qu'elle avait employé n'annonçait rien de bon.

— Qui ?

— Ton ami l'inspecteur Arcand. Il est accompagné de deux policiers qui n'ont pas l'air particulièrement commode. On dirait qu'il vient faire son tour un jour sur deux, maintenant.

— Je me demande bien ce qu'il veut... Sans doute me féliciter pour mon article de ce matin, ironisa Joseph.

— *He must not see us here**, déclara McCreary d'un ton alarmé en se levant brusquement. Trouver Mary ici après que votre article a mentionné l'attaque qu'elle a subie hier soir lui paraîtrait suspect. Et la présence d'un agent de Scotland Yard, tout autant.

McCreary ramassa les pièces de revolver qu'il n'avait pas encore assemblées, puis mit les armes elles-mêmes dans ses poches.

— Aidez-moi, miss Mary, dit-il. Venez vite.

La jeune fille se chargea du petit tournevis, de la brosse et de l'huilier que l'agent avait utilisés. Ils disparurent tous deux à la hâte dans la chambre de Joseph et refermèrent la porte derrière eux. Quelques secondes plus tard, l'inspecteur frappait. Joseph alla ouvrir sans prendre la peine de demander qui se trouvait de l'autre côté.

Marcel Arcand donnait l'impression de ne pas avoir fermé l'œil de la nuit. Sa chemise et sa veste étaient fripées, sa cravate décentrée. Il s'était peigné précipitamment, sans beaucoup de succès, et ne s'était pas rasé. Il était cerné et paraissait au bord de l'épuisement. Deux policiers en uniforme à la mine patibulaire l'encadraient, dont le sergent O'Driscoll. L'autre était moins massif, mais ne paraissait guère plus amène, si l'on en jugeait par sa moue dédaigneuse sous son épaisse moustache noire. De toute évidence, l'individu n'entendait pas à rire. Sur sa plaque d'identité, on lisait : « Rochon, Louis, constable. »

---

* Il ne doit pas nous voir ici.

— Tiens, inspecteur Arcand, s'exclama Joseph avec une suavité étudiée. Messieurs, ajouta-t-il en inclinant élégamment la tête à l'intention des deux agents qui ne bronchèrent pas. Que me vaut l'honneur?

En guise de réponse, l'inspecteur tira un exemplaire du *Canadien* de la poche de sa veste et le lui montra. Le journal était plié autour de l'article rapportant les événements survenus au musée Éden.

— Le contraire m'aurait déçu, déclara Joseph en feignant l'amusement. J'en conclus que vous l'avez trouvé intéressant puisque vous voilà de retour chez moi de si bon matin?

— Puis-je entrer?

— Si vous laissez vos sbires dehors.

De la main, Arcand fit signe aux deux policiers de rester là et franchit seul le seuil. Joseph ne put s'empêcher d'adresser un clin d'œil moqueur aux agents contrariés avant de refermer. Une fois à l'intérieur, Arcand aperçut Emma et lui adressa des salutations polies malgré son humeur visiblement massacrante.

— Mademoiselle.

— Inspecteur, répondit-elle, les lèvres pincées.

Il brandit à nouveau le journal.

— J'irai droit au but, déclara-t-il avec un calme que contredisait le feu rageur dans ses yeux fatigués. J'ai été étonné de l'exactitude de vos informations. Les premiers agents sont arrivés au musée Éden vers minuit quarante, après qu'un gamin malpropre et en guenilles, qui aurait dû être au lit depuis des heures, a apporté une note manuscrite à la station n° 2.

C'était donc en lui faisant parvenir une note que Jack avait averti la police. Il avait procédé de la même façon pour attirer Mary chez lui. Joseph n'aurait pas été surpris d'apprendre qu'il avait eu recours au même gamin dans les deux cas, mais doutait fort qu'on puisse jamais le retrouver pour l'interroger.

— Je les ai rejoints une vingtaine de minutes plus tard, poursuivit Arcand. Les agents avaient trouvé l'endroit complètement vide, hormis bien sûr la pauvre femme au deuxième étage. Il en découle trois possibilités. Soit vous étiez sur place et vous êtes parti avant leur arrivée, ce qui fait de vous un suspect de premier plan dans cette affaire et m'autorise à vous emmener à la station et à vous détenir pour vous interroger. Soit un des policiers qui se trouvaient sur les lieux du crime vous a informé en contrevenant directement à mes ordres. Soit vous connaissez le tueur et vous êtes donc complice de meurtre, conclut l'inspecteur.

— Ce qui explique la présence de vos deux amis dehors… remarqua Joseph, crâneur, pour cacher le nœud qu'il avait dans le ventre.

Il tendit les mains vers son interlocuteur.

— Passez-moi les menottes et emmenez-moi si ça vous chante, le défia-t-il. Puisque je n'étais pas au musée, ainsi que ma sœur vous le confirmera, vous ne pourrez pas prouver que je m'y trouvais. Quant à ma source, vous savez bien que je ne dévoilerai pas son identité ce qui, que je sache, n'est pas un crime. Et pendant que vous perdrez votre temps à m'interroger et à rédiger des rapports, Jack tuera encore. Ou alors, il disparaîtra pour de bon. Qui sait ? Peut-être est-il même en train de faire ses bagages pour vous filer entre les doigts ? Et si cela se produit, je crois que vous pouvez dire adieu à toute promotion pour quelques décennies, à moins qu'on vous renvoie aux patrouilles à pied. Et je doute que vos frères de la Grande Loge du Québec soient très heureux que leur réputation reste à jamais entachée, comme ce fut le cas à Londres.

Il eut la satisfaction de lire une surprise passagère sur le visage de l'inspecteur et sut qu'il avait marqué un point.

— Je vois qu'on vous a informé, dit Arcand en serrant les mâchoires. Votre collègue Sauvageau, sans doute ?

— Ne revenons pas sur l'anonymat des sources, inspecteur, la question est réglée. Mais décidez maintenant : emmenez-moi ou repartez avec vos gorilles et consacrez votre énergie à attraper ce maniaque avant qu'il ne tue à nouveau. De mon côté, évidemment, je poursuivrai mon enquête, ne vous en déplaise.

Arcand le dévisagea en silence en respirant profondément.

— Réalisez-vous le danger que vous courez ? demanda-t-il enfin. Bon Dieu, vous ne vous attaquez pas à n'importe quel petit truand un peu détraqué, mais à Jack l'Éventreur en personne. Vous savez comme moi ce qu'il peut faire.

— J'en suis cruellement conscient, croyez-moi, répondit Joseph avec sincérité.

Pendant un moment, il fut tenté de collaborer avec cet homme harassé qui semblait honnête et déterminé. Puis il se souvint qu'il représentait non seulement la police, qui ne l'aimait guère, mais aussi les francs-maçons, qui avaient de solides raisons de ne lui vouloir aucun bien. Il ouvrit la porte et, d'un geste, invita Arcand à sortir.

— Soyez très prudent, monsieur Laflamme, avertit le policier.

— Est-ce une menace ?

— Non. Un conseil bien intentionné.

Joseph regarda l'inspecteur s'éloigner, en compagnie de ses hommes, puis disparaître sous la porte cochère.

* * *

Dehors, Arcand, perdu dans ses réflexions, ralentit le pas et s'immobilisa avant de monter dans la voiture de police noire qui l'attendait, et dont Rochon avait déjà ouvert la porte de la cabine pour lui. L'inspecteur O'Driscoll était juché sur la banquette du cocher, prêt à prendre la direction de la station nº 2. Arcand tira son mouchoir de sa poche et s'épongea le front. Il savait ce qu'il lui restait à faire.

46

Debout, le visage contre le mur, Jack était aux portes de la jouissance – cet instant exquis où la tension et l'expectative sont à leur comble, à cheval entre la retenue et l'explosion. La douleur était elle-même un plaisir indicible. Il vivait pour ces fugitifs instants de pur délice. Ils n'avaient pas leur pareil, hormis le plaisir qu'il tirait de son travail sur les femmes de mauvaises mœurs dont il nettoyait les rues. Bientôt, il n'y en aurait plus une seule à Montréal. Celles qui survivraient auraient trop peur pour rester.

Ses poignets et ses chevilles étaient emprisonnés dans des bracelets de cuir reliés par des chaînes bien tendues à des crochets posés aux quatre coins d'un mur de la pièce. Maintenu les bras et les jambes en croix, il avait du mal à tenir sur ses pieds tant il était fébrile. Malgré lui, il frottait doucement contre le plâtre rude et froid l'érection qui ne l'avait pas quitté depuis une heure et qui lui faisait mal tant son excitation était grande. De temps à autre, il y écrasait durement son gland gonflé pour l'empêcher de relâcher la semence qu'il ne voulait pas libérer afin de prolonger encore un peu la douce souffrance.

Il était à la merci de son compagnon, qui tenait son sort dans le creux de sa main. La sensation d'être soumis et vulnérable le ravissait plus que tout. Il n'était qu'une petite chose fragile et délicate, qu'on devait dresser et punir. En retour, lui-même donnait aux femmes les leçons qu'elles méritaient, créatures immondes qu'elles étaient. Il les punissait d'expulser du cloaque qu'elles avaient entre les cuisses des enfants qu'elles négligeaient ensuite, préférant boire du matin au soir et forniquer dans les cris et les halètements avec tous les hommes qui avaient les moyens de se payer leur chair impure. Avec chaque putain qu'il châtiait, c'était des enfants qui n'auraient pas à entendre leur mère forniquer, à sentir les odeurs des corps, à être touchés par des mains étrangères. Les filles de joie ne devaient pas enfanter. Leur ventre ne devait jamais devenir plein.

Derrière lui se tenait un jeune éphèbe blond aux cheveux suffisamment longs pour être coiffés comme ceux d'une fille. Son visage était aussi beau et délicat que celui d'un modèle de Michel-Ange. Il était arrivé fardé de manière un peu vulgaire et vêtu d'une robe ornée de dentelle, d'un élégant chapeau et de bottillons de cuir noir. De loin, et même de près, personne n'aurait pu deviner qu'il était de sexe masculin à moins d'y regarder à deux fois. Mais il s'agissait bel et bien d'un garçon, comme le démontrait avec éloquence le membre tumescent qui poussait contre le tissu de sa robe et se frottait contre les fesses de Jack.

Il n'avait pas vingt ans, mais il était déluré jusqu'au vice le plus délectable. Instinctivement, il comprenait les choses sombres et inavouables qui excitaient un homme de cette espèce. D'expérience, il connaissait les endroits et les recoins les plus sensibles de son corps et savait les titiller avec un doigté à nul autre pareil. L'adorable petit efféminé était ce qu'aucune femme ne serait jamais : la délicatesse avec un sexe d'homme. Jack avait fait appel à ses services par le passé même s'il coûtait cher, car chaque seconde de la torture qu'il savait si bien infliger valait son pesant d'or.

Tandis qu'il se tortillait en gémissant, espérant et craignant tout à la fois que cesse son attente, le garçon approcha sa bouche aux lèvres pulpeuses de son oreille. Il sentit le souffle chaud qui y pénétrait et laissa échapper un râle désespéré. Lentement, langoureusement, le gros godemiché en bois que l'autre tenait dans la main glissa le long de son dos.

— Tu en as envie ? demanda-t-il d'une voix dénuée de virilité, presque féminine.

— Oh oui…

— Beaucoup ?

— Oui, oui, haleta Jack en bombant les fesses dans l'espoir que l'objet continuerait sa descente.

L'éphèbe immobilisa aussitôt le godemiché.

— Tu veux être pris comme une femme ?

Cette fois, Jack ne put que hocher frénétiquement la tête. L'autre se contenta de lui effleurer les fesses avec le gland de bois.

— Tu es une salope ?

— Oui, une salope, râla Jack. Une vilaine salope comme ma mère. Comme toutes les autres. Un trou sale et puant.

Le garçon glissa le godemiché entre les fesses de Jack et lui taquina l'anus sans l'y enfoncer.

— Il est temps de te remettre au travail, dit-il. Pour la dernière fois. Tu choisiras une putain et tu lui feras comme à Mary Jane Kelly. Tu te souviens d'elle ?

Le garçon habillé en femme n'avait aucune idée de ce que signifiaient les paroles qu'il venait de prononcer et il s'en fichait. Un inconnu l'avait payé dix belles piastres pour séduire l'homme qui couinait devant lui et lui répéter les mots qu'il venait de prononcer. À ce prix, il aurait accepté sans hésiter de chanter *La Marseillaise* tout nu sur la rue Sainte-Catherine en faisant des pointes de ballerine.

— Oh oui… Comme Mary Jane…

— Ce soir, va trouver une sale putain au coin de Sainte-Catherine et Saint-Laurent, emmène-la dans une chambre et traite-la comme Mary Jane.

Jack avait du mal à contenir son agitation. Il avait adoré la mise en scène dans le musée. Il avait bien ri en allongeant la putain borgne dans le lit, à la place de la figure de cire qu'il avait même pris le temps de ranger dans un placard pour ne pas gâcher son effet. En arrangeant tout cela, il avait eu l'impression que son art atteignait un nouveau sommet de raffinement, que ses victimes devenaient des sculptures destinées à exprimer ce qu'il était, lui : Jack, éventreur et créateur. Mais il avait encore sur le cœur la fille d'avant, qu'il avait pourtant attirée lui-même chez Laflamme. Il aurait dû lui trancher la gorge puis s'enfuir, exactement comme à Londres. Il ne pouvait pas prévoir l'arrivée des deux inconnus qui s'étaient mis à lui tirer dessus. Il regrettait ce gâchis.

Il allait se reprendre sur la prochaine victime. Il la ferait payer. Elle saignerait pour deux. Elle serait son apothéose, le coup d'éclat grâce auquel on parlerait de Jack l'Éventreur *ad vitam æternam*. Comme Mary Jane Kelly. Elle serait aussi sa dernière. Son travail lui manquerait. Peut-être pourrait-il continuer discrètement, pour son seul plaisir, sans public terrifié, tel un ermite qui se repaît d'une œuvre qu'il est le seul à comprendre.

Sans prévenir, l'éphèbe lui enfonça le godemiché dans les fondements, puis entama un mouvement de va-et-vient d'abord doux, puis de plus en plus rapide. Jack se crispa et arqua le dos, couinant autant de jouissance que de douleur. Le plaisir qui se frayait un chemin en lui était décuplé par les images de Mary Jane Kelly, qu'il connaissait par cœur. Le visage mutilé au point de n'être plus qu'une masse de chair sanguinolente et méconnaissable… L'abdomen ouvert sur toute sa longueur et vidé de ses organes… Le sexe réduit en bouillie… les seins tranchés… Les viscères soigneusement disposés partout dans la chambre, sur le lit, sur les meubles… Oui, son ultime travail serait son chef-d'œuvre.

Lorsqu'il éjacula, son orgasme fut le plus intense qu'il eût jamais ressenti.

47

Après le départ de l'inspecteur Arcand, Emma, Mary, Joseph et McCreary consacrèrent le reste de la journée à peaufiner fiévreusement un plan qui recelait des risques presque démentiels. Il était vite apparu qu'ils ne pouvaient pas tout anticiper et que mille imprévus risquaient de survenir. Peu importait leur degré de prévoyance, la fatalité pouvait toujours se pointer le bout du nez et tout faire déraper. Mais que faire d'autre, hormis attendre une arrestation, d'autant plus improbable que la police était infiltrée par les francs-maçons, ou une nouvelle attaque de Jack ?

Tous leurs espoirs reposaient sur l'hypothèse que Jack relèverait le défi qu'il avait sans doute lu le matin dans *Le Canadien*. Selon McCreary, l'assassin était orgueilleux et ne pourrait pas résister à l'envie de prouver à tout le monde qu'il avait du courage en frappant à l'angle de Sainte-Catherine et Saint-Laurent. Dans des circonstances normales, l'entreprise eût été irréaliste, mais le *Ripper* n'était pas un criminel ordinaire. Il était dominé par des pulsions irrésistibles et son intelligence le rapprochait plus du fauve affamé que de l'humain raisonné. Son orgueil était à la mesure de sa ruse.

Joseph éprouvait de profondes réserves, mais ne voyait pas d'autre option viable. Comme les autres, il comprenait que l'Éventreur venait de lui faire passer un message aussi clair que menaçant. En quelques heures, avec une audace déconcertante, le tueur avait retourné la situation en sa faveur. De proie, il était devenu prédateur. Alors même que le journaliste enquêtait sur lui, il lui avait rendu la pareille et avec une efficacité comparable. Bien que Mary ait survécu à l'attentat, le message était clair : « Je sais où tu vis et qui tu fréquentes. » Il avait surtout prouvé sans équivoque sa capacité de le frapper à sa convenance, autant lui que les personnes qui lui étaient chères.

Sans trop y croire, Joseph avait bien proposé de profiter de la nuit pour s'enfuir. Ils pourraient prendre le train et filer aussi loin que possible – s'il le fallait, jusqu'en Colombie-Britannique, à l'autre bout du Dominion, ou quelque part aux États-Unis. Grâce à la somme déjà versée par Scotland Yard, ils disposaient de quoi recommencer leur vie. McCreary était le bienvenu, mais il pouvait aussi repartir à Londres s'il préférait. Sa sœur et l'agent lui avaient vite fait comprendre que cela ne suffirait pas et que, quoi qu'il fasse, ils ne seraient jamais complètement tranquilles.

— Le reste de notre vie se déroulerait dans la peur, Jo, avait-elle plaidé d'une voix trahissant un mélange de crainte, d'indignation et de colère. Même si nous vivions ailleurs, loin d'ici, sous une fausse identité, à la campagne, à la ville, tant que ce fou sera en liberté, chaque coup frappé à la porte, chaque inconnu nous abordant dans la rue, chaque bruit dans la nuit sera une menace.

— Je sais bien…

— Veux-tu nous condamner à vivre ainsi ? En serais-tu même capable sans perdre la raison ? En tout cas, moi, je préfère courir ces risques que de frémir jusqu'à ma mort.

— Si Scotland Yard et la City Police n'ont pas réussi à l'arrêter, avait insisté McCreary, ce n'est pas la police de Montréal qui y arrivera.

— Tu sais qu'elle est toujours en retard sur George, avait renchéri Emma.

Cela dit, elle avait croisé les bras sur sa poitrine avec cet air buté de vieille fille qu'il ne connaissait que trop bien.

— Emma a raison et vous le savez, Joseph, avait déclaré l'agent d'un ton raisonnable et convaincant. Et si nous ne faisons rien, Jack continuera à tuer des femmes innocentes.

Joseph avait ensuite invoqué la blessure récente de Mary pour justifier que la petite ne devait pas se joindre à eux, mais il en avait été quitte pour un air opiniâtre redoutablement semblable à celui de sa sœur. Son tempérament d'Irlandaise avait pris le dessus et son visage était devenu écarlate de colère.

— Si tu crois que je vais te laisser aller te faire tuer pendant que j'attends ici comme une bonne petite reine du foyer, tu te trompes, mon loup. Et de toute façon, je vais où, moi, maintenant ? Hein ? Tu y as pensé ? Je retourne chez miss Fanny et je tremble de terreur à chaque client jusqu'à ce que l'un d'eux soit Jack qui vient finir ce qu'il a commencé ? Ou je demande à la police de me protéger au lieu de m'arrêter ? Non, vous êtes pris avec Mary O'Gara !

Joseph n'en était pas fâché. Il avait été contraint de se rendre aux arguments qui lui venaient de toutes parts et auxquels il n'avait, au fond, rien de solide à opposer. La seule façon envisageable d'en finir était de livrer la bataille sur le terrain de leur adversaire et de le provoquer en espérant le piéger, quels que soient les risques.

Joseph avait cependant obtenu une concession. McCreary lui avait donné sa parole que son objectif n'était pas d'abattre froidement Jack, mais de le capturer pour le livrer à la police. Pour le journaliste, c'était là le seul moyen de dissiper définitivement les soupçons de l'inspecteur Arcand. Cela calmerait à la fois la police et les francs-maçons, tout en préservant ses chances de faire carrière dans le journalisme et de mener une vie normale. De toute façon, il n'était pas un meurtrier et ne tuerait personne de sang-froid, même un fou furieux qui, lui, n'éprouvait pas de pareils scrupules.

— Après tout ce que Jack vous a fait subir, tout ce que vous avez perdu à cause de lui, George, je comprends que vous rêviez de vengeance. Plus encore depuis Margaret. Mais je refuse de suivre cette voie. Si vous voulez l'abattre comme un chien enragé, allez-y seul.

Sur ce point, Emma l'avait fermement appuyé. Mary, elle, ne s'était pas mêlée à la discussion, quoique la manière dont elle avait inconsciemment porté la main à sa gorge pansée trahissait ses sentiments. L'agent de Scotland Yard avait fini par céder et, à contrecœur, il avait consenti à la promesse exigée.

— *Very well. We'll take him alive**, avait-il maugréé.

Joseph avait accueilli ce modeste succès avec ambivalence : s'il s'assurait ainsi de ne pas participer à une vendetta qui pourrait lui valoir un procès pour meurtre, il contribuait également à préserver la vie d'un tueur sans âme qui avait commis une dizaine d'assassinats répugnants et qui méritait de se balancer au bout d'une corde, la langue entre les dents.

Lorsqu'ils furent tous à court d'idées, ils se forcèrent à dormir un peu dans l'espoir d'être assez alertes pour

---

* Très bien. Nous le prendrons vivant.

sauver leur peau, une fois dans les rues sombres de Montréal. Tandis qu'Emma gagnait sa chambre et que McCreary s'allongeait sur le sofa, Joseph prit le chemin de sa propre chambre et, le plus naturellement du monde, Mary l'y suivit. Emma leur décocha un regard désapprobateur, les lèvres pincées, mais elle se contenta de fermer sa porte sans rien dire, comme si elle savait que c'était inévitable. Sur le lit, la petite rousse se blottit contre Joseph, la tête au creux de son épaule, et l'entoura de son bras. Elle soupira longuement et, sans un mot, s'enfonça dans le sommeil en lui donnant ce qu'elle lui avait toujours refusé jusque-là : sa tendresse. Malgré les circonstances, Joseph s'endormit en éprouvant quelque chose qui ressemblait au bonheur.

* * *

À l'heure du souper, tous avaient le ventre noué, et aucun d'eux n'avait mangé. Joseph avait une violente envie de se calmer les nerfs et de se donner du courage à même la bouteille de gin, mais il y résista. Les deux femmes s'habillèrent de façon à pouvoir passer pour des prostituées. Pour Mary, la chose allait de soi. Tandis qu'elle retombait tout naturellement dans son élément, Joseph ne put s'empêcher d'avoir un pincement au cœur. Emma, par contre, dut recourir à toute sa force de caractère pour laisser Mary la maquiller et la coiffer un peu vulgairement et, plus encore, pour accepter de déboutonner le haut de sa robe afin d'exhiber un début de décolleté. Mais pour la cause, elle s'y résolut et, lorsque le regard de McCreary loucha dans cette direction, elle le rabroua avec un air de maîtresse d'école, le feu dans les yeux, avant de saisir son châle pour s'en envelopper les épaules et la gorge avec modestie.

À la nuit tombée, ils quittèrent la maison deux par deux, à une quinzaine de minutes d'intervalle. Joseph et Mary prirent une voiture au coin de Craig, en direction de l'angle de Sainte-Catherine et Saint-Laurent. Emma et McCreary en firent autant, mais en partant du coin de Sainte-Catherine. Ainsi, dans le pire des cas, seul un des deux couples pouvait être suivi par Jack.

Ils descendirent à quelques centaines de pieds de leur destination. Après d'ultimes recommandations, chacune des femmes quitta son cavalier pour aller prendre position comme convenu : Emma du côté est du boulevard Saint-Laurent et Mary, du côté ouest. Tandis qu'elles se mettaient à arpenter la rue où se trouvaient déjà des coureuses de trottoirs, McCreary et Joseph s'éclipsèrent et allèrent s'installer, revolver en main, à un endroit d'où ils pouvaient guetter les deux femmes tout en surveillant les environs.

Il était entendu que si l'une d'elles était accostée, personne ne devait intervenir avant d'être raisonnablement sûr que l'individu était bien le *Ripper*. Le cas échéant, elle le signifierait en portant la main gauche à sa gorge. Dès lors, elle serait discrètement suivie si jamais elle s'engageait dans une ruelle ou derrière une bâtisse. Le plan consistait à surgir, l'arme au poing. Si l'homme était un simple client potentiel, il serait encouragé à poursuivre son chemin. Si c'était l'Éventreur, le premier arrivé devait interrompre sa sale besogne et le tenir en joue. Au cas où la situation l'exigerait, il devait faire feu pour le blesser et protéger sa victime, mais sans le tuer.

De là où il se tenait, tapi sous l'escalier d'un balcon, tenant son revolver d'une main rendue moite par la peur, Joseph ne quittait Mary des yeux que pour scruter les environs, à la recherche de la moindre menace. Il se passa la main sur le visage pour essuyer la sueur qui y perlait.

Il ne restait plus qu'à attendre.

* * *

Jeannine Sauvé marchait rapidement sur Sainte-Catherine. Elle s'en voulait. Elle n'était pas raisonnable. Être amoureuse était une chose, mais perdre ainsi la notion du temps en était une autre. Et maintenant, elle se retrouvait dans la rue, en pleine nuit, comme une fille de mauvaise vie. À dix-huit ans à peine. Si monsieur ou madame apprenaient qu'elle sortait le soir sans leur permission, alors que toute la maison était au lit, ils la congédieraient sur-le-champ. Et sans lettre de recommandation de leur part, elle ne retrouverait jamais une place de bonne et finirait à l'usine. Avec tout ce qu'on racontait ces jours-ci au sujet d'un meurtrier, elle aurait préféré de beaucoup être dans sa petite chambre trop chaude, sous les combles de la maison, que se trouver là, seule dans les rues à une heure pareille. À chaque passant qu'elle croisait, son cœur se serrait d'angoisse.

Elle avait beau être bien traitée, bien nourrie et pas trop mal payée, elle était aussi quasiment prisonnière. Avec un maigre dimanche après-midi de congé chaque semaine, comment trouverait-elle jamais un mari ? C'est pourquoi elle avait été plus qu'attentive lorsque Antoine s'était mis à la courtiser timidement chaque fois qu'il livrait de la glace chez les McConnell. Grand et costaud, le sourire espiègle et le regard coquin, les muscles saillants sous sa camisole, il lui était tombé dans l'œil. Et quand il avait profité de l'absence de la cuisinière, partie chercher de quoi le payer, pour la supplier de lui accorder un rendez-vous, en chiffonnant sa casquette tant il était nerveux, elle avait accepté. Depuis, plusieurs soirs chaque semaine, elle sortait en catimini pour le retrouver. Elle n'osait même pas songer aux choses qu'ils faisaient ensemble dans la chambre qu'Antoine louait rue Saint-André. Mais comme ils allaient se marier, le péché était sans doute moins grand. Antoine le lui avait promis. En attendant, elle devrait continuer à surmonter sa honte pour se rendre à confesse et avouer que sa chair était aussi faible que son cœur était passionné. En espérant que, cette fois encore, les ébats de la soirée n'aient pas de résultat fâcheux.

Arrivée à la hauteur de Saint-Dominique, à deux pas de Saint-Laurent, éclairée par la lumière rassurante des lampadaires, Jeannine soupira de frustration. Même en pleine nuit, il faisait chaud, mais si elle marchait vite, elle atteindrait la rue Peel en une vingtaine de minutes.

Le tueur fou dont tout le monde parlait lui revint en tête et elle sentit un frisson lui courir le long du dos. Elle pressa le pas.

* * *

Depuis une bonne heure, Joseph observait Mary, qui allait et venait sans hâte sur le trottoir en bois en oscillant les hanches avec métier. De loin, personne n'aurait pu dire que la pauvre fille avait quasiment eu la gorge tranchée deux jours plus tôt. Son courage et sa résilience étaient remarquables. De l'autre côté de la rue, Emma offrait une imitation un peu coincée mais presque convaincante du plus vieux métier du monde. En d'autres circonstances, il aurait sans doute ri. Çà et là, des femmes, certaines débutantes, d'autres usées par la vie, et quelques jeunes garçons partageaient les lieux avec sa sœur et Mary.

Il pouvait apercevoir, non loin de là, sur Sainte-Catherine, au coin de Saint-Urbain, la silhouette massive du Cyclorama. Dans la nuit, l'édifice circulaire, haut d'une cinquantaine de pieds et d'un diamètre trois fois plus important, lui semblait étrangement menaçant avec sa façade en brique dénuée de fenêtres. Après son aventure au musée Éden, seul parmi les statues de cire à l'allure sinistre, il ne souhaitait en aucun cas avoir à poursuivre l'Éventreur au beau milieu de ces tableaux animés qui représentaient Jérusalem le jour de la crucifixion. Mais, connaissant Jack, qui semblait emporté dans une spirale de spectaculaire et de macabre, la chose était certainement possible.

De temps à autre, des voitures ralentissaient et, par la fenêtre de la portière, l'occupant de la cabine inspectait discrètement la marchandise humaine. Joseph Laflamme, débauché à ses heures, était bien placé pour savoir que Montréal ne dormait jamais tout à fait, particulièrement ce quartier. Chaque nuit, de bons bourgeois respectables en société profitaient de l'anonymat pour venir satisfaire des envies répréhensibles avec de jeunes femmes de basse extraction ou des éphèbes plus ou moins efféminés qui, pour quelques dollars, acceptaient de leur donner ce que leurs épouses leur refusaient ou ce que leur statut leur interdisait. Certaines voitures passaient leur chemin, leur passager n'ayant sans doute rien trouvé qui titillât suffisamment ses fantasmes ; d'autres s'immobilisaient le temps de faire monter une femme pour s'éloigner aussitôt ; d'autres encore se stationnaient à l'écart et tenaient lieu d'alcôves temporaires. Aucune ne s'arrêta près d'Emma ou de Mary.

* * *

Tapi dans le noir, Jack observait depuis des heures l'angle de la rue Sainte-Catherine et du boulevard Saint-Laurent. Normalement, il savourait ces moments : le dangereux prédateur qu'il était attendait la proie parfaite, celle qui répondait à ses besoins. Il goûtait l'attente et se surprenait parfois à se pourlécher comme un chat à l'affût d'un oiseau. Mais cette fois, la nervosité prenait le dessus. La perspective de reproduire les sévices infligés jadis à Mary Jane Kelly le rendait presque fou d'impatience. Sa prochaine victime serait le chef-d'œuvre que tout grand artiste rêvait de réaliser ; son *David*, sa *Joconde*, sa chapelle Sixtine. Il était d'autant plus exalté qu'il s'agissait vraisemblablement de sa dernière besogne avant longtemps et qu'il voulait la savourer pleinement en l'entreprenant sans tarder.

Par-dessus tout, il brûlait d'envie de donner une leçon à ce sot prétentieux de Laflamme, de lui prouver qu'il ne savait pas à qui il s'attaquait. Jack n'était pas dupe ; il savait fort bien que le défi qu'on lui avait plus ou moins lancé dans *Le Canadien*, le matin même, était un piège grossier. Il avait reconnu Emma Laflamme et la petite traînée qu'il avait ratée. En cet instant, sans doute, le maudit journaliste et peut-être la police étaient cachés et attendaient le moment propice pour lui sauter dessus. Mais ils seraient tous déçus. Il prouverait à ses adversaires qu'il avait été plus fin qu'eux, qu'il avait non seulement compris leur message, mais vu clair dans leur jeu, qu'il n'était pas fou, mais plus intelligent qu'eux. Il les narguerait en attrapant une putain sous leur nez, aussi près que possible de l'endroit où ils l'attendaient. Ils sauraient ainsi que le *Ripper* n'était pas du genre à tomber dans leurs pitoyables manigances. Ensuite, il réaliserait son chef-d'œuvre dans une chambre déjà louée pour l'occasion.

Tout à coup, il la vit, menue et nerveuse. Quel que soit son vrai nom, elle serait Mary Jane Kelly. Celle qui couronnerait son œuvre. Elle marchait vite, les bras craintivement croisés sur le ventre, en regardant sans cesse de tous les côtés. Elle avait peur et cela la rendait encore plus parfaite. Elle pleurerait et supplierait. Et il la rendrait inoubliable.

* * *

Près de Jeannine, un vacarme métallique éclata dans le noir. Elle sursauta et laissa échapper un petit couinement apeuré. Un chat surgit devant elle et disparut à vive allure en feulant. Elle se figea, posa sa main sur son pauvre cœur qui battait à tout rompre et prit quelques grandes inspirations.

Elle vit une poubelle qui gisait devant la façade d'un édifice de la rue Saint-Dominique. Son contenu, convoité par le félin, était répandu sur le sol. Sans doute avait-il été dérangé par un chien ou quelque autre bête qui errait nuitamment dans les rues de Montréal.

Soudain, un homme émergea de la pénombre et se précipita vers elle. Jeanne vit qu'il tenait une longue lame qui scintillait dans la lumière de la lune.

48

Une voiture remonta le boulevard Saint-Laurent, suscitant des réactions immédiates des quelques filles et garçons qui arpentaient les trottoirs de bois. Des propositions plus ou moins indécentes fusèrent, certaines accompagnées de gestes non équivoques et de rires grossiers. Aucune ne dut appâter outre mesure l'occupant du véhicule, qui poursuivit son chemin sans s'arrêter. Lorsqu'il passa lentement devant Joseph, il lui cacha momentanément Emma. Au même moment, un cri perçant déchira la nuit.

— Au secours ! s'époumona une femme.

Pendant une seconde, il eut l'impression que son sang se glaçait dans ses veines et que son cœur allait lui sortir de la poitrine. Faisant fi de toute prudence, oubliant qu'il revenait à McCreary de veiller sur sa sœur, alors que lui-même devait protéger Mary, il jaillit de sous l'escalier et, revolver au poing, s'élança dans la rue, convaincu qu'il allait trouver Emma étendue sur le trottoir, la gorge ouverte et le regard déjà vitreux. Mary, non loin de là, resta tétanisée.

Dès lors, tout se passa à la vitesse de l'éclair. Menée par un cocher inconscient des angoisses qu'il venait de déclencher, la voiture avait continué sa route et l'autre côté de la rue était de nouveau visible. Puis Joseph sentit une vague de soulagement le submerger. Emma était toujours là, trop fardée, immobile, l'expression anxieuse. Alors même que Mary le rejoignait, il constata que McCreary, obéissant au même réflexe que lui, était sorti de sa cachette.

Le cri, haut perché et désespéré, retentit à nouveau, plus pressant encore.

— Au secours ! C'est Jaaaaaack !

Joseph et McCreary échangèrent un regard entendu en réalisant que l'Éventreur avait décidé de relever selon ses propres termes le défi qu'ils lui avaient lancé. Aux alentours, les rares prostituées qui se trouvaient là se regroupaient instinctivement, tel un troupeau de brebis apeurées.

— Ça vient de par là ! s'écria Joseph en pointant la rue Saint-Dominique.

— *Go !* ordonna sèchement McCreary, le visage crispé. *I'll catch up** !

Devançant l'agent de Scotland Yard ralenti par sa jambe artificielle, il s'élança aussi vite qu'il en était capable sur Sainte-Catherine. Il atteignit le coin de Saint-Dominique et allait s'y engouffrer tête baissée lorsqu'une jeune femme hystérique, les cheveux en broussaille et une manche de sa robe à moitié arrachée, surgit de la pénombre en criant à tue-tête et en gesticulant comme une perdue. Elle lui rentra presque dedans et il eut fort à faire pour la retenir d'une seule main tout en tenant son arme de l'autre. La pauvre fille tremblait comme une feuille et s'accrocha au revers de sa veste avec l'énergie d'une personne qui se noie.

---

* Allez ! Je vous rattraperai !

— Le fou ! hurla-t-elle, les yeux exorbités par la peur, parlant et sanglotant tout à la fois. Jack ! Il est là ! Il a un couteau !

Au même instant, la silhouette indistincte d'un homme apparut dans la pénombre. Le ventre de Joseph se crispa. L'inconnu portait un haut-de-forme et un manteau semblable à celui qu'avait décrit Napoléon Archambault. Dans sa main droite, il tenait ce qui ressemblait à une canne.

Pendant un bref instant, les deux hommes se toisèrent, Joseph en pleine lumière et l'autre dans l'ombre. Puis Jack émit un grondement contrarié avant de faire brusquement demi-tour et de s'enfoncer rue Saint-Dominique. Sachant qu'elle n'était plus en danger, le journaliste abandonna aussitôt la fille aux soins d'Emma et de Mary qui arrivaient en courant, tandis que McCreary claudiquait péniblement un peu plus loin.

— *Stay where you are, you sorry piece of shit*[*] *!* s'écria McCreary derrière lui, d'une voix cassée par quelque chose de dément.

Faisant fi de toute prudence, Joseph se lança à la poursuite de Jack l'Éventreur, songeant fugitivement à ce que la situation avait de surréaliste. Avec la vie dissolue qu'il avait menée depuis quelques années, il n'avait rien d'un athlète. Pourtant, jamais il n'avait couru aussi vite, pas même quand il espérait sauver la vie de Margaret Smith. Le ressentiment, la haine et la conviction que c'était sa seule chance de mettre fin au cauchemar le transportaient presque sans effort. Derrière lui, il nota distraitement le bruit des pas de Mary, d'Emma et de McCreary qui le suivaient.

---

* Reste où tu es, espèce de merde !

À une centaine de pieds devant lui, Jack fuyait à toutes jambes, son macfarlane virevoltant derrière lui, sa canne dans la main gauche. Son gibus s'envola et vint choir dans la rue, où Joseph le piétina en chemin.

* * *

McCreary courait malgré sa prothèse qui blessait cruellement la peau de son moignon. Il se sentait comme un vieil âne boiteux et inutile. À ce rythme, Jack allait lui échapper à nouveau, et cette fois, il ne pourrait pas le supporter. Il se tirerait une balle dans la tête plutôt que de vivre avec le souvenir d'un nouvel échec et, de surcroît, la mort de Margaret sur la conscience. Il n'avait pas le droit d'échouer.

— *Not this time, you filthy son of a bitch! I'm not losing you again** ! hurla-t-il en accélérant autant qu'il le pouvait et en serrant les dents pour résister à la douleur.

Comme dans un rêve se déroulant au ralenti, le *Ripper* s'arrêta brusquement et se retourna en pointant un revolver vers ses poursuivants. Le destin s'amusant à le torturer, McCreary eut l'impression de revivre les événements de Londres. Devant lui, Joseph Laflamme s'était jeté sur le côté dès qu'il avait vu apparaître l'arme. Il roulait encore sur lui-même que, déjà, Emma empoignait Mary pour la jeter au sol et, avec courage, lui faire un bouclier de son corps. Puis le canon de l'arme cracha le feu et illumina la pénombre. Des détonations retentirent. George McCreary eut les jambes fauchées et atterrit durement sur les pavés, où il demeura, inerte. Derrière Joseph, qui s'était agenouillé et brandissait son arme pour répliquer, Emma gémit.

---

* Pas cette fois-ci, sale fils de pute ! Tu ne m'échapperas pas !

— George !

Il tourna la tête et aperçut McCreary gisant par terre, tandis qu'Emma et Mary rampaient vers lui. Il reporta son attention vers Jack et constata qu'il avait profité de ce moment d'inattention pour prendre la fuite. Il fit feu à deux reprises mais tira dans le vide.

Il se releva et se remit à courir. Au loin, le *Ripper* bifurqua à droite, rue Charlotte, et Joseph comprit qu'il cherchait à gagner Saint-Laurent. Il courait à toutes jambes, ignorant la sensation de brûlure dans ses poumons, le point douloureux dans ses côtes et les crampes dans ses cuisses. Il tourna le coin à son tour, ses semelles glissant dangereusement sur les pavés, puis reprit de la vitesse.

Tandis qu'il approchait du carrefour, il aperçut une voiture immobilisée sur le boulevard qui bloquait le passage. Elle était noire et tirée par deux chevaux blancs. Son cocher portait un manteau au col relevé et une casquette molle. Il constata que, loin de ralentir, Jack accélérait vers le véhicule. Et il comprit. La voiture qui s'éloignait après chaque meurtre. Le complice dont ils avaient soupçonné l'existence. Il allait l'aider à fuir.

Réalisant que Jack était sur le point de lui échapper, tout en courant, Joseph fit à nouveau feu à quelques reprises, mais aucune des balles ne toucha la cible. Désespéré, il vit le fuyard atteindre la voiture, saisir la poignée de la portière et tirer dessus. Puis tirer encore. Sans succès. La portière resta fermée. Dans la lumière d'un lampadaire, non loin de là, il aperçut qu'à l'intérieur on écartait brièvement le rideau qui bouchait la fenêtre, puis qu'on le laissait retomber.

Alors que la distance qui le séparait de sa proie diminuait considérablement, Joseph entendit un fouet claquer et vit le véhicule s'ébranler. Pendant un moment, Jack s'accrocha à la poignée avec l'énergie et l'entêtement du désespoir. Il dut lâcher prise pour ne pas tomber.

— Non ! beugla-t-il en agitant le poing. Vous n'avez pas le droit ! Vous aviez promis !

Il se retourna, constata que son poursuivant se rapprochait et se remit à courir de plus belle vers le nord en jetant de fréquents coups d'œil derrière lui. Il y avait désormais quelque chose de désespéré dans la façon dont il fuyait, tel un damné traqué par la mort. Malgré son épuisement, Joseph sentit l'espoir renaître en lui. De toute évidence, le détraqué ne savait plus où aller maintenant que son complice l'avait abandonné, et il était en train de paniquer.

Le *Ripper* tourna brusquement à gauche et s'enfonça dans le marché Saint-Laurent. Joseph le suivit, continuant à gagner du terrain, et le vit jeter au passage son revolver qui ne contenait plus de cartouches. Il repéra sa proie qui franchissait la place déserte vers Dorchester. S'il parvenait à traverser le boulevard, il aboutirait devant l'Hôpital général et, de là, il aurait tout loisir de disparaître dans les méandres de rues étroites qui menaient jusqu'au port. Sachant qu'il n'aurait pas de deuxième chance, Joseph s'arrêta, écarta les jambes, tenta de reprendre son souffle, empoigna son revolver à deux mains, visa et appuya sur la détente.

Une trentaine de pieds plus loin, la course de Jack fut interrompue net. Fauché comme un chevreuil par la balle d'un chasseur, il s'écrasa lourdement sur les pavés, puis roula plusieurs fois sur lui-même tel un pantin désarticulé avant de finir par s'immobiliser. Joseph ressentit un plaisir sauvage l'envahir. Jamais il n'aurait imaginé qu'abattre un être humain puisse procurer une telle satisfaction. La haine et la vengeance avaient bon goût.

La mâchoire crispée, il accourut prudemment, pointant son arme au canon encore fumant vers la forme inerte. Lorsqu'il fut assez près, il constata, sans trop savoir s'il en était soulagé ou déçu, que l'homme respirait encore. Dans la lumière qui provenait des lampadaires de la rue Dorchester, tout près de là, il détailla pour la première fois celui qui avait assassiné froidement tant de femmes innocentes et qui lui avait pourri l'existence. L'homme gisait, son macfarlane déployé autour de lui telles les ailes d'un ange. Non loin de lui traînait une canne à pommeau d'argent. Il portait un masque en porcelaine blanche représentant un visage de femme. Une petite bouche d'un rouge criard y était peinte. Les joues étaient trop fardées. Les paupières étaient grimées de bleu et surmontées de longs sourcils noirs.

L'homme caché sous ce masque se travestissait en une caricature de femme vulgaire. Le visage d'une putain de bas étage.

49

Sous le masque grotesque, les yeux de Jack l'Éventreur étaient ouverts et fixes. Le cœur serré, Joseph s'approcha de lui, refusant de croire qu'il avait abattu un homme, même s'il s'agissait d'un des pires assassins à avoir jamais vécu. Dans la lumière de la lune, un regard étrangement serein se posa sur lui, et la haine froide qui s'en dégageait le pétrifia.

Le *Ripper* émit un grognement de douleur à moitié étouffé par son masque et glissa la main sous son manteau pour tâter son épaule gauche.

— Ne bouge pas ! ordonna Joseph en brandissant son arme. Je veux voir tes mains !

Lentement, Jack sortit la main. Ses doigts étaient mouillés de sang frais. Il secoua imperceptiblement la tête et laissa échapper un rire sardonique qui glaça Joseph. Comment un homme dans sa position, blessé et à la merci de celui qui venait de l'abattre, pouvait-il agir avec une telle désinvolture, à moins de ne pas tenir à la vie ?

— Vas-y, dit Jack. Tue-moi. Tu en meurs d'envie.

La voix était dépourvue d'accent, ce qui prit Joseph de court. Il avait tenu pour acquis que l'homme venu de

Londres allait parler anglais ou, au mieux, un mauvais français. Mais le moment était mal choisi pour se pencher sur pareils détails.

— Tu serais trop content, espèce d'animal, cracha-t-il en essayant de masquer la peur qui lui tenaillait le ventre. Tu vas finir ta vie dans une toute petite cellule.

En disant cela, il se demanda comment il allait pouvoir obtenir de l'aide sans tourner le dos à son prisonnier. McCreary était hors de combat, et ni Emma ni Mary n'étaient en vue. Le *Ripper* sembla faire le même calcul. Malgré l'arme qui le tenait en joue, il s'assit avec une difficulté évidente en évitant de porter à nouveau la main à sa blessure.

— Reste où tu es ! lui intima Joseph, de plus en plus nerveux, plus que jamais conscient qu'il n'était pas de taille contre Jack l'Éventreur. Et retire ce masque. Je veux voir ton visage.

Jack le considéra comme s'il n'était pas plus menaçant qu'un moustique. Dans la pénombre, les yeux qui le scrutaient lui semblaient vides de toute émotion. S'ils étaient vraiment le miroir de l'âme, ceux-là ne montraient absolument rien. Ils n'étaient que deux portes sombres qui s'ouvraient sur l'enfer.

Sur ces entrefaites, Mary surgit derrière Joseph, le faisant sursauter. Tandis qu'elle apercevait l'homme masqué assis sur les pavés devant lui, il essaya de ne pas laisser paraître combien sa présence le rassurait.

— Seigneur... lâcha-t-elle, surprise et apeurée.

— C'est lui ? s'enquit-il.

— Je... Je crois, hésita Mary. Il avait ce genre de manteau, en tout cas. Mais je ne vois pas de haut-de-forme.

— Tu m'excuseras, sale traînée, dit Jack. Je l'ai perdu en route.

Il se pencha brusquement vers l'avant, comme s'il avait envie de lui sauter dessus pour la déchiqueter. Ce mouvement inattendu et le masque déconcertant qui lui cachait le visage effrayèrent Mary. Elle eut un mouvement de recul involontaire et protégea instinctivement sa gorge de ses mains. C'était tout ce que l'Éventreur attendait. Vif comme un chat, ignorant la douleur que lui causait assurément la balle logée dans son épaule, il ramassa sa canne et bondit sur ses pieds, bousculant Joseph au passage. D'un geste fluide, il en tira une longue lame, laissa tomber le fourreau, puis saisit Mary par la taille et l'attira contre lui.

En l'espace d'une seconde, elle se retrouva entre ses mains, la lame appuyée sur sa gorge pansée, aussi rigide que les statues de cire du musée Éden, gémissante comme un chiot apeuré, les yeux écarquillés d'effroi. Sidéré, Joseph pointait toujours son revolver désormais inutile vers Jack.

— Tu l'aimes, cette garce, non ? cracha l'assassin avec l'assurance de celui qui vient de retourner la situation à son avantage.

Devant le silence médusé de son interlocuteur, il s'agita.

— Réponds ! hurla-t-il en pressant la lame assez fort sur le pansement de Mary pour le trancher et faire couler quelques gouttes de sang. Réponds ou je l'ouvre comme la truie qu'elle est !

— Oui, je l'aime ! répondit Joseph, aux abois.

— Même si elle se fait défoncer dix fois par jour par d'autres que toi et se fait remplir la gueule et le cul pour quelques sous ?

— Oui ! Oui ! Ne lui fais pas de mal ! C'est contre moi que tu en as !

— Ah ! Que c'est beau, l'amour ! railla l'Éventreur.

— Elle n'a rien à voir avec tout ça.

— Elle a *tout* à voir ! s'exclama Jack d'une voix que la colère et la folie éraillaient. C'est une putain ! Elle est sale et elle souille tous ceux qui la touchent ! Elle les pourrit !

Il appuya un peu plus et le bandage de Mary rougit.

— Maintenant, jette ton arme, et les mains en l'air ! Allez !

Joseph obtempéra. Le revolver rebondit sur les pavés et il leva les mains au-dessus de sa tête, les paumes vers l'extérieur, déconfit et atrocement conscient de son échec.

— Va t'asseoir là, dos au mur, ordonna sèchement le tueur en désignant le mur de brique de l'édifice qui donnait rue Dorchester.

Une fois encore, Joseph n'eut d'autre choix que d'obéir docilement. En croisant le regard éperdu de Mary, dont les lèvres frémissaient de frayeur, il eut honte de se retrouver à la merci de celui qu'il avait eu l'arrogance de s'imaginer capturer.

— Assieds-toi sur tes mains pour qu'elles restent bien tranquilles, ajouta le *Ripper*.

Lorsque Joseph se fut exécuté, Jack s'esclaffa sous son masque.

— Regardez comme il est glorieux, Joseph Laflamme, le reporter le plus intrépide de Montréal ! railla-t-il. C'est ce raté qui croyait me coincer entre une cuite et une nuit au bordel !

Joseph se raidit soudain, tentant de faire abstraction des rires déments de l'Éventreur et des couinements terrorisés de Mary, se répétant ce qu'il venait d'entendre : *Joseph Laflamme, le reporter le plus intrépide de Montréal*...

Jack se rapprochait peu à peu du revolver de Joseph. Il retenait toujours fermement Mary contre lui, et chaque mouvement risquait d'entamer davantage la chair de sa gorge. Lorsqu'il eut atteint l'arme, il la tira vers lui du bout du pied, s'accroupit et, de sa main libre, la ramassa et la pointa sur lui.

— Les hommes, je ne leur veux aucun mal, susurra-t-il. Je les aime vivants. De préférence jeunes, imberbes, nus et en émoi. Mais pour toi, je ferai une exception : je te ferai sauter la tête. Ensuite, je me reprendrai sur cette petite traînée et je la traiterai comme tous les autres sales trous en jupon. Je n'aime pas les choses inachevées.

Le regard de Joseph était fixé sur l'index de l'assassin qui, déjà, se contractait imperceptiblement sur la détente. La réalité le frappa de plein fouet. Tout était perdu. Vraisemblablement, McCreary était mort. Mary allait aussi y passer. Sa seule satisfaction, c'était qu'il ne serait pas témoin de l'exécution de Mary. Il ne lui restait que l'espoir qu'Emma, elle, s'en sorte. Il se fit violence pour ne pas fermer les yeux. Au moins, il allait regarder la mort en face.

La détente s'enfonça. Le temps s'arrêta. Un déclic métallique résonna piteusement dans la nuit.

Alors que Jack, stupéfait, considérait l'arme, puis la lançait rageusement au sol, Joseph comprit qu'il avait utilisé toutes ses munitions en lui tirant dessus durant la poursuite. Une envie de rire le saisit. Sans le savoir, il avait tenu en joue le légendaire Jack l'Éventreur, qui avait terrorisé tout Londres et maintenant Montréal, avec un revolver vide.

Il reprit espoir. Ils étaient désormais à armes égales, et il pouvait peut-être encore sauver Mary. Il se releva, déterminé à affronter la canne-épée, à mains nues s'il le fallait. Le voyant se redresser, Jack resserra aussitôt sa prise sur son otage, dont le pansement était taché de sang.

— Si tu bouges, je la tue ! s'écria le tueur.

Il saisit l'épaisse chevelure rousse de la jeune fille et lui tira la tête en arrière pour exposer sa gorge.

— *To do that, you'd have to be alive, you son of a whore**, dit une voix ferme et froide comme du métal jaillissant de la pénombre.

Tandis que Jack regardait de tous les côtés, à la recherche d'une issue qui lui permettrait de disparaître en emmenant Mary, des pas irréguliers s'approchèrent. Deux silhouettes émergèrent et avancèrent sur la place du marché. Tel un revenant, sa jambe artificielle visiblement endommagée et instable au niveau du genou, George McCreary claudiquait en s'appuyant sur Emma, qui le soutenait par la taille. De l'autre main, il pointait un revolver vers la tête de Jack. Tout dans son attitude trahissait une détermination inébranlable, imperturbable.

— Je la tuerai ! prévint Jack en serrant lâchement Mary contre lui pour s'en faire un bouclier.

— Je m'en fiche, rétorqua l'agent du Yard en actionnant le chien de son arme.

— Je suis sérieux ! cria l'Éventreur en agitant dangereusement sa lame.

— Moi aussi.

Avec une parfaite assurance, McCreary fit feu. La balle frôla la joue de Mary, qui sentit son souffle chaud sur sa peau, et atteignit Jack sur le côté de la gorge, qui éclata en un nuage de sang et de tissus. Le tueur pivota sur lui-même et fut projeté sur le sol. Allongé sur le dos, un gargouillement liquide montant de sous son masque, il pressa frénétiquement sur sa blessure à deux mains pour endiguer le flot de sang qui s'en échappait, mais il continua à lui couler entre les doigts. En quelques secondes, ses mouvements ralentirent et il cessa de bouger, se contentant de gémir comme une bête blessée résignée à être achevée.

---

* Pour faire ça, il faudrait que tu sois vivant, fils de pute.

Mary était sur le point de tourner de l'œil et Joseph se précipita pour la rattraper. McCreary avança, soutenu par Emma, et contempla un moment l'homme qui gisait à ses pieds. Un rictus haineux lui retroussa les lèvres, lui donnant un air carnassier. Avec un calme désarmant, il tendit son revolver et le déchargea méthodiquement en visant la gorge de l'agonisant. À chaque impact, Jack tressaillit comme un pantin désarticulé. Lorsque le dernier coup de feu retentit, sa tête ne tenait plus à ses épaules que par un lambeau de chair, tandis que son corps se vidait à grands flots sur les pavés. McCreary tira encore deux fois avant de s'apercevoir que le chien de son arme frappait des cartouches vides.

— *We're even, Ripper**, déclara-t-il sombrement.

À ses côtés, le regard horrifié et incrédule d'Emma allait et venait entre le cadavre et celui qu'elle soutenait toujours.

— Vous m'aviez donné votre parole, McCreary! s'insurgea Joseph. Nous avions convenu de le livrer à la police!

— J'ai menti, répondit calmement l'agent de Scotland Yard.

— Bon Dieu... haleta le journaliste, paniqué, en se passant la main sur le visage. Bon Dieu... c'est un vrai cauchemar...

Il avisa le cadavre qui gisait maintenant au milieu d'une grande flaque de sang sombre. Les paroles prononcées plus tôt par Jack résonnaient sans cesse dans sa tête. *Joseph Laflamme, le reporter le plus intrépide de Montréal...* Il devait en avoir le cœur net. Il s'approcha, se pencha et lui ôta son masque. La tête, presque détachée

* Nous sommes quittes, l'Éventreur.

des épaules, roula de façon écœurante sur elle-même, et il dut la replacer du bout de son pied pour voir le visage dans la faible lumière.

— Seigneur, fit sa sœur, d'une voix éteinte, près de lui.

Le regard fixe et vitreux, l'homme allongé sur le sol lui était bien connu.

— Sauvageau ? éructa-t-il, incrédule, comme si son collègue allait se relever en riant de bon cœur de la mauvaise blague qu'il venait de lui faire.

Sonné, il recula de quelques pas, n'arrivant pas à accepter ce qu'il voyait. Il tituba et faillit tomber à la renverse. Cette fois, ce fut Mary qui le soutint.

— Je le connais, dit-elle. Il se paie souvent des garçons.

— Mais... Comment ? Pourquoi ? Bon Dieu... Sauvageau... fit le journaliste, médusé, les yeux rivés sur le cadavre.

McCreary, lui, était tétanisé.

— *God almighty*... murmura-t-il, des trémolos dans la voix. *He spoke french*[*]...

Sans qu'il s'en rende compte, le revolver au canon encore fumant lui échappa et tomba sur les pavés. Il avisa Emma, puis Joseph, l'air hébété.

— *He... He can't be... He's not Jack*[**]... balbutia-t-il, proche du désespoir, le visage déformé à force de vouloir retenir ses larmes.

Ses épaules s'affaissèrent, comme si une main invisible y avait déposé un fardeau trop lourd pour lui. Il réalisait, au plus profond de son être, que celui qu'il traquait depuis novembre 1888 était encore en liberté, quelque part à Londres ou ailleurs.

---

* Dieu tout-puissant... Il parlait français...

** Ça ne peut pas être... Ce n'est pas Jack.

Joseph était tout aussi ébranlé. Son esprit confus tentait de retrouver le collègue jovial et serviable, qui l'avait orienté au début de son enquête en le guidant dans l'univers complexe et impénétrable des francs-maçons, dans la forme inerte qui gisait là, pratiquement décapitée. À ses côtés, Mary s'accrochait à son bras comme une naufragée à une bouée, son pansement et le devant de sa robe tachés de sang. Emma, elle, cherchait manifestement quelque chose à dire à McCreary et, ne trouvant rien, lui tapotait l'épaule, mal à l'aise.

Un bruit de sabots et le crissement des roues sur les pavés firent sursauter le quatuor hébété. Rue Dorchester, au coin du marché Saint-Laurent, une voiture se mettait en marche. Une voiture noire tirée par deux chevaux blancs, dont le cocher portait un manteau au col relevé et une casquette molle, et dont les fenêtres étaient couvertes par des rideaux.

— Le complice, murmura Emma, confirmant ce que chacun d'eux avait déduit.

Sortant de sa torpeur, Joseph s'élança à toutes jambes. Quand il atteignit le boulevard, la voiture se trouvait déjà à une centaine de pieds de lui et prenait de la vitesse en direction de Saint-Urbain. Il s'immobilisa, vaincu, tandis qu'Emma et Mary, soutenant chacune McCreary par un bras, venaient le rejoindre.

Alors qu'ils regardaient le véhicule s'éloigner, résignés à ne jamais savoir qui avait aidé Albert Sauvageau à commettre ses horribles crimes, une deuxième voiture tourna le coin de la rue Saint-Constant. Ses roues dérapaient sur les pavés avec fracas, et elle s'engagea à vive allure sur Dorchester. Elle venait de passer devant eux lorsque le cocher tira brutalement sur les rênes. Les deux chevaux se cabrèrent et le véhicule s'immobilisa.

Joseph se crispa. Il venait de reconnaître, juché sur la banquette, le sergent O'Driscoll. Le policier le toisa en lui adressant un sourire qui ne promettait rien d'agréable. Au même instant, la portière de la voiture s'ouvrit brusquement et le visage de l'inspecteur Arcand apparut dans l'embrasure.

— Montez ! ordonna-t-il.

50

Figé sur place, Joseph cherchait frénétiquement une issue lui permettant de s'enfuir, tout en sachant qu'il ne pourrait pas le faire sans abandonner McCreary à son sort. Ils étaient coincés. Ils allaient être arrêtés, emmenés à la station la plus proche, jetés dans des cellules et accusés du meurtre d'Albert Sauvageau, journaliste connu du *Canadien*. Le masque, la canne-épée et les vêtements suffiraient peut-être à convaincre la police qu'il avait personnifié Jack l'Éventreur, mais cela ne les innocenterait pas pour autant. Tuer un homme était un crime, même quand l'homme était lui-même un tueur. Il ragea à nouveau contre l'agent de Scotland Yard, qui s'était substitué à la loi par désir de vengeance.

— Vite ! insista Arcand, les dents serrées, en les encourageant énergiquement de la main. L'Éventreur est mort, mais son complice est vivant et il est en train de s'échapper !

Joseph demeura perplexe. Depuis le début, Marcel Arcand avait certainement autant travaillé à protéger la franc-maçonnerie qu'à capturer l'assassin. Il l'avait soupçonné, intimidé et harcelé. Et voilà qu'il l'invitait à monter dans une voiture de police comme s'ils étaient de vieux collaborateurs !

L'inspecteur sembla perdre patience et avisa McCreary.

— Agent McCreary ? s'enquit-il.

Sortant de son abattement, l'agent confirma son identité d'un léger hochement de la tête, apparemment indifférent au fait qu'il était démasqué.

— Montez ! ordonna de nouveau Arcand. J'ai besoin de vous !

McCreary saisit les côtés de la portière et grimpa dans l'habitacle, Arcand l'aidant d'une main. Ne sachant que faire, et comprenant qu'ils étaient sur le point d'être plantés là, Mary, Emma et Joseph s'engouffrèrent à leur tour dans la cabine.

— Sergent, suivez la voiture d'assez loin pour ne pas être remarqué, mais ne la perdez pas de vue, dit Arcand par la portière avant de la refermer.

Il prit place sur une des banquettes, aux côtés de McCreary. Sur celle d'en face se trouvaient les Laflamme et Mary.

— Comment avez-vous su ? demanda McCreary, qui semblait avoir mis temporairement sa déception de côté.

— Jack a commis une erreur au musée Éden, expliqua l'inspecteur tandis que la voiture prenait de la vitesse. Après avoir disposé le cadavre de votre collègue dans le lit, il s'est contenté de fourrer son sac en dessous. Pour ne pas jurer avec sa mise en scène, je présume. Nous l'avons trouvé et nous y avons découvert une carte de Scotland Yard au nom de Margaret Smith.

— Donc, il ignorait qu'elle était de la police, remarqua Emma, répondant ainsi à une des questions dont la solution leur avait à tous échappé.

— La franc-maçonnerie a le bras long, comme vous le savez, poursuivit Arcand. Il a suffi que je m'adresse discrètement à un frère diplomate, qui a approché à son tour un frère du consulat général de Grande-Bretagne, et votre nom a suivi de près celui de Margaret Smith.

Il avisa Joseph, qui l'écoutait attentivement, sa curiosité l'emportant sur sa méfiance.

— Dès lors, il était évident que la police de Montréal n'était pas seule sur l'affaire, mais qu'elle avait un retard considérable sur Scotland Yard. J'ai aussi compris d'où M. Laflamme tenait ses informations et comment il arrivait à mener une enquête en apparence si efficace. Son innocence devenait par le fait même indiscutable. J'en ai déduit qu'il utilisait les pages du *Canadien* pour provoquer le tueur.

En l'écoutant, Joseph sentit l'opinion qu'il s'était faite de l'inspecteur Arcand se modifier. L'homme avait l'esprit fin.

— Alors, quand vous êtes venus chez moi… commença-t-il.

— J'avais déjà compris, oui, mais je ne voulais surtout pas changer quoi que ce soit, de crainte de mettre du sable dans l'engrenage. Il valait mieux que votre désir de capturer le tueur reste intact. Si vous aviez su que vous n'étiez plus un suspect, auriez-vous continué ?

— Je… Je suppose que non, admit Joseph.

— J'ai donc adopté la seule démarche logique dans ces circonstances : surveiller votre groupe en pariant que Scotland Yard finirait par me conduire jusqu'au tueur plus vite que je n'y serais parvenu moi-même. Guetter le prédateur qui guette sa proie, en quelque sorte.

Joseph lui résuma rapidement les événements survenus au cours des dernières minutes.

— Sauvageau ? Jack ? fit Arcand, assommé, quand il eut terminé son récit. Un frère maçon, tombé si bas ?

— Au début, c'était lui qui m'informait, confirma Joseph. Au fond, il m'aidait à le coincer. J'essaie encore de comprendre pourquoi.

— Par orgueil, suggéra McCreary sans hésiter. Pour prouver qu'il était le plus fort, qu'il pouvait continuer à tuer alors même qu'il vous distillait les indices et les pistes.

— Sauvageau n'était pas Jack, lui rappela Emma.

— Ces détraqués se ressemblent tous, rétorqua l'agent. Ils tuent et mutilent par haine des femmes. Et pour compenser le mépris qu'ils ont d'eux-mêmes, ils se convainquent qu'ils sont supérieurs à tout le monde, plus rusés, plus habiles. Il n'était peut-être qu'un imitateur admiratif, mais sa nature profonde n'était pas très différente.

McCreary remonta la jambe gauche de son pantalon au-dessus du genou.

— Quelqu'un a de la lumière ? demanda-t-il.

Arcand saisit une petite lampe à huile suspendue dans l'habitacle, gratta une allumette, releva la cheminée pour allumer la mèche et la fit redescendre avant d'ajuster la luminosité au maximum.

Deux impacts de balle étaient visibles dans le bois soigneusement poli de la prothèse articulée, au niveau du bas de la cuisse. La courroie de cuir qui retenait le fémur à la cuisse avait été sectionnée par un autre projectile de sorte que ce qui servait de genou ne tenait plus que d'un côté, ce qui expliquait la chute brutale de McCreary quand il avait été atteint et sa difficulté à marcher.

— Moi qui croyais que vous étiez revenu d'entre les morts, dit Joseph.

— Ironique, quand même, remarqua McCreary. La jambe artificielle que l'un m'a donnée m'a protégé de l'autre.

Il se pencha, défit un de ses lacets et rafistola la courroie en liant les deux extrémités. Puis, il se leva et, en s'accrochant à la cloison, testa sa réparation de fortune.

— Ça devrait tenir, déclara-t-il avant de se rasseoir et de rajuster sa jambe de pantalon.

Sur la banquette d'en face, Emma le regardait avec une expression intense qui lui faisait froncer les sourcils.

— *What*[*] *?* fit-il en la remarquant.

— Pourquoi continuez-vous, George, puisque Sauvageau n'était pas celui que vous cherchez ?

— Je suis ici, maintenant, rétorqua-t-il en la regardant avec ferveur. Je peux aider à mettre fin à cette folie. Il sera toujours temps, ensuite, de rentrer à Londres et de reprendre la chasse.

McCreary ne remarqua pas qu'Emma avait baissé les yeux en entendant sa réponse. Mary, elle, lui posa une main compatissante sur l'épaule.

La voiture ralentit et Arcand fut aussitôt en alerte. Dès qu'elle s'immobilisa, il ouvrit la portière et sauta dehors. Les autres le suivirent et tous se retrouvèrent sur le trottoir. Il leur fallut un moment pour prendre leurs repères et comprendre qu'ils se trouvaient à quelques centaines de pieds de l'hôtel Windsor, en face du square Dominion, au coin de Peel.

La voiture qu'ils avaient suivie était stationnée devant l'établissement et un homme venait d'en sortir. Il était vêtu avec élégance et marchait calmement vers la porte. Un portier en livrée lui ouvrit en portant poliment la main à sa casquette. L'homme le salua de la tête, puis disparut à l'intérieur.

Le sergent O'Driscoll descendit de sa banquette et vint les rejoindre. Ensemble, ils se dirigèrent d'un pas

---

* Quoi ?

rapide vers l'entrée. Arcand et lui vérifièrent discrètement le bon fonctionnement de leur revolver en en faisant tourner le barillet.

Avec ses six étages de brique pâle et sa toiture mansardée en cuivre, l'édifice était un des plus majestueux de Montréal et n'accueillait que les clients les plus riches. Aucun d'entre eux n'avait jamais osé rêver d'y mettre un jour les pieds. Mais les circonstances étaient particulières et, lorsqu'ils arrivèrent devant le portier, l'inspecteur tira sa carte de police de la poche de sa veste et la brandit. L'homme en livrée écarquilla les yeux de surprise et leur ouvrit.

Ils pénétrèrent dans une impressionnante rotonde, soutenue par des colonnes à la fois puissantes et gracieuses, où résonnait l'écho de leurs pas. Joseph n'avait jamais rien vu d'aussi fastueux, sauf peut-être les images des grands édifices européens glanées dans les livres et les journaux. Indifférent à ce qui l'entourait, Arcand traversa le vaste lobby et se dirigea droit vers le comptoir d'accueil.

Il dégaina sa carte sans hésiter et la montra au commis. Celui-ci parut catastrophé et s'empressa de regarder à la dérobée autour de lui pour s'assurer qu'aucun client ne remarquait ce qui se produisait.

— L'homme qui vient tout juste d'entrer, dit l'inspecteur. Quelle chambre ?

— Il loge dans une suite, corrigea le jeune homme avec une moue hautaine.

— Très bien, gronda Arcand. Sa suite. Quel numéro ?

— 237.

Ils se rejoignirent au pied du grand escalier.

— Laflamme, vous restez ici avec les dames, ordonna Arcand. McCreary, O'Driscoll, avec moi.

Ils allaient protester, mais déjà l'inspecteur, le policier et l'agent de Scotland Yard s'étaient engagés dans l'escalier, ce dernier prenant appui sur le garde-fou pour gravir les marches.

— S'il pense que nous allons rester ici, celui-là, grommela Emma, les yeux en feu et le visage fermé. Après toutes ces nuits de terreur, une tentative de meurtre dans notre cour, une poursuite en pleine rue, j'ai des petites nouvelles pour lui, moi. Non mais, pour qui il se prend ? Il ne va pas me faire manquer la conclusion de la pièce.

Sans rien ajouter, elle se mit à gravir l'escalier. Joseph et Mary lui emboîtèrent le pas. Arrivés à l'étage, ils repérèrent Arcand, O'Driscoll et McCreary devant une porte. L'inspecteur tenait son revolver d'une main et s'apprêtait à frapper de l'autre, tandis que le policier était adossé au mur, sur le côté, son arme levée et prête à faire feu. Désarmé, McCreary n'avait d'autre choix que d'attendre un peu à l'écart.

— Je croyais vous avoir ordonné d'attendre en bas, maugréa Arcand à voix basse en les apercevant.

— Nous avons dû mal comprendre, mon général, rétorqua Emma en lui adressant un sourire glacial.

L'inspecteur allait se mettre à tempêter lorsque la porte de la suite 237 s'ouvrit, prenant tout le groupe au dépourvu.

— Bien, vous voilà, dit avec un accent anglais une voix courtoise et calme, presque accueillante. Entrez, je vous en prie. Nous avons beaucoup à nous dire et peu de temps pour le faire.

51

Dans la suite 237 de l'hôtel Windsor, la scène avait quelque chose d'irréel. Après y avoir été invités comme si la chose allait de soi et que leur hôte était une vieille connaissance retrouvée, tous avaient pris place dans des fauteuils disposés en demi-cercle devant la cheminée. Ils s'attendaient presque à voir apparaître un domestique anglais, le dos raide, un plateau à la main et une serviette sur l'avant-bras, pour leur servir des petits fours et des canapés.

Celui qui, selon toute vraisemblance, avait été le complice d'Albert Sauvageau dans l'assassinat sordide de trois femmes semblait indifférent au revolver qu'Arcand avait prudemment omis de ranger. Il avait un air crâneur qui, en d'autres circonstances, aurait fait enrager les deux policiers, mais qui, en l'occurrence, cadrait parfaitement avec sa mise. Il était vêtu d'un chic complet noir valant sans doute une petite fortune, d'une chemise blanche amidonnée au nœud de cravate impeccable, portait des chaussures cirées comme des miroirs, et avait une barbe grise taillée avec soin et des cheveux méticuleusement lissés. L'inconnu était calé dans un fauteuil de cuir, les jambes croisées, aussi détendu que s'il s'apprêtait à discuter de la pluie et du beau temps. Il fumait un cigare à l'odeur riche et pénétrante dont il soufflait la fumée vers le plafond en observant les volutes tournoyer paresseusement avant de se dissoudre.

Autour de lui, formant un cénacle à la fois récalcitrant et intrigué, se trouvaient Emma et Joseph Laflamme, Mary O'Gara, l'inspecteur Marcel Arcand et l'agent George McCreary. Ils avaient refusé, éberlués, le verre que l'inconnu, en parfait hôte, avait eu le toupet de leur proposer. Même Joseph, qui n'avait jamais eu autant besoin d'alcool qu'en cet instant, n'allait pas s'abaisser à feindre la courtoisie avec un homme vraisemblablement impliqué dans trois assassinats sauvages et un attentat. Dût-il mourir de soif, il allait être fixé une fois pour toutes. Le sergent O'Driscoll, quant à lui, était resté planté près de la porte, bien droit. La main posée sur la crosse du revolver qu'il avait remis dans son étui, il était prêt à intervenir au moindre signe de danger, même si l'individu, si mystérieux qu'il fût, ne représentait pas une grande menace.

Ils attendaient le bon vouloir de cet homme qu'ils ne connaissaient ni d'Ève ni d'Adam avant qu'il émerge de la voiture et qui les toisait avec une enrageante lueur amusée dans le regard. Ce fut l'inspecteur Arcand qui rompit le silence.

— Vous avez été le complice d'Albert Sauvageau dans les meurtres de trois femmes, déclara-t-il sèchement. Vous avez vous-même demandé à avoir cette conversation, mais je dois vous prévenir que tout ce que vous direz à compter de maintenant pourra être retenu contre vous, et que dès que vous aurez fini, vous serez arrêté et formellement accusé de complicité des meurtres de Martha Gallagher, de Madeleine Boucher et de Margaret Smith, et de complicité dans la tentative de meurtre de Mary O'Gara.

L'homme rit doucement.

— Je ne crois pas que les choses se dérouleront ainsi, mais passons pour l'instant.

— J'en déduis que vous désirez toujours parler, insista l'inspecteur.

— Absolument. J'en brûle d'envie, badina l'homme.

— Je vous écoute, fit Arcand, l'air mauvais, en faisant un effort palpable pour jouer le jeu et garder son calme.

L'inconnu tira une nouvelle bouffée de son cigare, la savoura et la projeta dans les airs avec un long soupir de satisfaction.

— Je peux tout vous révéler, affirma-t-il en les regardant tour à tour. La question est de savoir si vous êtes prêts à accepter ce que j'ai à vous dire. Vous savez, toute vérité n'est pas bonne à connaître. Celle-ci ne vous servira à rien et vous apportera autant de frustrations que de réponses.

— J'en jugerai moi-même, s'impatienta Arcand. Alors, qui êtes-vous et pourquoi avez-vous aidé le meurtrier ?

L'homme prit le temps de vider son verre de scotch avant de répondre.

— Mon nom est sans importance. Ce qui compte, ce sont les idées que je représente. Connaissez-vous le respectable Ordre d'Orange ?

— Le quoi ? demanda Joseph.

McCreary, lui, savait visiblement de quoi il s'agissait. La méfiance se lisait sur ses traits. Braquant le regard sur le mystérieux inconnu, il prit la parole.

— L'Ordre d'Orange est une société secrète soi-disant fraternelle dont la structure et les rituels sont calqués sur la franc-maçonnerie. Il est organisé en loges, chapeautées par une grande loge. Pourtant, il s'en déclare l'ennemi, expliqua-t-il avec un mépris hostile qui n'échappa à personne. Il a été fondé en Irlande du Nord en 1796 pour commémorer la glorieuse révolution de 1689 et l'accession au trône d'Angleterre du prince hollandais Guillaume d'Orange, sous le nom de Guillaume III. Comme le roi catholique Jacques II était réfugié à la cour de France, les protestants détenaient le trône pour de bon.

Leur hôte se contenta de hocher la tête de temps à autre pour confirmer l'exactitude de ces explications.

— Dissous en 1825, l'Ordre s'est reformé en 1845, et il sévit depuis, continua McCreary. On le dit parfois en déclin, mais il s'agit d'une désinformation bien planifiée pour que personne ne s'en occupe. Scotland Yard sait bien que les orangistes sont actifs dans l'ombre. Hormis l'Irlande, ils ont des ramifications en Écosse, aux États-Unis et, naturellement, dans tout le Commonwealth, y compris le Dominion du Canada. L'Ordre d'Orange est farouchement monarchiste et partisan d'un Royaume-Uni indivisible. Il refuse de reconnaître la moindre autonomie à l'Irlande catholique et considère normal que les protestants exercent leur suprématie sur tout et tous à la grandeur de l'Empire.

Il adressa à l'inconnu une moue dégoûtée.

— Ceux qui le qualifient de secte fanatique n'ont pas tort, persifla-t-il, même si, officiellement, il n'a jamais rien fait d'illégal. Il recherche la proximité du pouvoir.

— Vous êtes bien informé, reconnut l'individu en haussant le sourcil. Et vous êtes monsieur… ?

— McCreary. Agent George McCreary, de Scotland Yard.

— Scotland Yard ? s'ébahit sarcastiquement l'inconnu. Ma foi, vous m'en voyez honoré ! Me voilà en glorieuse compagnie ! Cela explique que vous en sachiez autant.

— Et si vous nous disiez ce que les orangistes fichent dans cette histoire, au lieu de fanfaronner ? rétorqua Arcand.

L'homme se versa un doigt de scotch ambré dont il but une gorgée qu'il prit le temps de savourer, insensible à l'irritation de ceux qui l'entouraient.

— Je présume que vous savez qui est le prince Albert Victor ? s'enquit-il.

Devant l'air pantois de ses compagnons, tous Canadiens, ce fut à nouveau McCreary qui se chargea de leur en dresser le portrait.

— Son Altesse le prince Albert Victor de Galles, duc de Clarence et d'Avondale et comte d'Athlone, communément surnommé Bertie, est le petit-fils de Sa Majesté la reine Victoria. Mais il est surtout le plus incorrigible des débauchés. Le bruit court qu'il est atteint de la syphilis, ce qui expliquerait sa raison de plus en plus chancelante et son comportement dissolu. Voilà quelques années encore, il courait avec un égal enthousiasme les bordels homosexuels de Cleveland Street et les putains de bas étage qui traînent dans les rues. Scotland Yard connaît depuis longtemps sa vie dépravée. La reine ne l'ignore pas non plus. Nul besoin de préciser que, même si le prince est loin d'être le premier héritier présomptif du trône à s'épivarder un peu trop hardiment, l'affaire est passablement délicate. Sur les conseils de son médecin, le Dr William Gull, Sa Majesté a même envisagé de l'interner jusqu'à ce qu'il ait retrouvé la raison, mais y a renoncé pour ne pas entacher la réputation de la lignée. Hormis quelques rumeurs, on a pu empêcher que son nom apparaisse dans les journaux et les rapports de police. Il semble qu'on ait récemment réussi à le fiancer à la princesse Mary de Teck. La pauvre devra s'accommoder d'un irrécupérable vicieux en espérant qu'il soit encore capable d'engendrer un héritier.

— Scotland Yard a fort bien cerné les traits les moins édifiants de la personnalité du prince Albert Victor, confirma l'orangiste. Le prince Bertie est un débauché et un sodomite, un imbécile incapable de garder sa braguette boutonnée et son pantalon attaché. Évidemment, il constitue une source intarissable de honte pour la famille royale. Ses préférences pour les femmes de mauvaise vie lui ont gâché la santé et la raison. Malheureusement, il sera aussi l'héritier direct de la couronne dès que son père deviendra roi.

Comme s'il réalisait que ce qu'il venait de dire risquait d'avoir blessé Mary, il eut un haussement d'épaules contrit, auquel la petite Irlandaise répondit en refusant de baisser les yeux.

— Cette fois, par contre, vos informations sont incomplètes, poursuivit l'inconnu en levant l'index. Les choses sont beaucoup plus compliquées qu'elles ne le paraissent.

— Alors, éclairez donc notre lanterne, lança Emma avec impatience.

L'homme sourit et tira une bouffée de son cigare avant de s'adresser à tout le groupe.

— À l'heure qu'il est, vous avez certainement compris qu'Albert Sauvageau et celui que les Londoniens ont connu sous le nom de *Jack the Ripper* étaient deux personnes différentes. En fait, Jack n'a jamais existé. C'est un personnage créé de toutes pièces par l'Ordre d'Orange dans le but de protéger la réputation de la couronne d'Angleterre.

Tous le dévisagèrent du même air interdit, ce qui lui tira un sourire satisfait. Manifestement, l'homme prenait un malin plaisir à cultiver le mystère et à distribuer les faits au compte-gouttes.

— Je constate, agent McCreary, reprit-il courtoisement, que vous vous intéressez personnellement à Jack. Ai-je raison d'en déduire que vous étiez de ceux qui ont essayé de lui mettre la main au collet à Londres voilà trois ans ? Peut-être avez-vous des raisons particulières de lui en vouloir ? Cela, en tout cas, expliquerait l'acharnement avec lequel vous le traquiez ici en croyant poursuivre le même homme.

À contrecœur, McCreary acquiesça sèchement de la tête.

— Alors, vous savez qu'après le meurtre de Mary Jane Kelly, à Londres, le 9 novembre 1888, Jack a disparu de la surface de la terre. La raison pour laquelle il a cessé de tuer est bien simple : sa mission était terminée.

— Sa… mission ? répéta McCreary, pris de court.

Constatant qu'on atteignait enfin le nœud de l'affaire, Joseph et McCreary échangèrent un regard entendu tandis qu'Arcand demeurait concentré sur celui qu'il était toujours décidé à appréhender dès qu'il aurait terminé son petit spectacle.

— Les mœurs dissolues du prince Bertie pouvaient être encadrées par la couronne, déclara l'homme sans chercher à cacher le dégoût que ses propres dires éveillaient en lui. Malheureusement, l'affaire s'est transformée en catastrophe potentielle pour la succession au trône. En 1888, l'abruti a poussé l'inconscience jusqu'à s'amouracher d'une de ces filles de joie et à lui faire un enfant. Ce genre de mésaventure arrive tous les jours aux putains, me direz-vous. Mais plutôt que d'abandonner la mère avec son bâtard, ou au pire de la payer pour disparaître après avoir laissé l'enfant sur le parvis d'une crèche, il a eu l'idée saugrenue de l'épouser en secret. Il lui a fait quitter le métier et l'a l'installée dans un appartement du quartier de Whitechapel, comme une bonne petite ouvrière, où il la faisait vivre et la visitait régulièrement, incognito.

Tous se fichaient complètement des mœurs intimes d'un prince qui vivait de l'autre côté de l'océan, même s'il régnerait peut-être un jour sur le Dominion. Personne ne réagit, ce qui parut le décevoir un peu.

— Évidemment, malgré les précautions du prince, il était inévitable que l'affaire finisse par s'ébruiter. Elle est parvenue aux oreilles de la reine, qui en a été très irritée. Une enquête discrète a vite révélé bien pire que ce qu'on craignait : l'épouse morganatique du prince, non contente d'être de petite vertu, était catholique.

Cette fois, le très britannique George McCreary se raidit, les yeux ronds et une expression funeste sur le visage.

— *A roman catholic ?* répéta-t-il, scandalisé. *And she had… a child*[*] *?*

— *She was and she did. Even better : they got married in a catholic church*[**].

— Le prince s'est-il converti ? s'enquit l'agent, le teint devenu cireux.

— Personne ne le sait vraiment.

Constatant que McCreary avait pleinement mesuré les graves conséquences découlant de ce qu'il venait d'apprendre, l'orangiste s'adressa aux autres.

— Ce que notre ami de Scotland Yard a déjà compris, c'est que l'enfant ou, encore pire, un de ceux que la putain catholique aurait peut-être plus tard, se retrouverait un jour *de facto* prétendant direct au trône d'Angleterre. Imaginez ! Le roi du Royaume-Uni de Grande-Bretagne et d'Irlande, empereur des Indes, un papiste ! Après presque quatre siècles de protestantisme ! C'était impensable et la couronne devait être protégée. Pour cela, il était nécessaire d'attirer l'attention ailleurs afin de faire disparaître toute trace de l'affaire.

---

* Une catholique romaine ? Et elle a eu… un enfant ?

** Elle l'était et elle en a eu un. Mieux encore, ils se sont mariés dans une église catholique.

— Jack ? fit Joseph, qui osait à peine admettre ce qu'il croyait comprendre.

— Jack, confirma l'orangiste. Sur notre ordre, il a assassiné toutes les putains qui étaient au courant du mariage secret et de la naissance de l'enfant. D'ailleurs, le temps pressait car la dernière, Mary Jane Kelly, s'était mis en tête de faire chanter ce pauvre Bertie et menaçait de tout révéler aux journaux s'il ne lui versait pas une énorme somme.

— Et la mère et l'enfant ? s'enquit Emma, la voix blanche.

— La mère était une des cinq victimes, confia-t-il vaguement. Nul besoin de vous dire laquelle. Quant à l'enfant, nous ne sommes pas des monstres. Il a été mis à l'orphelinat sous un faux nom. Jamais il ne saura qui il est. À cette heure, il doit manger des patates bouillies dans une bonne famille ouvrière et pauvre, quelque part en Irlande.

— Et les meurtres étaient perpétrés de telle façon que les soupçons se portaient naturellement vers les francs-maçons, compléta McCreary, à la fois stupéfait et admiratif.

— Comme la franc-maçonnerie accorde le même respect à toutes les religions, son discrédit arrangeait des protestants fanatiques, compléta Arcand, qui avait saisi les subtilités de l'affaire. Les orangistes ont fait d'une pierre deux coups, en quelque sorte.

— Exactement, dit l'inconnu.

L'inspecteur bondit sur ses pieds et se tourna vers le sergent.

— J'en ai suffisamment entendu, déclara-t-il. O'Driscoll, arrêtez cet homme.

Le sergent se dirigea aussitôt vers eux tout en dégainant son revolver. Arrivé près d'Arcand, il le mit en joue.

— Non, répondit-il.

52

Un sourire narquois lui retroussant la moustache, O'Driscoll s'approcha d'Arcand et, tout en le gardant en joue, lui tendit une de ses grosses pattes. Comprenant le sens de son geste et sachant qu'il n'avait aucune chance de le surprendre, l'inspecteur y déposa à contrecœur son propre revolver. Le sergent le glissa dans sa ceinture et alla prendre place derrière le fauteuil de l'orangiste, où il se tint droit, prêt à faire feu.

Estomaqué par ce retournement de situation, Arcand dévisagea le sergent d'un regard de feu, les dents serrées. Le colosse roux au cou de taureau ne baissa pas les yeux, ni ne montra la moindre trace d'embarras.

— Veuillez prendre note, cher inspecteur, que le sergent Michael O'Driscoll quitte le service de police de Montréal avec d'impeccables états de service, ironisa l'inconnu. Sa démission prend effet immédiatement, comme on dit dans le monde des affaires. Il repartira avec moi à Toronto, où un bon Irlandais protestant comme lui sera toujours utile à l'Ordre d'Orange. D'ici là, vous voudrez bien me permettre de terminer mon récit ? Vous ne connaissez pas encore tous les détails et je m'en voudrais de vous laisser dans le noir. Alors, je continue ?

— Je vois mal comment vous en empêcher, grogna Arcand.

L'homme le remercia en inclinant galamment la tête, comme si son interlocuteur avait réellement eu le choix. Il semblait s'amuser de plus en plus à mesure que l'inspecteur peinait à contenir sa colère.

— Je ne vous apprends rien en vous disant que même les plans les mieux préparés ont parfois des effets imprévus, déplora-t-il. Dans l'entourage de la reine, où personne n'ignorait ses frasques, on a commencé à chuchoter que Jack était nul autre qu'Albert Victor. Rien de très sérieux, et sans aucune preuve, évidemment, mais c'était tout de même un peu embêtant, d'autant que la rumeur s'est répandue dans les rues. Par un fâcheux paradoxe, la réputation du prince, que nous avions voulu laver en éliminant tous ceux qui savaient, se retrouvait à nouveau ternie. Personne n'avait vu venir un tel revirement. Malgré tout, les retombées étaient positives. Grâce à Jack, les francs-maçons ont été soupçonnés et traînés dans la boue. Leur influence sur l'entourage de Sa Majesté en a été considérablement réduite alors que la nôtre s'est accrue en proportion. Et surtout, nous avons réussi à nous assurer que le trône demeurerait protestant.

— Vous êtes tous complètement cinglés… murmura Emma, sonnée.

— Nous sommes des patriotes, madame.

— Mademoiselle, le corrigea-t-elle machinalement.

Alors que tout le monde était sous le choc, McCreary, lui, réfléchissait, les yeux fixés dans le vide, les sourcils froncés par la concentration, tout en caressant sa moustache. Lorsqu'il releva la tête, il avait manifestement compris quelque chose.

— D'où l'idée de faire croire que le *Ripper* avait traversé l'Atlantique et recommencé à tuer à Montréal, déclara-t-il calmement, avec une trace d'admiration dans la voix. S'il était prouvé hors de tout doute qu'il se trouvait ici alors que le prince préparait ses noces à Londres, la rumeur serait invalidée pour de bon et l'honneur de la famille royale, définitivement lavé.

— Il ne manquait qu'un journaliste naïf pour claironner que Jack l'Éventreur était en liberté dans nos rues, murmura Joseph, catastrophé. Un journaliste désespéré et trop heureux de s'emparer d'une histoire aussi spectaculaire. Bon Dieu... J'ai joué le jeu de ces déments depuis le début...

Joseph n'en revenait pas. Alors qu'ils croyaient utiliser *Le Canadien*, ils avaient été manipulés par ces fous. Grâce à eux, Sauvageau n'avait eu qu'à lire les articles pour suivre leurs progrès. Le seul aspect de l'affaire qu'il avait ignoré, c'était l'implication des agents de Scotland Yard. Il avait tué Margaret Smith parce qu'elle l'avait poursuivi. Rien de plus.

Tandis qu'Emma posait une main réconfortante sur l'avant-bras de son frère, l'homme approuva de la tête ce qu'il venait d'entendre.

— Comme l'Ordre d'Orange avait inventé Jack de toutes pièces à Londres, confirma McCreary, il lui était facile de le faire renaître à Montréal. Il suffisait de reproduire les meurtres à l'identique, tant les mutilations infligées aux victimes que les allusions voilées au rituel maçonnique, puis d'abandonner un bouton de manchette couvert de symboles près de chaque corps.

— Les boutons de manchette importés d'Angleterre et achetés chez Withers voilà quelques semaines par un gentleman de Toronto, renchérit Joseph en se rappelant avec amertume sa conversation avec le marchand d'articles maçonniques.

— Ceux-là mêmes.

L'orangiste se leva et, d'un geste posé, écrasa ce qu'il restait de son cigare dans un cendrier. Il se mit à marcher lentement de long en large, les mains jointes derrière le dos, en veillant à rester hors de portée de ses invités.

— Mais... Sauvageau, dans tout ça? bredouilla Joseph, désemparé, en se frottant le visage avec abattement. Comment... Comment a-t-il pu devenir un tel... monstre?

L'orangiste toisa Joseph, un petit sourire incrédule aux lèvres, comme si le journaliste était un naïf qui tombait des nues et n'avait jamais rien vu.

— Il ne faut pas se fier aux apparences, monsieur Laflamme, dit-il. Chacun de nous a des secrets, parfois très sombres. Nous avons eu recours à la même formule qu'à Londres. Il s'agissait de repérer un désaxé auquel tuer des femmes procurerait un grand plaisir, puis de nous l'attacher par quelques faveurs. Vous seriez surpris d'apprendre combien ils sont nombreux quand on sait où les chercher.

Les jambes bien dégourdies, il revint prendre place dans son fauteuil.

— Votre collègue Albert Sauvageau était un de ces pervers, et de la plus belle sorte, reprit-il. Sa mère était une prostituée de bas étage et, selon ses propres dires, il a grandi en la voyant exercer son métier, nuit après nuit, dans la chambrette où ils s'entassaient tous les deux. Il a même été agressé par quelques-uns de ses clients. Il en est resté marqué, le pauvre. La haine qu'il a conçue pour les femmes en général, et plus particulièrement pour les putains, n'avait rien à voir avec la raison. Sauvageau était un être troublé qui menait une double existence. Un inverti qui se sentait coupable de l'être et qui ne demandait qu'à se confier à quelqu'un. Il n'aimait que les hommes. Les garçons, en particulier, éphèbes de préférence. Du genre qui lui permettait de ne pas se sentir menacé. Il les payait et les recevait chez lui, souvent vêtus comme des putains.

Il leur demandait de l'humilier avant de le satisfaire d'une manière propre aux efféminés et que vous me permettrez de ne pas nommer. Dans son appartement, vous découvrirez d'ailleurs un impressionnant assortiment de godemichés, de chaînes et d'attaches de cuir de toutes sortes...

— Comment pouvez-vous savoir tout cela ? l'interrompit Joseph, qui n'arrivait pas à concilier ce qu'il entendait et ce qu'il savait d'Albert Sauvageau.

Un peu en retrait derrière l'orangiste, O'Driscoll eut un rictus de dégoût qui lui plissa la face et n'échappa à personne.

— Le sergent O'Driscoll l'avait repéré voilà un moment alors qu'il sollicitait un petit précieux sur la rue. Au lieu de l'arrêter, il l'a laissé aller en lui disant qu'il ne voulait pas ruiner la réputation d'un éminent journaliste et s'en est fait un ami. Dès lors, il nous appartenait comme un damné qui aurait vendu son âme au diable. Il allait faire tout ce que nous lui demandions.

Arcand laissa échapper un rire sardonique en hochant la tête de dépit. Il se sentait stupide de ne pas avoir compris plus tôt. L'homme lui adressa un sourire presque sympathique.

— En février, l'ordre est arrivé de Londres, par l'intermédiaire d'Ottawa, de faire revivre Jack à Montréal. Il a suffi qu'O'Driscoll fasse comprendre à son « ami » Sauvageau qu'il devait nous obéir et se transformer momentanément en assassin, faute de quoi nous le dénoncerions. Sa réputation et sa carrière seraient détruites. De toute façon, nous savions qu'une fois qu'il y aurait goûté, il ne pourrait plus s'en passer. C'est exactement ce qui s'est produit. Il a tué une première fois en février, pour s'exercer, en quelque sorte, et à compter de ce moment, il a piaffé d'impatience jusqu'en août.

— Mais vous avez perdu le contrôle sur lui, interjeta McCreary.

L'homme écarta les mains avec impuissance.

— Plus que nous n'aurions jamais pu l'imaginer, admit-il. Nous ignorions toutefois qu'il était franc-maçon. Normal, puisque l'appartenance aux loges est secrète. Mais c'est venu près de tout gâcher. Il a vite nourri des illusions de grandeur et s'est senti invincible. Pour montrer qu'il était le plus fort, il a été jusqu'à mettre lui-même M. Laflamme sur la piste maçonnique et à le conduire à la boutique de Withers. Il jouait avec le feu et il nous a fallu un moment pour comprendre ce qui se passait. Il a même commis l'erreur d'être surpris par un témoin dès le premier meurtre.

— Mais ce n'est pas lui qui a assassiné Napoléon Archambault, déclara Joseph. La façon de procéder n'était pas la même.

— Il en avait trop vu et en parlait avec trop de liberté. Le sergent O'Driscoll s'est occupé de lui. C'est aussi lui qui conduisait la voiture qui récupérait Sauvageau après chacun des meurtres. Sauf ce soir, puisqu'il devait conduire l'inspecteur.

— Et Jonathan Withers ?

— Par le plus grand des hasards, un des nôtres, maintenant reparti à Toronto, se trouvait sur place quand vous vous êtes présenté à la boutique en compagnie de Sauvageau. Il s'est arrangé pour être le dernier à quitter les lieux en s'assurant que le marchand ne puisse pas vous aider outre mesure. Lorsque vous avez commencé à publier vos articles, nous avons compris que vos informations vous venaient d'ailleurs, mais nous n'aurions jamais pu imaginer qu'elles émanaient de Scotland Yard.

Joseph secoua la tête, dépité. Ces gens tuaient comme ils respiraient, sans scrupule ni remords. Seule importait la protection du trône d'Angleterre. Il observa l'orangiste.

Il avait presque soixante ans et on pouvait sans doute le maîtriser sans trop de mal. Il en allait tout autrement du sergent O'Driscoll, qui était armé et doué pour la bagarre. Contre un agent affligé d'une jambe de bois, un inspecteur pas particulièrement costaud et un journaliste qui, en guise d'exercice, se contentait de lever un verre, il risquait fort de l'emporter.

— Plus vous vous approchiez de Sauvageau, plus son besoin de vous narguer le consumait, poursuivit l'orangiste. La tentative de meurtre sur Mlle O'Gara a été volontairement commise devant votre porte, pour vous défier. Il a même imité votre signature, retrouvée aux bureaux du journal, et s'en est vanté. L'assassinat au musée Éden était aussi une initiative personnelle.

— D'où l'absence de voiture, dit Joseph.

— Nous ne pouvions pas l'attendre après son forfait puisque nous n'en savions rien. Nous avons alors compris que le temps de se débarrasser d'Albert Sauvageau était venu. De toute façon, grâce à vos articles, monsieur Laflamme, notre but était atteint. Tout le monde parlait de Jack l'Éventreur.

Joseph accusa le camouflet sans broncher. L'orangiste se leva à nouveau et se dirigea vers la fenêtre de la suite. Il écarta la draperie pour regarder dehors.

— Ma voiture m'attend, annonça-t-il.

Il se retourna pour faire face au groupe.

— Mesdames, messieurs, je dois vous quitter. Vous êtes des gens intelligents. Vous avez certainement compris que, malgré ce que vous savez maintenant, vous ne disposez d'aucune preuve. Parlez et on vous croira fous.

Il se rendit jusqu'à la porte de la suite, O'Driscoll sur ses pas.

— Je pourrais vous retrouver et vous faire arrêter, protesta Arcand.

L'homme avisa l'inspecteur, dont le visage trahissait la frustration. Il lui tendit les mains avec le sourire.

— Arrêtez-moi tout de suite si le cœur vous en dit. Je ne peux pas vous dire qui est membre de l'Ordre d'Orange, mais je vous assure qu'en quelques jours, vous aurez les gouvernements du Canada et de la Grande-Bretagne sur le dos. Vous y perdrez votre temps et votre carrière. Peut-être aussi votre femme et vos enfants.

La menace à peine voilée flotta dans l'air jusqu'à ce que McCreary confirme au policier que l'homme disait vrai.

— Et Jack ? s'enquit-il d'une voix étouffée. Le premier, je veux dire ?

L'inconnu lui adressa un regard compréhensif.

— Une fois tous les témoins disparus, il a été éliminé par l'Ordre, sans doute jeté dans un égout ou dans la Tamise. Qu'en sais-je ? Votre chasse est terminée, agent McCreary. Vous pouvez déposer les armes.

McCreary expira longuement, comme si les années de haine et de frustration qui s'étaient accumulées en lui le quittaient d'un seul coup. Ses épaules se relâchèrent et tout son corps devint moins raide. Le tueur qu'il n'avait cessé de traquer depuis presque trois ans, dévoré par le désir de vengeance, était mort. Il allait enfin pouvoir se reposer et pleurer ceux qu'il devait pleurer.

L'orangiste ouvrit la porte, s'arrêta dans l'embrasure et inclina élégamment la tête vers eux.

— J'ai réglé la note de l'hôtel. Je ne vais quand même pas vous laisser avec des frais sur les bras. *God save the Queen, Great Britain and Ireland, and our Order*, dit-il avant de sortir de la suite et de leur vie.

Le sergent O'Driscoll leur adressa un clin d'œil narquois. Il suivit son maître et referma la porte, les laissant seuls avec leur déconfiture.

53

Montréal, 14 août 1891

Abasourdis, ils mirent plusieurs minutes pour se secouer et quitter la suite des orangistes. Une fois sortis de l'hôtel, ils se retrouvèrent sur le trottoir. Là, l'inspecteur Arcand les regarda en hésitant.

— Je vais vous reconduire, dit-il en désignant la voiture qui était restée là. En pleine nuit, vous ne trouverez pas de fiacre.

Reconnaissants de cette attention, ils se dirigèrent comme des automates vers le véhicule. McCreary boitait sur sa prothèse endommagée et Emma le soutenait discrètement en lui tenant l'avant-bras. Joseph était à mi-chemin, derrière eux, lorsqu'il réalisa que la petite Mary ne les suivait pas. Il se retourna et l'aperçut, toujours devant l'hôtel, qui les regardait partir sans rien dire. Il fit aussitôt demi-tour pour la rejoindre.

— Qu'attends-tu ? demanda-t-il. Allez, viens.

Elle lui adressa un sourire triste et secoua lentement la tête.

— Pour aller où ? Chez toi ?

Joseph fut pris de court par la question.

— Mais... Euh... Oui ? Pourquoi pas ? Nous pourrions...

Elle lui posa les doigts sur les lèvres pour l'empêcher de prononcer les mots qu'il avait si souvent dits dans l'intimité et qui lui faisaient toujours si mal, même si elle ne l'avait jamais montré. Ses grands yeux se remplirent de larmes et elle lui caressa la joue.

— Je suis une putain, mon pauvre Joseph, murmura-t-elle. Rien de plus. Il a fallu qu'on essaie de m'ouvrir la gorge alors que je te rejoignais, énervée comme une jouvencelle, pour que je m'en souvienne et que je réalise combien j'étais ridicule de m'imaginer que... de croire que... que je pouvais espérer mieux. Je ne serai jamais que la petite Mary O'Gara, qui vend au plus offrant les cheveux roux, les yeux bleus et le cul que la nature lui a donnés.

— Mais... Non... Mary, je...

Se hissant sur le bout des pieds, elle lui posa à la sauvette un baiser sur les lèvres. Puis elle se détacha de lui et s'en fut à la hâte, sous le regard intrigué d'Emma et de McCreary, qui allaient monter dans la cabine. Le cœur brisé, se mordant les lèvres pour ne pas pleurer, Joseph regarda Mary O'Gara disparaître dans la nuit pour aller reprendre l'existence qu'elle considérait sienne, la seule qu'elle croyait mériter, incapable d'imaginer qu'elle pouvait en changer. Il aurait voulu trouver les mots pour la retenir, mais aucun ne lui vint. Puis, stoïque, il s'en fut rejoindre les autres, mais demeura muet durant tout le trajet. Sa sœur et McCreary respectèrent son besoin de silence. De toute façon, eux-mêmes étaient trop sonnés pour parler.

* * *

Personne n'avait douté un instant que McCreary reviendrait avec les Laflamme avenue De Lorimier. La chose paraissait tout à fait naturelle. Tous étaient à bout et, une fois sur place, nul n'avait eu la force ou l'envie de discuter des événements récents. Il ne restait plus rien à dire. Sauvageau était mort, Jack l'Éventreur aussi, et ceux qui avaient orchestré toute l'affaire s'en tiraient indemnes. C'était injuste, mais c'était ainsi. L'agent de Scotland Yard reprit sa place sur le vieux canapé, et la maison au fond de la cour arrière resta silencieuse jusqu'au matin.

Au réveil, le soleil qui entrait par les fenêtres annonçait une magnifique journée, plus fraîche que les précédentes, mais ils étaient encore sonnés. Ils mangèrent en silence du pain beurré et de la confiture qu'ils ne goûtèrent pas vraiment. Ils ne trouvèrent le courage de discuter que lorsque fut servi le café fort et fumant qu'Emma avait préparé.

— Quelqu'un peut-il me dire si nous avons gagné ou perdu ? s'enquit Joseph en fixant sa tasse. Parce que moi, franchement, je ne sais pas.

— Vous êtes en vie, miss Emma aussi, répondit McCreary. Vous n'êtes plus soupçonné par la police. Dès que l'inspecteur Arcand aura fait son rapport à la Grande Loge, la franc-maçonnerie n'aura plus aucune raison de vous en vouloir. Le public ignore ce que nous sommes les seuls à savoir et, à ses yeux, vous êtes un héros, un journaliste intrépide qui a réussi à traquer un tueur qui échappait à la police. Maintenant que Sauvageau est mort, il y a une place libre au *Canadien* et personne n'est mieux placé que vous pour l'occuper. En gros, je dirais que vous êtes gagnant sur toute la ligne, non ?

— Vu comme ça, en effet…

— Quant à moi, reprit l'agent d'une voix qui s'étranglait, ma chasse est terminée et je devrais en être reconnaissant. Je voudrais seulement que cette pauvre Margaret n'ait pas eu à mourir. Je lui devais beaucoup mieux que ça.

Il avisa Emma et lui adressa un sourire gêné.

— Et en prime, j'ai fait la connaissance de miss Emma, dit-il doucement.

À ces mots, celle-ci rougit comme une bachelette et baissa les yeux avec pudeur. À cet instant précis, Joseph comprit que George McCreary ne rentrerait pas à Londres ; pas immédiatement, en tout cas. Il se racla la gorge pour chasser son malaise, se leva et alla chercher sa Remington sur la dernière tablette de l'armoire. Il revint, la déposa sur la table et constata avec soulagement que, pendant qu'il avait le dos tourné, sa sœur et l'agent avaient retrouvé leur réserve habituelle.

— Il ne reste qu'à boucler la boucle, déclara-t-il en s'assoyant pour insérer une feuille sous le rouleau.

Par souci de professionnalisme, mais surtout pour expulser une fois pour toutes cette histoire de son système, il ressentait le besoin d'écrire un ultime article pour le *Canadien*. Pendant l'heure qui suivit, Emma, McCreary et lui conjuguèrent leurs efforts. Le résultat s'avéra un peu banal, presque simpliste, mais il ne pouvait en être autrement. La vérité était mille fois moins crédible que la fiction. Comme l'avait dit l'orangiste, malgré tout ce qu'ils avaient appris, ils ne disposaient d'aucune preuve concrète. S'ils racontaient le complot orchestré par l'Ordre d'Orange pour éliminer les témoins des incartades du prince Albert Victor, s'ils affirmaient que Jack l'Éventreur n'était qu'une créature de cauchemar imaginée par ces fanatiques qui avaient identifié d'avance chacune de ses victimes, et s'ils révélaient que le même stratagème avait été utilisé à Montréal, la nouvelle aura du journaliste Joseph Laflamme ne l'empêcherait pas d'être considéré comme un fou à lier. Le mieux qu'ils pouvaient faire, c'était de révéler que le tueur de Montréal n'était pas celui de Londres. Pour le reste, ils avaient décidé de donner à la police le mérite dont ils n'avaient que faire.

LE TUEUR DE MONTRÉAL NE TUERA PLUS !

Les lecteurs du Canadien seront certainement soulagés d'apprendre que les rues de Montréal sont à nouveau sûres. En effet, dans la nuit du 14 au 15 août, le tueur qui avait terrorisé la ville en assassinant de manière sauvage Mmes Martha Gallagher, Madeleine Boucher et Margaret Smith a été surpris en pleine activité alors qu'il s'attaquait à une nouvelle victime. Après une brève poursuite, il a été abattu par la police sur la Place du marché Saint-Laurent.

Son identité est connue des autorités, qui la divulgueront en temps opportun, une fois leur enquête terminée. Qu'il suffise de dire que le tueur était un esprit dérangé qui imitait Jack l'Éventreur dans les moindres détails. De même, il est désormais confirmé que, s'il était bel et bien franc-maçon, ses actes n'étaient en rien liés à la Grande Loge du Québec, qui a été éclaboussée injustement dans cette affaire. Les Montréalais, et particulièrement les Montréalaises, peuvent désormais dormir tranquilles.

Joseph Laflamme

En inscrivant son nom au bas de l'article, Joseph ressentit un vague regret et un pincement au cœur, mais sa décision était prise depuis un moment déjà et il s'y tiendrait.

* * *

Dans les bureaux du *Canadien*, Charles-Edmond Rouleau était sonné. Affalé dans sa chaise, les bras pendants, il avait cet air hébété qu'arboraient les boxeurs qui participaient à des combats dans les ruelles pour une bouchée de pain. Sur son bureau se trouvait l'article que Joseph venait de lui remettre. Le journaliste se tenait debout de l'autre côté de la table. Pour la première fois depuis des jours, il avait pris le temps de mettre de la pommade dans ses cheveux et de tailler sa fine moustache, et ne paraissait pas trop mal en point malgré son vieux costume fripé et usé qu'il se promettait de remplacer à la première occasion.

— Sauvageau ? répétait sans cesse l'éditeur, comme s'il était incapable d'assimiler l'information qu'on venait de lui divulguer.

Il passa nerveusement sa main sur son crâne chauve tout en se mordillant les lèvres.

— Seigneur… la réputation du journal va en souffrir, soupira-t-il. M. Tarte ne s'en remettra pas. Mais comment est-ce possible ? La police est certaine ?

— Oui. Sauvageau était franc-maçon, comme Arcand. Je serais surpris que l'identité du tueur soit rendue publique par la police, le rassura Joseph en se remémorant la menace à peine voilée que l'orangiste avait laissé planer sur la famille de l'inspecteur. Comme Albert était célibataire et n'avait pas de parents proches, hormis la police, nous sommes les seuls à pouvoir révéler le secret de sa mort. Si nous ne le faisons pas, il sera simplement oublié.

— Oui, oui, tu as raison, s'empressa d'acquiescer Rouleau, trop heureux de cet expédient. Bien, bien. Très bien.

Le rédacteur prit l'article sur son bureau et le relut.

— Je sais bien que je ne devrais pas dire une chose pareille, Laflamme, admit-il quand il eut terminé, mais je regrette presque que l'affaire soit terminée.

— Pas moi, rétorqua un peu trop fermement le journaliste.

Encore incrédule, Rouleau secoua la tête, reposa l'article et le tapota de la main.

— Bon, au moins, personne ne pourra accuser *Le Canadien* de ne pas conclure correctement.

Il ouvrit un tiroir et en tira un cigare, dont il trancha le bout avec ses dents avant de l'allumer. Puis il le fourra dans le coin de sa bouche et considéra brièvement Joseph en plissant l'œil où montait la fumée. Le fait de mâchouiller énergiquement l'objet sembla lui rendre son calme.

— Je vais avoir besoin de quelqu'un pour remplacer Sauvageau, déclara-t-il. Le poste est à toi si tu le veux.

Pendant des années, Joseph avait voulu de toutes ses forces entendre ces mots. Voilà une semaine encore, il aurait vendu sa propre mère pour qu'on lui propose ce poste dont il avait rêvé depuis le jour où il avait quitté l'orphelinat en tenant la main d'Emma. Il haussa les épaules, mi-impuissant mi-résigné.

— Je vous remercie, monsieur Rouleau, dit-il, mais j'ai d'autres projets.

Il sortit sans rien ajouter. Pour la dernière fois.

Épilogue

Montréal, 15 août 1891

Le lendemain, en fin d'après-midi, l'inspecteur Arcand se présenta chez les Laflamme, tiré à quatre épingles, les favoris, la moustache et les cheveux noirs bien entretenus. L'homme avait retrouvé les airs de dandy qu'il arborait la première fois que Joseph l'avait rencontré, à la station nº 2. Il tenait un épais porte-documents en cuir et était flanqué de deux sergents. Cette fois, Joseph l'invita à entrer. L'homme ne lui plaisait pas outre mesure, mais il le savait honnête et, à défaut de sympathie, il avait conçu pour lui une forme de respect prudent.

Tandis que Joseph refermait derrière lui, Arcand aperçut McCreary qui prenait place à la table avec une tasse de thé. Sur ces entrefaites, Emma sortit de sa chambre et parut surprise de le trouver là alors qu'elle pensait ne plus le revoir.

— Madame, dit Arcand en inclinant galamment la tête. Agent McCreary.

— Mademoiselle, corrigea Emma.

Tous deux lui rendirent des salutations réservées, que leur passage dans la suite de l'hôtel Windsor avait dépouillées de méfiance.

— Voulez-vous vous asseoir ? offrit Joseph.

— Ce serait plus pratique, oui.

Il prit place à table et posa son porte-documents devant lui.

— Du thé, inspecteur ? proposa Emma.

— Si ce n'est pas trop demander.

Emma alla préparer un thé bien fort, puis revint et déposa une tasse dans sa soucoupe près d'Arcand, qui la remercia de la tête avant d'avaler une gorgée qui lui fit fermer les yeux de plaisir.

— Merci, mademoiselle. Votre thé est encore meilleur que celui de ma femme.

— Que puis-je faire pour vous, inspecteur ? demanda Joseph.

— Rien de plus, rassurez-vous. Je suis venu vous dire que notre enquête est terminée. Nous avons passé les moindres recoins de l'appartement de Sauvageau au peigne fin en espérant trouver quelque chose qui incriminerait le type de l'hôtel Windsor.

— Et ? s'enquit McCreary en étirant le cou.

— Et rien, soupira Arcand, dégonflant aussitôt ses espoirs. Si l'homme y est déjà allé, il n'a laissé aucune trace. Oh, entendons-nous, Sauvageau était bel et bien un joyeux dépravé. Jamais, même dans un moment de délire, je n'aurais pu imaginer pareil attirail d'outils de perversion. Des fouets, des sangles, des chaînes, des câbles, des colliers de cuir, des masques, des aiguilles, des couteaux... Des robes aussi, parce qu'il ne détestait pas s'habiller en femme. Et je n'ose même pas vous décrire les choses que ce taré se faisait enfoncer dans les fondements... Sans compter les traitements qu'il se faisait infliger aux parties sensibles...

Il eut un frémissement d'horreur en imaginant ce qu'il n'osait pas décrire et sembla soudain se rappeler qu'il était en présence d'une femme.

— Je… Je suis désolé, mademoiselle, bredouilla-t-il en rougissant, consterné. Je… C'était très indélicat de ma part… Devant une dame…

— Il n'y a pas de mal, l'assura Emma avec un geste apaisant de la main. Je suis peut-être vieille fille, mais je ne suis plus une enfant…

— Vous n'êtes quand même pas venu ici pour me parler des perversions d'Albert Sauvageau, intervint Joseph.

— Non, admit Arcand, visiblement reconnaissant d'être tiré d'un mauvais pas. Il y a autre chose.

Il ouvrit son porte-documents et en tira une liasse de journaux jaunis. À tour de rôle, Joseph, Emma et McCreary en prirent connaissance.

— Sauvageau avait collectionné tous les journaux de Londres qui parlaient de Jack l'Éventreur en 1888, leur expliqua l'inspecteur. Ils étaient conservés dans une boîte.

— Il s'intéressait à Jack avant même que les orangistes ne le contactent, déclara McCreary avec un haussement d'épaules. *It makes sense*[*].

— C'est ce que je me suis dit, moi aussi, acquiesça Arcand, jusqu'à ce qu'un de mes hommes trouve ceci dans un tiroir.

Il tira de son porte-documents un paquet de papiers qu'il posa sur la table.

— Notre homme était méticuleux et ne jetait rien.

Cette fois, McCreary et les Laflamme restèrent interdits.

— Il s'agit de reçus pour le loyer hebdomadaire d'une chambre dans une pension de Londres, expliqua l'inspecteur. Si l'on se fie aux dates qui y figurent, il y est resté entre le 30 juillet et le 16 novembre 1888.

— Tout juste avant le début des meurtres de Jack… fit McCreary en blêmissant.

---

* C'est logique.

— Et une semaine après le dernier, conclut Emma.

Comprenant ce que cela pouvait signifier, Joseph posa la question qui leur brûlait tous les lèvres.

— Bon Dieu... Vous croyez que Sauvageau aurait pu être Jack ? Que l'orangiste nous a raconté des histoires ?

— Je n'en sais franchement rien, admit l'inspecteur en ramassant les papiers, puis les journaux. Je note simplement la présence d'une coïncidence troublante.

Lorsqu'il eut fini de ranger les papiers dans son porte-documents, il releva la tête. Son visage était grave et son regard, troublé.

— Surtout qu'hier, Charles-Edmond Rouleau m'a confirmé avoir engagé Albert Sauvageau comme journaliste au *Canadien* en janvier 1889, à peine débarqué d'un grand tour d'Europe, disait-il. Il ignore tout de lui avant cette date.

Un silence abasourdi accueillit cette nouvelle révélation.

— Il avait eu le temps de revenir d'Angleterre, finit par constater McCreary.

— Oui, confirma sombrement Arcand.

Il se leva et se dirigea vers la porte, son porte-documents sous le bras. Joseph le raccompagna tandis qu'Emma et McCreary, secoués, le saluaient distraitement. Dans l'embrasure de la porte, l'inspecteur tendit la main à Joseph, qui l'accepta.

— Sachez que votre présence ne détonnerait dans aucune loge maçonnique, monsieur Laflamme, affirma-t-il avec une sincérité palpable.

Sans attendre de réponse, il sortit. Accompagné des deux sergents qui l'avaient attendu, il traversa la cour intérieure et disparut sous la porte cochère. Lorsque Joseph referma la porte, il croisa le regard de George McCreary et crut y voir une lueur de triomphe.

Suivez les Éditions Libre Expression sur le Web :
www.edlibreexpression.com

Cet ouvrage a été composé en Adobe Caslon Pro 12,25/14,75
et achevé d'imprimer en mai 2014 sur les presses
de Marquis Imprimeur, Québec, Canada.

certifié

procédé sans chlore

100 % post-consommation

archives permanentes

énergie biogaz

Imprimé sur du papier 100 % postconsommation, traité sans chlore,
accrédité Éco-Logo et fait à partir de biogaz.